Justiça

*Michael J. Sandel*

# Justiça
## O que é fazer a coisa certa

**Tradução de**
Heloísa Matias e Maria Alice Máximo

1ª edição

CIVILIZAÇÃO BRASILEIRA
Rio de Janeiro
2025

Título original em inglês: *Justice*

CIP-BRASIL. CATALOGAÇÃO NA FONTE
SINDICATO NACIONAL DOS EDITORES DE LIVROS, RJ

Sandel, Michael J.
S198j Justiça : o que é fazer a coisa certa / Michael J. Sandel ; tradução Heloisa Matias, Maria Alice Máximo. - 1. ed. - Rio de Janeiro : Civilização Brasileira, 2025.

Tradução de: Justice

ISBN 978-65-5802-192-6

1. Justiça (Filosofia). 2. Valores. 3. Ética. I. Matias, Heloisa. II. Máximo, Maria Alice. III. Título.

25-97477.0 CDD: 172.2
CDU: 172

Gabriela Faray Ferreira Lopes - Bibliotecária - CRB-7/6643

---



Texto revisado segundo o novo Acordo Ortográfico da Língua Portuguesa.

Reservam-se os direitos desta tradução à
EDITORA CIVILIZAÇÃO BRASILEIRA
Um selo da
EDITORA JOSÉ OLYMPIO LTDA.
Rua Argentina, 171 – 20921-380 – Rio de Janeiro, RJ – Tel.: (21) 2585-2000.



Impresso no Brasil
2025

*Para Kiku, com amor*

# Sumário

# CAPÍTULO 1 Fazendo a coisa certa

No verão de 2004, o furacão Charley pôs-se a rugir no Golfo do México e varreu a Flórida até o Oceano Atlântico. A tempestade, que levou 22 vidas e causou prejuízos de 11 bilhões de dólares,[1] deixou também em seu rastro uma discussão sobre preços extorsivos.

Em um posto de gasolina em Orlando, sacos de gelo de dois dólares passaram a ser vendidos por dez dólares. Sem energia para refrigeradores ou ar-condicionado em pleno mês de agosto, verão no hemisfério norte, muitas pessoas não tinham alternativa senão pagar mais pelo gelo. Árvores derrubadas aumentaram a procura por serrotes e consertos de telhados. Prestadores de serviços cobraram 23 mil dólares para tirar duas árvores de um telhado. Lojas que antes vendiam normalmente pequenos geradores domésticos por 250 dólares pediam agora 2 mil dólares. Por uma noite em um quarto de motel que normalmente custaria 40 dólares[2] cobraram 160 a uma mulher de 77 anos que fugia do furacão com o marido idoso e a filha deficiente.

Muitos habitantes da Flórida mostraram-se revoltados com os preços abusivos. "Depois da tempestade vêm os abutres" foi uma das manchetes do *USA Today*. Um morador, ao saber que deveria pagar 10.500 dólares para remover uma árvore que caíra em seu telhado, disse que era errado que as pessoas "tentassem capitalizar à custa das dificuldades e da miséria dos outros". Charlie Crist, procurador-geral do estado, concordou: "Estou impressionado com o nível de ganância que alguns certamente têm na alma ao se aproveitar de outros que sofrem em consequência de um furacão."[3]

A Flórida tem uma lei contra preços abusivos e, após o furacão, o gabinete do procurador-geral recebeu mais de duzentas reclamações. Alguns dos reclamantes ganharam ações judiciais. Uma filial do Days Inn, em

West Palm Beach, teve de pagar 70 mil dólares em multas e restituições por cobranças excessivas aos clientes.[4]

Entretanto, quando Crist exigiu o cumprimento da lei sobre preços extorsivos, alguns economistas argumentaram que a lei — e o ultraje público — baseava-se em um equívoco. Nos tempos medievais, filósofos e teólogos acreditavam que a troca de mercadorias deveria ser regida por um "preço justo", determinado pela tradição ou pelo valor intrínseco das coisas. Mas nas sociedades de mercado, observaram os economistas, os preços são fixados de acordo com a oferta e a procura. Não existe o que se denomina "preço justo".

Thomas Sowell, economista partidário do livre mercado, considerou o termo "extorsão" aqui aplicado uma "expressão emocionalmente poderosa porém economicamente sem sentido, à qual a maioria dos economistas não dá atenção, porque lhes parece vaga demais". Em artigo no *Tampa Tribune*, Sowell procurou explicar "como 'os preços abusivos' ajudaram os cidadãos da Flórida". As despesas aumentam "quando os preços são significativamente mais altos do que aqueles aos quais as pessoas estão acostumadas", escreveu Sowell. Mas "os níveis de preços aos quais você porventura está acostumado" não são moralmente sacrossantos. Eles não são mais "especiais ou 'justos' do que outros preços" que as condições do mercado — incluindo as provocadas por um furacão — possam acarretar.[5]

Preços mais altos de gelo, água engarrafada, consertos em telhados, geradores e quartos de motel têm a vantagem, argumentou Sowell, de limitar o uso pelos consumidores, aumentando o incentivo para que empresas de locais mais afastados forneçam as mercadorias e os serviços de maior necessidade depois do furacão. Se um saco de gelo alcança dez dólares quando a Flórida enfrenta falta de energia no calor de agosto, os fabricantes de gelo considerarão vantajoso produzir e transportar mais. Não há nada injusto nesses preços, explicou Sowell; eles simplesmente refletem o valor que compradores e vendedores resolvem atribuir às coisas quando as compram e vendem.[6]

Jeff Jacoby, comentarista econômico que escreve para o *Boston Globe*, criticou as leis para preços abusivos de forma semelhante: "Não é extorsão cobrar o que o mercado pode suportar. Não é ganância nem falta de pudor. É assim que mercadorias e serviços são fornecidos em uma sociedade livre." Jacoby reconheceu que "os picos de preços são irritantes, especialmente para alguém cuja vida acaba de ser lançada em um turbilhão por uma tempestade mortal". Mas a ira pública não é justificativa para que se interfira no livre mercado. Por meio de incentivos aos fornecedores para que produzam mais mercadorias necessárias, os preços aparentemente exorbitantes "trazem mais benefícios do que malefícios". Jacoby conclui: "Infernizar os comerciantes não vai acelerar a recuperação da Flórida. Deixá-los trabalhar vai."[7]

O procurador-geral Crist (um republicano que mais tarde seria eleito governador da Flórida) publicou um texto em um jornal de Tampa defendendo a lei contra o abuso de preços: "Em tempos de emergência, o governo não pode ficar à sombra enquanto são cobrados às pessoas preços inescrupulosos no momento em que elas tentam salvar suas vidas ou procuram as mercadorias básicas para suas famílias depois de um furacão."[8] Crist repudiou a ideia de que esses preços "inescrupulosos" sejam reflexo de um comércio verdadeiramente livre:

> Não se trata de uma situação normal de livre mercado, na qual pessoas que desejam comprar algo decidem livremente entrar no mercado e encontram pessoas dispostas a vender-lhes o que desejam, na qual um preço obedece à lei da oferta e da procura. Numa situação de emergência, compradores coagidos não têm liberdade. A compra de artigos básicos e a busca de abrigo seguro são algo que lhes é imposto.[9]

A discussão sobre abuso de preços provocada pelo furacão Charley levanta graves questões sobre moral e lei: É errado que vendedores de mercadorias e serviços se aproveitem de um desastre natural, cobrando tanto quanto o mercado possa suportar? Em caso positivo, o que, se é que existe algo, a lei deve fazer a respeito? O Estado deve proibir abuso de preços mesmo que, ao agir assim, interfira na liberdade de compradores e vendedores de negociar da maneira que escolherem?

## BEM-ESTAR, LIBERDADE E VIRTUDE

Essas questões não dizem respeito apenas à maneira como os indivíduos devem tratar uns aos outros. Elas também dizem respeito a como a lei deve ser e como a sociedade deve se organizar. São questões sobre justiça. Para responder a elas, precisamos explorar o significado de justiça. Na verdade, já começamos a fazer isso. Se você prestar atenção ao debate, notará que os argumentos a favor das leis relativas ao abuso de preços e contra elas giram em torno de três ideias: aumentar o bem-estar, respeitar a liberdade e promover a virtude. Cada uma dessas ideias aponta para uma forma diferente de pensar sobre justiça.

A defesa usual dos mercados sem restrições baseia-se em duas postulações — uma sobre bem-estar, outra sobre liberdade. Primeiro, os mercados promovem o bem-estar da sociedade como um todo por meio de incentivos para que as pessoas se esforcem a fim de fornecer as mercadorias que as outras desejam. (No dizer comum, frequentemente equiparamos o bem-estar à prosperidade econômica, embora bem-estar seja um conceito mais amplo, que pode incluir aspectos não econômicos do bem-estar social.) Em segundo lugar, os mercados respeitam a liberdade individual; em vez de impor um determinado valor às mercadorias e serviços, deixam que as pessoas escolham por si mesmas que valor atribuir ao que compram e vendem.

Não é de surpreender que os opositores das leis contra abuso de preços invoquem esses dois argumentos usuais na defesa do livre mercado. Como os partidários das leis contra abuso de preços respondem? Em primeiro lugar, argumentam que o bem-estar da sociedade como um todo não é realmente favorecido pelos preços exorbitantes cobrados em momentos difíceis. Mesmo que os preços altos originem um maior fornecimento de mercadorias, esse benefício deve ser confrontado com a sobrecarga que tais preços impõem àqueles com menor potencial para adquirir os bens. Para os abastados, os preços inflacionados de um galão de gasolina ou um quarto de motel durante uma tempestade podem ser um aborrecimento a mais; mas, para aqueles com posses mais modestas, tais preços constituem uma dificuldade real, que pode levá-los a permanecer em locais perigosos em vez de buscar segurança. Os defensores das leis contra o abuso de preços argumentam que qualquer estimativa do bem-estar geral deve considerar a dor e o sofrimento daqueles que são obrigados a pagar mais por suas necessidades básicas durante uma emergência.

Em segundo lugar, os defensores das leis contra o abuso de preços sustentam que, em determinadas condições, o mercado livre não é verdadeiramente livre. Como diz Crist, "compradores sob coação não têm liberdade. Suas compras de artigos para suprir necessidades básicas, assim como a busca por abrigo seguro, são algo que lhes é imposto pela necessidade". Se você estiver fugindo de um furacão com a família, o preço exorbitante que paga pela gasolina ou por um abrigo não é realmente uma transação voluntária. É algo mais próximo da extorsão. Assim, para decidir se as leis de preços abusivos se justificam, precisamos avaliar essas relações entre bem-estar e liberdade.

Entretanto, precisamos também considerar outro argumento. Grande parte do apoio público às leis contra o abuso de preços vem de algo mais visceral do que bem-estar ou liberdade. As pessoas se revoltam com "abutres" que se aproveitam do desespero alheio, e querem puni-los — e não recompensá-los com lucros inesperados. Tais sentimentos são muitas vezes descartados como emoções rancorosas que não devem interferir na política pública ou na lei. Como escreve Jacoby, "demonizar os vendedores não vai acelerar a recuperação da Flórida".[10]

O ultraje ante o abuso de preços, no entanto, é mais do que uma raiva insensata. Ele põe em questão um argumento moral que deve ser levado a sério. O ultraje é o tipo específico de raiva que você sente quando acredita que as pessoas estão conseguindo algo que não merecem. Esse tipo de ultraje é a raiva causada pela injustiça.

Crist abordou a origem moral do ultraje ao descrever a "ganância que uma pessoa certamente tem na alma quando quer obter vantagem de alguém que sofre no rastro de um furacão". Ele não fez a ligação explícita dessa observação com as leis contra o abuso de preços. Mas existe algo implícito em seu comentário, como o seguinte argumento, que pode ser chamado de argumento da virtude: a ganância é um defeito moral, um modo mau de ser, especialmente quando torna as pessoas indiferentes ao sofrimento alheio. Mais do que um defeito pessoal, ela se contrapõe à virtude cívica.

Em tempos de dificuldades, uma boa sociedade se mantém unida. Em vez de fazer pressão para obter mais vantagens, as pessoas tentam se ajudar mutuamente. Uma sociedade na qual os vizinhos são explorados para a obtenção de lucros financeiros em tempos de crise não é uma sociedade boa. A ganância excessiva é, portanto, um vício que a boa sociedade deve procurar desencorajar, na medida do possível. As leis do abuso de preços podem não pôr fim à ganância, mas podem ao menos restringir sua expressão descarada e demonstrar o descontentamento da sociedade. Punindo o comportamento ganancioso ao invés de recompensá-lo, a sociedade afirma a virtude cívica do sacrifício compartilhado em prol do bem comum.

Reconhecer a força moral do argumento da virtude não é insistir no fato de que ele deva sempre prevalecer sobre as demais considerações. Você poderia concluir, em alguns casos, que uma comunidade atingida por um furacão deveria fazer um pacto com o diabo — permitir o abuso de preços na esperança de atrair de regiões distantes um exército de prestadores de serviços para consertar telhados, mesmo ao custo moral de sancionar a ganância. A prioridade é consertar telhados; as considerações de natureza social ficam para depois. O que se deve notar, entretanto, é que o debate sobre as leis contra o abuso de preços não é simplesmente um debate sobre bem-estar e liberdade. Ele também aborda a virtude — o incentivo a atitudes e disposições, a qualidades de caráter das quais depende uma boa sociedade.

Algumas pessoas, entre elas muitas que apoiam as leis contra o abuso de preços, consideram frustrante o argumento da virtude. A razão: ele parece depender mais de julgamento de valores do que os argumentos que apelam para o bem-estar e a liberdade. Perguntar se uma diretriz vai acelerar a recuperação econômica ou travar o crescimento econômico não envolve o julgamento das preferências populares. Parte-se do pressuposto de que todos preferem mais rendimentos a menos, e não se julga como cada um gasta seu dinheiro. Da mesma forma, perguntar se em condições adversas as pessoas são realmente livres para escolher não requer que se avaliem suas escolhas. A questão é se, ou até que ponto, as pessoas estão livres em vez de coagidas.

A discussão sobre a virtude, em contrapartida, apoia-se na premissa de que a ganância é uma falha moral que o Estado deveria desencorajar. Mas quem deve julgar o que é virtude e o que é vício? Os cidadãos das diversas sociedades não discordam quanto a essas coisas? E não é perigoso impor julgamentos sobre a virtude por meio da lei? Em face desses temores, muitas pessoas sustentam que o governo deveria ser neutro no que diz respeito a virtude e vício; não lhe cabe tentar cultivar as boas atitudes ou desencorajar as más.

Assim, quando examinamos nossas reações ao abuso de preços, vemo-nos forçados em duas direções: sentimo-nos ultrajados quando as pessoas conseguem coisas que não merecem; a ganância predadora da miséria humana, no nosso entender, deveria ser punida, e não premiada. Apesar disso, ficamos preocupados quando os julgamentos sobre virtude são levados para o caminho da lei.

Esse dilema aponta para uma das grandes questões da filosofia política: Uma sociedade justa procura promover a virtude de seus cidadãos? Ou a lei deveria ser neutra quanto às concepções concernentes à virtude, deixando os cidadãos livres para escolher, por conta própria, a melhor forma de viver?

Segundo uma ideia comumente aceita, essa questão divide o pensamento político em antigo e moderno. Em um sentido importante, essa ideia está correta. Aristóteles ensina que a justiça significa dar às pessoas o que elas merecem. E para determinar quem merece o quê, devemos estabelecer quais virtudes são dignas de honra e recompensa. Aristóteles sustenta que não podemos imaginar o que é uma Constituição justa sem antes refletir sobre a forma de vida mais desejável. Para ele, a lei não pode ser neutra no que tange à qualidade de vida.

Em contrapartida, filósofos políticos modernos — de Immanuel Kant, no século XVIII, a John Rawls, no século XX — afirmam que os princípios de justiça que definem nossos direitos não devem basear-se em nenhuma concepção particular de virtude ou da melhor forma de vida. Ao contrário, uma sociedade justa respeita a liberdade de cada indivíduo para escolher a própria concepção do que seja uma vida boa.

Pode-se então dizer que as teorias de justiça antigas partem da virtude, enquanto as modernas começam pela liberdade. Nos próximos capítulos, exploraremos os pontos fortes e fracos dessas teorias. Entretanto, vale notar desde o início que essa contraposição pode levar a conclusões equivocadas.

Se voltarmos nosso olhar para os argumentos sobre justiça que animam as diretrizes contemporâneas — não entre filósofos, mas entre homens e mulheres comuns —, encontraremos um quadro mais complicado. É verdade que a maior parte das nossas discussões é sobre como promover a prosperidade e respeitar a liberdade individual, pelo menos superficialmente. Entretanto, na base mesma desses argumentos, e por vezes se opondo a eles, podemos muitas vezes vislumbrar outro grupo de convicções — sobre quais virtudes são merecedoras de honras e recompensas e que modo de viver deve ser promovido por uma boa sociedade. Apesar de sermos devotados à prosperidade e à liberdade, não podemos absolutamente desconsiderar a natureza judiciosa da justiça. É profunda a convicção de que justiça envolve virtude e escolha: meditar sobre a justiça parece levar-nos inevitavelmente a meditar sobre a melhor maneira de viver.

## QUE FERIMENTOS MERECEM O CORAÇÃO PÚRPURA?

Em alguns casos, questões sobre virtude e honra são óbvias demais para ser negadas. Consideremos o recente debate sobre quem seria merecedor do Coração Púrpura. Desde 1932 o Exército dos Estados Unidos outorga essa medalha a soldados feridos ou mortos pelo inimigo durante um combate. Além da homenagem, a medalha permite privilégios especiais nos hospitais para veteranos.

Desde o início das atuais guerras do Iraque e do Afeganistão, um número cada vez maior de veteranos vem sendo diagnosticado com estresse pós-traumático e recebendo tratamento. Os sintomas incluem pesadelos recorrentes, depressão profunda e suicídio. Pelo menos 300 mil veteranos foram diagnosticados com estresse pós-traumático ou depressão profunda. Os defensores desses veteranos propuseram que também a eles fosse concedido o Coração Púrpura. Dado que as lesões psicológicas podem ser no mínimo tão debilitantes quanto as físicas, argumentam, os soldados que sofrem tais traumas deveriam receber a condecoração.[11]

Depois que um grupo de consultores estudou a questão, o Pentágono anunciou, em 2009, que o Coração Púrpura seria reservado aos soldados com ferimentos físicos. Veteranos com problemas mentais e traumas psicológicos não receberiam a medalha, ainda que tivessem direito a tratamentos médicos pagos pelo governo e a subsídios dados a deficientes. O Pentágono forneceu duas razões para essa decisão: problemas de estresse pós-traumático não são causados intencionalmente pela ação inimiga e são difíceis de diagnosticar de forma objetiva.[12]

O Pentágono tomou a decisão certa? Por si sós, essas razões não são convincentes. Na Guerra do Iraque, uma das lesões que mais habilitava os combatentes a receber o Coração Púrpura era o rompimento de tímpano causado por explosões em um pequeno raio de proximidade.[13] Diferentemente de balas e bombas, no entanto, essas explosões não são uma tática inimiga deliberada com o objetivo de ferir ou matar; elas são (como o estresse pós-traumático) um efeito colateral da ação em campo de batalha. E, apesar de os problemas traumáticos serem mais difíceis de diagnosticar do que um membro fraturado, o dano que ocasionam pode ser mais grave e duradouro.

Como foi revelado em uma discussão mais aprofundada sobre o Coração Púrpura, o que está verdadeiramente em questão é o significado da condecoração e das virtudes que ela homenageia. Quais são, então, as virtudes relevantes? Diferentemente de outras medalhas militares, o Coração Púrpura condecora o sacrifício, não a bravura. Ele não pressupõe nenhum ato heroico, apenas um dano infligido pelo inimigo. A questão é saber que tipo de ferimento deve ser considerado.

Um grupo de veteranos chamado Ordem Militar do Coração Púrpura é contra a condecoração por danos psicológicos, alegando que isso "rebaixaria" a homenagem. Um porta-voz do grupo alegou que "derramar sangue" deveria ser uma qualificação essencial.[14] Ele não explicou por que os ferimentos sem sangue não deveriam ser incluídos. Mas Tyler E.

Boudreau, capitão fuzileiro reformado que apoia a inclusão dos danos psicológicos, faz uma convincente análise da discussão. Ele atribui a oposição mencionada a uma postura arraigada entre os militares, que veem o estresse pós-traumático como um tipo de fraqueza. "A mesma cultura que exige um comportamento rigoroso também encoraja o ceticismo quanto à possibilidade de a violência da guerra atingir a mais saudável das mentes (...) Infelizmente, enquanto nossa cultura militar mantiver o desdém pelos danos psicológicos de guerra, é pouco provável que tais veteranos algum dia recebam um Coração Púrpura."[15]

Assim, o debate sobre o Coração Púrpura é mais do que uma discussão médica ou clínica sobre como determinar a veracidade do dano. No âmago da divergência estão concepções conflitantes sobre caráter moral e valor militar. Aqueles que insistem em que apenas ferimentos com sangue devem ser levados em consideração acreditam que o estresse pós-traumático reflete uma fraqueza de caráter que não é merecedora de honrarias. Os que acreditam que danos psicológicos devam ser respeitados argumentam que os veteranos que sofrem traumas duradouros e têm depressão profunda se sacrificaram tanto por seu país quanto os que perderam um membro em combate, e de maneira igualmente honrosa.

A polêmica sobre o Coração Púrpura ilustra a lógica moral da teoria de Aristóteles sobre justiça. Não podemos determinar quem merece uma medalha militar sem que sejam questionadas as virtudes que tal condecoração realmente exalta. E, para responder a essa questão, devemos avaliar concepções de caráter e sacrifício.

Pode-se argumentar que medalhas militares são um caso especial, uma volta a uma antiga ética de honra e virtude. Nos nossos dias, a maioria das discussões sobre justiça é a respeito de como distribuir os frutos da prosperidade ou os fardos dos tempos difíceis e como definir os direitos básicos dos cidadãos. Nesses campos, predominam as considerações sobre bem-estar e liberdade. Mas discussões sobre o que é certo e o que é errado nas decisões econômicas nos remetem frequentemente à questão de Aristóteles sobre o que as pessoas moralmente merecem, e por quê.

## REVOLTA CONTRA O SOCORRO A BANCOS E INSTITUIÇÕES FINANCEIRAS

O furor público gerado pela crise financeira de 2008-2009 é um caso a considerar. Durante anos, os preços das ações e o valor dos bens imóveis tinham subido. O acerto de contas veio quando a bolha habitacional estourou. Os bancos e as instituições financeiras de Wall Street haviam ganho bilhões de dólares em complexos investimentos apoiados em hipotecas cujos valores agora despencavam. As empresas de Wall Street, antes vitoriosas, cambaleavam à beira do colapso. O mercado de ações despencou, arruinando não apenas grandes investidores mas também americanos comuns, cujos fundos de aposentadoria perderam grande parte do valor. O patrimônio total da família americana caiu 11 trilhões de dólares em 2008, valor equiparável ao rendimento anual de Alemanha, Japão e Reino Unido juntos.[16]

Em outubro de 2008, o presidente George W. Bush pediu 700 bilhões de dólares ao Congresso para socorrer os maiores bancos e instituições financeiras do país. A muitos não pareceu justo que Wall Street tivesse usufruído de enormes lucros nos bons tempos e agora, quando a situação estava ruim, pedisse aos contribuintes que assumissem a conta. Mas parecia não haver alternativa. Os bancos e as financeiras tinham crescido tanto e estavam de tal forma envolvidos com cada aspecto da economia que seu colapso poderia provocar a quebra de todo o sistema financeiro. Eles eram "grandes demais para falir".

Ninguém achou que os bancos e as financeiras merecessem o dinheiro. Suas ações precipitadas (que a regulamentação inadequada do governo permitiu) haviam originado a crise. Mas esse era um caso em que o bem-estar da economia como um todo parecia sobrepujar as considerações de justiça. Relutante, o Congresso autorizou o socorro a Wall Street.

Vieram então as benesses. Pouco depois que o dinheiro do socorro financeiro (*bailout*) começou a circular, novas informações revelaram que algumas das companhias, agora com o auxílio de recursos públicos, estavam agraciando seus executivos com milhões de dólares em bônus. O caso mais ultrajante envolveu o American International Group (AIG), um gigante dentre as companhias de seguros levado à ruína pelos investimentos de risco feitos por sua unidade de produtos financeiros. Apesar de ter sido resgatada com vultosas injeções de fundos governamentais (totalizando 173 bilhões de dólares), a companhia pagou 165 milhões de dólares em bônus a executivos da própria divisão que havia precipitado a crise; 73 funcionários receberam bônus de 1 milhão de dólares ou mais.[17]

A notícia dos bônus deflagrou uma torrente de protestos públicos. Dessa vez o ultraje não era causado por sacolas de gelo de dez dólares ou quartos de motel com preços exorbitantes. Tratava-se de pródigas recompensas subsidiadas com fundos do contribuinte para membros da divisão que havia ajudado a praticamente derrubar o sistema financeiro global. Alguma coisa estava errada naquele quadro. Embora o governo dos Estados Unidos possuísse agora 80% da companhia, o Departamento do Tesouro apelou em vão ao presidente da AIG, indicado pelo governo, para que ele cancelasse os bônus. "Não podemos conquistar e manter os maiores e mais brilhantes talentos", retrucou o presidente, "se os empregados acreditarem que sua compensação está sujeita a ajustes contínuos e arbitrários por parte do Tesouro dos Estados Unidos." Ele alegou que era necessário manter os estímulos aos empregados talentosos para que a companhia se recuperasse, pelo bem dos próprios contribuintes, que, afinal, passaram a ser os proprietários da maior parte da companhia.[18]

O povo reagiu furiosamente. Uma manchete de página inteira no *New York Post* expressou o sentimento de muita gente: "Mais devagar, seus aproveitadores gananciosos" (*Not So Fast You Greedy Bastards*).[19] A Câmara dos Deputados dos Estados Unidos tentou recuperar o dinheiro aprovando um projeto de lei que taxava em 90% os bônus pagos a empregados de companhias que haviam recebido fundos substanciais de resgate financeiro.[20] Sob pressão do procurador-geral de Nova York, Andrew Cuomo, 15 dos maiores executivos da AIG que haviam recebido bônus concordaram em devolvê-los e cerca de 50 milhões de dólares foram recuperados no total.[21] Essa atitude abrandou a ira pública até certo ponto, e o Senado aos poucos deixou de apoiar a medida punitiva de taxação.[22] Entretanto, o episódio deixou o público relutante em gastar mais dinheiro para limpar a sujeira que a indústria financeira havia criado.

Na origem da revolta diante do episódio do *bailout* às grandes instituições financeiras, havia um sentimento de injustiça. Mesmo antes de o caso dos bônus vir à tona, o apoio público a tal socorro financeiro era hesitante e conflituoso. Os americanos estavam divididos entre a necessidade de evitar um caos econômico que poderia atingir a todos e a dúvida quanto à injeção de gigantescas somas nos bancos e nas financeiras falidos. Para evitar o desastre econômico, o Congresso e o público decidiram ceder. Entretanto, moralmente falando, isso pareceu à grande maioria um tipo de extorsão.

Subjacente à revolta contra o *bailout*, havia a questão moral do merecimento: os executivos que receberam os bônus e as companhias que receberam vultosos reforços financeiros não os mereciam. Mas por quê? A razão pode ser menos óbvia do que parece. Analisemos duas respostas possíveis — uma referente à ganância e outra à incompetência.

Uma das origens do sentimento de ultraje era o fato de os bônus parecerem recompensar a ganância, como a manchete do tabloide deixou claro. O público considerou isso moralmente inaceitável. Não apenas os bônus, mas também o processo de *bailout* como um todo parecia, de maneira perversa, premiar o comportamento ganancioso ao invés de puni-lo. Os negociantes de derivativos levaram suas companhias e o país a um terrível perigo financeiro, fazendo investimentos inescrupulosos em busca de lucros cada vez maiores. Depois de embolsar os lucros nos tempos de bonança, nada viam de errado em receber os bônus de milhões de dólares, mesmo tendo levado seus investimentos à ruína.[23]

As críticas à ganância eram expressas não apenas pelos jornais, mas também (em versões mais decorosas) pelas autoridades públicas. O senador Sherrod Brown (Democrata, Ohio) qualificou o comportamento da AIG de "uma bofetada de ganância, arrogância e coisas piores".[24] O presidente Barack Obama declarou que a AIG "encontra-se em crise financeira devido à falta de escrúpulos e à ganância".[25]

O problema em relação à crítica à ganância, nesse caso, é que ela não faz distinção entre as recompensas dadas pelo *bailout* depois do rombo e as recompensas dadas pelos mercados em tempos de bonança. A ganância é um defeito moral, uma atitude má, um desejo excessivo e egoísta de obter ganhos. Assim, é compreensível que o povo não fique satisfeito em premiá-la. Entretanto, existe alguma razão para se presumir que aqueles que receberam bônus com recursos do *bailout* estejam sendo mais gananciosos agora do que o eram alguns anos antes, quando estavam voando alto e colhendo frutos ainda maiores?

Negociantes, banqueiros e corretores de fundos de *hedge* de Wall Street constituem uma categoria difícil de ser classificada. A busca de ganhos financeiros é o que fazem na vida. Se a carreira mancha o caráter deles ou não, suas virtudes não parecem oscilar com o mercado de ações. Assim, se é errado recompensar a ganância com altos bônus do *bailout*, não é também errado premiá-la com a excessiva generosidade do mercado? O povo sentiu-se ultrajado quando, em 2008, empresas de Wall Street (algumas com subsídio permanente financiado pelo contribuinte) distribuíram 16 bilhões de dólares em bônus. Mas essa cifra significava menos da metade do total pago em 2006 (34 bilhões de dólares) e 2007 (33 bilhões de dólares).[26] Se a ganância é o motivo pelo qual eles não merecem o dinheiro agora, baseados em quê podemos dizer que eles mereciam o dinheiro naquela época?

Uma diferença óbvia é que os bônus com recursos do *bailout* vêm dos contribuintes, enquanto os bônus pagos nos tempos de bonança vêm dos lucros das companhias. Entretanto, se o ultraje se baseia na convicção de que os bônus são imerecidos, a fonte do pagamento não é moralmente decisiva. Mas dá uma pista: a razão pela qual os bônus vêm do contribuinte é porque as companhias estão falidas. Isso nos leva ao âmago da questão. A verdadeira objeção do povo americano quanto aos bônus — e ao *bailout* — não é porque eles recompensam a ganância, e sim porque recompensam a incompetência.

Os americanos são mais rigorosos quanto ao fracasso do que quanto à ganância. Em sociedades impulsionadas pelo mercado, pessoas ambiciosas perseguem ardentemente seus interesses, e a linha que separa o interesse próprio e a ganância é muitas vezes obscura. A linha que separa o sucesso e o fracasso, porém, costuma ser mais definida. E a ideia de que as pessoas merecem as recompensas do sucesso é parte essencial do sonho americano.

Não obstante a referência superficial à ganância, o presidente Obama entendeu que premiar o fracasso seria a mais profunda fonte de discórdia e ultraje. Ao anunciar limites para o pagamento a executivos das companhias que receberam fundos, Obama identificou a verdadeira fonte do ultraje diante do *bailout* às instituições:

> Estamos na América. Aqui não menosprezamos a riqueza. Não invejamos ninguém por ter sucesso. E certamente acreditamos que o sucesso deva ser recompensado. Mas o que deixa o povo frustrado — e com razão — é ver executivos recompensados pela incompetência, principalmente quando essas recompensas são subsidiadas pelos contribuintes dos Estados Unidos.[27]

Uma das declarações mais bizarras sobre a ética do *bailout* veio do senador Charles Grassley (Republicano, Iowa), um típico conservador em questões fiscais. No auge do furor dos bônus, ele declarou em uma entrevista a uma rádio de Iowa que o que mais o incomodava era a recusa dos executivos das corporações a assumir qualquer culpa por seu fracasso. Grassley "se sentiria um pouco melhor em relação a eles se seguissem o exemplo dos japoneses, chegando diante do povo americano, curvando-se, dizendo 'desculpem-nos' e, em seguida, tomando uma das seguintes atitudes: renunciar ao cargo ou cometer suicídio".[28]

Mais tarde Grassley explicou que não estava incentivando os executivos a cometer suicídio, mas realmente queria que eles assumissem a responsabilidade por seus erros, que se mostrassem arrependidos e fizessem um pedido público de desculpas. "Eu não ouvi isso dos diretores-presidentes e é muito difícil para o contribuinte da minha base eleitoral continuar simplesmente a jogar dinheiro pelo ralo."[29]

Os comentários de Grassley confirmam meu palpite de que a ira contra o *bailout* não se referia apenas à ganância; o que mais ofendeu o senso de justiça do americano foi constatar que os dólares de seus impostos eram usados para recompensar o fracasso.

Se assim for, resta saber se essa visão do *bailout* era justificável. Os diretores-presidentes e altos executivos dos grandes bancos e companhias investidoras eram realmente culpados pela crise financeira? Muitos executivos não pensavam assim. Em depoimentos perante as comissões do Congresso que investigavam a crise financeira, eles insistiam no fato de que haviam feito todo o possível com as informações de que dispunham. O ex-diretor executivo da Bear Stearns, uma companhia de investimentos de Wall Street que faliu em 2008, disse que havia refletido muito, por muito tempo, sobre se teria sido possível fazer algo diferente. Ele concluiu que havia feito tudo que podia. "Eu simplesmente não consegui pensar em nada (...) que pudesse modificar a situação que enfrentávamos."[30]

Outros executivos de companhias falidas concordaram, insistindo que foram vítimas "de um tsunami financeiro" fora do seu controle.[31] Jovens financistas que tiveram dificuldade de entender a fúria do povo contra seus bônus tiveram atitude similar. "Ninguém se solidariza conosco", disse um financista de Wall Street a um repórter da *Vanity Fair*, "mas isso não significa que não estivéssemos trabalhando com afinco."[32]

A metáfora do tsunami tornou-se parte do vernáculo do *bailout*, especialmente nos círculos financeiros. Se os executivos tiverem razão quanto ao fato de a falência de suas companhias ter tido origem em forças econômicas maiores, e não nas decisões que tomaram, isso explicaria por que não demonstraram o remorso que o senador Grassley gostaria de ter ouvido. Entretanto, levanta-se também aí uma questão mais ampla sobre fracassos, sucesso e justiça.

Se forças econômicas grandes e sistêmicas respondem pelas desastrosas perdas de 2008 e 2009, não seria possível argumentar que respondem também pelos astronômicos ganhos dos anos anteriores? Se podemos culpar as condições climáticas pelos tempos ruins, como podem o talento, a sabedoria e o trabalho árduo de banqueiros, comerciantes e executivos de Wall Street ser responsáveis pelos estupendos lucros que obtiveram quando o sol brilhava?

Diante do ultraje público em relação à recompensa ao fracasso, os diretores das companhias argumentaram que os retornos financeiros não são inteiramente fruto de seus atos, e sim produto de forças que estão além do seu controle. Eles podem ter razão. Mas, se isso for verdade, há um bom motivo para questionar a reivindicação deles quanto a compensações exageradas durante os bons tempos. Certamente o fim da Guerra Fria, a globalização dos mercados de comércio e capital, o surgimento dos computadores pessoais e da internet e uma série de outros fatores ajudam a explicar o sucesso da indústria financeira no final do século XX e nos primeiros anos do século XXI.

Em 2007, executivos das principais corporações dos Estados Unidos ganhavam 344 vezes mais do que o trabalhador médio.[33] Com base em que argumento, se é que existe algum, os executivos merecem remuneração tão maior do que a de seus empregados? A maioria deles trabalha muito e empresta seu talento às funções que executa. Mas consideremos o seguinte: em 1980, diretores-presidentes recebiam apenas 42 vezes mais do que seus empregados.[34] Eles tinham menos talento e trabalhavam menos em 1980 do que hoje? Ou essas disparidades salariais refletem contingências não relacionadas com talento e capacidade?

Ou, então, comparemos o nível da remuneração dos executivos nos Estados Unidos com o de outros países. Diretores das principais companhias americanas recebem em média 13,3 milhões de dólares por ano (segundo dados de 2004-2006), enquanto os executivos europeus recebem 6,6 milhões de dólares e os japoneses 1,5 milhão.[35] Os executivos americanos merecem o dobro do que recebem os europeus e nove vezes o que recebem os japoneses? Ou essas diferenças também refletem fatores não relacionados com o esforço e o talento que os executivos dedicam a seus empregos?

O ultraje ante a questão do *bailout* que tomou os Estados Unidos no início de 2009 expressou o ponto de vista da maior parte da população de que as pessoas que derrubam as empresas que dirigem por meio de investimentos arriscados não merecem ser recompensadas com milhões de dólares em bônus. Mas a discussão sobre os bônus levanta questões a respeito de quem merece o quê durante os tempos de bonança. Os bem-sucedidos merecem a magnanimidade dos mercados ou a magnanimidade depende de fatores além do seu controle? E quais são as implicações disso para as obrigações mútuas dos cidadãos — nos tempos bons e nos difíceis? Resta saber se a crise financeira levantará o debate público sobre essas questões mais amplas.

## TRÊS ABORDAGENS DA JUSTIÇA

Para saber se uma sociedade é justa, basta perguntar como ela distribui as coisas que valoriza — renda e riqueza, deveres e direitos, poderes e oportunidades, cargos e honrarias. Uma sociedade justa distribui esses bens da maneira correta; ela dá a cada indivíduo o que lhe é devido. As perguntas difíceis começam quando indagamos o que é devido às pessoas e por quê.

Já começamos a ter dificuldades com essas questões. Ao refletir sobre o certo e o errado no abuso de preços, sobre as contendas concernentes ao Coração Púrpura e a socorros financeiros, identificamos três maneiras de abordar a distribuição de bens: a que leva em consideração o bem-estar, a que aborda a questão pela perspectiva da liberdade e a que se baseia no conceito de virtude. Cada um desses ideais sugere uma forma diferente de pensar sobre a justiça.

Algumas das nossas discussões refletem o desacordo sobre o que significa maximizar o bem-estar, respeitar a liberdade ou cultivar a virtude. Outras envolvem o desacordo sobre o que fazer quando há um conflito entre esses ideais. A filosofia política não pode solucionar discordâncias desse tipo definitivamente, mas pode dar forma aos nossos argumentos e trazer clareza moral para as alternativas com as quais nos confrontamos como cidadãos democráticos.

Este livro explora os pontos fortes e fracos dessas três maneiras de pensar sobre a justiça. Começamos com a ideia de maximizar o bem-estar. Para sociedades de mercado como a nossa, é um ponto de partida natural. Grande parte dos debates políticos contemporâneos é sobre como promover a prosperidade, melhorar nosso padrão de vida, ou impulsionar o crescimento econômico. Por que nos importamos com essas coisas? A resposta mais óbvia é: porque achamos que a prosperidade nos torna mais felizes do que seríamos sem ela — como indivíduos ou como sociedade. A prosperidade é importante, em outras palavras, porque contribui para o nosso bem-estar. Para explorar essa ideia, voltamo-nos para o utilitarismo, a mais influente explicação do "porquê" e do "como" maximizar o bem-estar ou (como definem o utilitaristas) procurar a máxima felicidade para o maior número de pessoas.

Em seguida, abordamos uma série de teorias que ligam a justiça à liberdade. A maioria enfatiza o respeito aos direitos individuais, embora discordem entre si sobre quais direitos são considerados os mais importantes. A ideia de que justiça significa respeitar a liberdade e os direitos individuais é, no mínimo, tão familiar na política contemporânea quanto a ideia utilitarista de maximizar o bem-estar. Por exemplo, a Bill of Rights (Declaração de Direitos) dos Estados Unidos estabelece determinadas liberdades — incluindo a liberdade de expressão e a liberdade religiosa —, que nem mesmo as maiorias têm o direito de violar. E, por todo o mundo, a ideia de que justiça significa respeitar certos direitos humanos universais vem sendo cada vez mais abraçada (na teoria, ainda que nem sempre na prática).

A abordagem de justiça que começa pela liberdade é uma ampla escola. Na verdade, algumas das mais calorosas disputas políticas de nossa época ocorrem entre dois campos rivais dentro dela — o do *laissez-faire* e o da equanimidade. Liderando o campo *laissez-faire* estão os libertários do livre mercado que acreditam que a justiça consiste em respeitar e preservar as escolhas feitas por adultos conscientes. No campo da equanimidade estão teóricos de tendência mais igualitária. Eles argumentam que mercados sem restrições não são justos nem livres. De acordo com seu ponto de vista, a justiça requer diretrizes que corrijam as desvantagens sociais e econômicas e que deem a todos oportunidades justas de sucesso.

Por fim, voltamo-nos para as teorias que veem a justiça intimamente associada à virtude e a uma vida boa. Na política contemporânea, teorias baseadas na virtude são frequentemente identificadas com os conservadores culturais e a direita religiosa. A ideia de legislar sobre a moralidade é um anátema para muitos cidadãos de sociedades liberais, visto que oferece o risco de derivar para a intolerância e a coerção. Mas a noção de que uma sociedade justa afirma certas virtudes e concepções do que seja uma vida boa vem inspirando movimentos políticos e discussões que atravessam o espectro ideológico. Não apenas o Talibã, mas também os abolicionistas e Martin Luther King basearam suas visões de justiça em ideais morais e religiosos.

Antes de abordarmos essas teorias sobre justiça, vale a pena perguntar como as discussões filosóficas podem continuar — especialmente em domínios tão contestados como o da moral e o da filosofia política. Elas frequentemente partem de situações concretas. Como já vimos em nossa discussão sobre o abuso de preços, o Coração Púrpura e o *bailout*, a reflexão moral e política nasce da divergência. Muitas vezes as divergências ocorrem entre partidários ou rivais no campo político. Algumas vezes as divergências ocorrem dentro de nós, como indivíduos, como quando nos vemos dilacerados ou em conflito diante de uma difícil questão moral.

Mas como, exatamente, podemos, a partir dos julgamentos que fazemos de situações concretas, chegar a princípios de justiça que acreditamos ser aplicáveis em todas as situações? Em suma, em que consiste o raciocínio moral?

Para vermos como se dá o processo de raciocínio moral, voltemo-nos para duas situações — uma delas é uma história fictícia muito discutida por filósofos e a outra é uma história atual sobre um doloroso dilema moral.

Consideremos inicialmente a história hipotética.[36] Assim como todas as histórias do gênero, ela envolve um cenário desprovido de muitas das complexidades da vida real, para que possamos nos concentrar em um número limitado de questões filosóficas.

## O BONDE DESGOVERNADO

Suponha que você seja o motorneiro de um bonde desgovernado avançando sobre os trilhos a quase 100 quilômetros por hora. Adiante, você vê cinco operários em pé nos trilhos, com as ferramentas nas mãos. Você tenta parar, mas não consegue. Os freios não funcionam. Você se desespera porque sabe que, se atropelar esses cinco operários, todos eles morrerão. (Suponhamos que você tenha certeza disso.)

De repente, você nota um desvio para a direita. Há um operário naqueles trilhos também, mas apenas um. Você percebe que pode desviar o bonde, matando esse único trabalhador e poupando os outros cinco.

O que você deveria fazer? Muitas pessoas diriam: "Vire! Se é uma tragédia matar um inocente, é ainda pior matar cinco." Sacrificar uma só vida a fim de salvar cinco certamente parece ser a coisa certa a fazer.

Agora considere outra versão da história do bonde. Desta vez, você não é o motorneiro, e sim um espectador, de pé numa ponte acima dos trilhos. (Desta vez, não há desvio.) O bonde avança pelos trilhos, onde estão cinco operários. Mais uma vez, os freios não funcionam. O bonde está prestes a atropelar os operários. Você se sente impotente para evitar o desastre — até que nota, perto de você, na ponte, um homem corpulento. Você poderia empurrá-lo sobre os trilhos, no caminho do bonde que se aproxima. Ele morreria, mas os cinco operários seriam poupados. (Você pensa na hipótese de pular sobre os trilhos, mas se dá conta de que é muito leve para parar o bonde.)

Empurrar o homem pesado sobre os trilhos seria a coisa certa a fazer? Muitas pessoas diriam: "É claro que não. Seria terrivelmente errado empurrar o homem sobre os trilhos."

Empurrar alguém de uma ponte para uma morte certa realmente parece ser uma coisa terrível, mesmo que isso salvasse a vida de cinco inocentes. Entretanto, cria-se agora um quebra-cabeça moral: Por que o princípio que parece certo no primeiro caso — sacrificar uma vida para salvar cinco — parece errado no segundo?

Na hipótese de, como sugere nossa reação ao primeiro caso, os números serem levados em conta — se é melhor salvar cinco vidas do que uma —, por que, então, não devemos aplicar esse mesmo princípio ao segundo caso e empurrar o homem gordo? Realmente, parece cruel empurrar um homem para a morte, mesmo por uma boa causa. Mas é menos cruel matar um homem atropelando-o com um bonde?

Talvez a razão pela qual seja errado empurrar é que fazendo isso estaríamos usando o homem na ponte contra sua vontade. Ele não escolheu estar envolvido, afinal. Estava apenas ali, de pé.

O mesmo, no entanto, poderia ser dito sobre o homem que está trabalhando no desvio do trilho. Ele também não escolheu se envolver. Estava apenas fazendo seu trabalho, e não se oferecendo para sacrificar a vida num acidente com um bonde desgovernado. O fato de que operários de ferrovias se expõem voluntariamente ao risco de morte, ao contrário dos espectadores, poderia ser usado como argumento. Mas vamos supor que estar disposto a morrer em uma emergência para salvar a vida de outras pessoas não faça parte das atribuições dessa função, e que o trabalhador não esteja mais propenso a oferecer a própria vida do que o espectador na ponte.

Talvez a diferença moral não resida no efeito sobre as vítimas — ambas terminariam mortas —, e sim na intenção da pessoa que toma a decisão. Como motorneiro do bonde, você pode defender sua escolha de desviar o veículo alegando que não tinha a *intenção* de matar o operário no desvio, apesar de isso ser previsível. Seu objetivo ainda teria sido atingido se, por um enorme golpe de sorte, os cinco trabalhadores fossem poupados e o sexto também conseguisse sobreviver.

Entretanto, o mesmo é verdadeiro no caso do empurrão. A morte do homem que você empurrou da ponte não é essencial para seu propósito. Tudo que ele precisa fazer é parar o bonde; se ele de alguma forma conseguir fazer isso e sobreviver, você ficará maravilhado.

Ou talvez, pensando bem, os dois casos devessem ser governados pelo mesmo princípio. Ambos envolvem a escolha deliberada de tirar a vida de uma pessoa inocente a fim de evitar uma perda ainda maior de vidas. Talvez sua relutância em empurrar o homem da ponte seja meramente um escrúpulo, uma hesitação que você precise superar. Empurrar um homem para a morte com as próprias mãos realmente parece mais cruel do que girar o volante de um bonde. Mas fazer a coisa certa nem sempre é fácil.

Podemos testar essa ideia ao mudarmos um pouco a história. Suponha que você, como espectador, pudesse provocar a queda do homem gordo nos trilhos sem empurrá-lo; imagine que ele esteja de pé sobre um alçapão que você pode abrir ao girar uma manivela. Sem empurrar, você teria o mesmo resultado. Isso transformaria sua ação na coisa certa a fazer? Ou ainda seria moralmente pior do que se você, no lugar do motorneiro, tivesse desviado para o outro trilho?

Não é fácil explicar a diferença moral entre esses casos — por que desviar o bonde parece certo mas empurrar o homem da ponte parece errado. Entretanto, note a pressão que sentimos para chegar a uma distinção convincente entre eles — e se não pudermos, para reconsiderar nosso julgamento sobre a coisa a fazer em cada caso. Às vezes pensamos no raciocínio moral como uma forma de persuadir os outros. Mas é também uma forma de resolver nossas convicções morais, de descobrir aquilo em que acreditamos e por quê.

Alguns dilemas morais têm origem em princípios morais conflitantes. Por exemplo, um princípio que vem à tona na história do bonde diz que devemos salvar o máximo de vidas possível, mas outro diz que é errado matar um inocente, mesmo que seja por uma boa causa. Expostos a uma situação na qual salvar um número maior de vidas implica matar uma pessoa inocente, enfrentamos um dilema moral. Devemos tentar descobrir qual princípio tem maior peso ou é mais adequado às circunstâncias.

Outros dilemas morais surgem porque não temos certeza sobre como os eventos se desdobrarão. Exemplos fictícios como a história do bonde eliminam a incerteza que paira sobre as escolhas que enfrentamos na vida real. Eles presumem que sabemos exatamente quantas pessoas morrerão se não desviarmos — ou não empurrarmos alguém. Isso faz com que tais histórias sejam guias imperfeitos para a ação. Mas faz também com que sejam recursos úteis para a análise moral. Se abstrairmos as contingências — "E se os operários percebessem o bonde e pulassem para o lado a tempo?" —, exemplos hipotéticos nos ajudam a colocar os princípios morais em questão para examinar sua força.

## OS PASTORES DE CABRAS AFEGÃOS

Consideremos agora um dilema moral verdadeiro, semelhante em alguns pontos à fictícia história do bonde desgovernado mas com o agravante de não haver certeza sobre o desfecho.

Em junho de 2005, uma equipe formada pelo suboficial Marcus Luttrell e mais três *seals* (como são conhecidos os integrantes da Sea, Air, Land [Seal], força especial da Marinha dos Estados Unidos para operações em mar, ar e terra) partiu em uma missão secreta de reconhecimento no Afeganistão, perto da fronteira com o Paquistão, em busca de um líder do Talibã estreitamente ligado a Osama bin Laden.[37] De acordo com relatórios do serviço de inteligência, o alvo da missão comandava de 140 a 150 combatentes fortemente armados e estava em um vilarejo em uma região montanhosa de difícil acesso. Pouco depois de a equipe ter se posicionado numa colina com vista para o vilarejo, apareceram à sua frente dois camponeses afegãos com cerca de cem ruidosas cabras. Eles chegaram acompanhados de um menino de aproximadamente 14 anos. Os afegãos estavam desarmados. Os soldados americanos apontaram os rifles para eles, sinalizaram para que se sentassem no chão e, só então, começaram a discutir sobre o que fazer com eles. Por um lado, os pastores pareciam ser civis desarmados. Em contrapartida, deixá-los seguir adiante implicaria o risco de eles informarem os talibãs sobre a presença dos soldados americanos.

Os quatro soldados analisaram as opções, mas se deram conta de que não tinham uma corda, então não seria possível amarrar os afegãos para ganhar tempo até que encontrassem outro esconderijo. As únicas opções eram matá-los ou deixá-los partir.

Um dos companheiros de Luttrell sugeriu que matassem os pastores: "Estamos em serviço atrás das linhas inimigas, enviados para cá por nossos superiores. Temos o direito de fazer qualquer coisa para salvar nossa vida. A decisão militar é óbvia. Deixá-los livres seria um erro."[38] Luttrell estava dividido. "No fundo da minha alma, eu sabia que ele estava certo", escreveu mais tarde. "Não poderíamos deixá-los partir. Mas o problema é que tenho outra alma. Minha alma cristã. E ela estava prevalecendo. Alguma coisa não parava de sussurrar do fundo da minha consciência que seria errado executar a sangue-frio aqueles homens desarmados."[39] Luttrell não explicou o que quis dizer com alma cristã, mas, no final, sua consciência não permitiu que matasse os pastores. Ele deu o voto decisivo para soltá-los. (Um dos três companheiros se absteve.) Foi um voto do qual veio a se arrepender.

Cerca de uma hora e meia depois de ter soltado os pastores, os quatro soldados se viram cercados por cerca de cem combatentes talibãs armados com fuzis AK-47 e granadas de mão. No cruel combate que se seguiu, os três companheiros de Luttrell foram mortos. Os talibãs também abateram um helicóptero dos Estados Unidos que tentava resgatar a patrulha, matando os 16 soldados que estavam a bordo.

Luttrell, gravemente ferido, conseguiu sobreviver rolando montanha abaixo e se arrastando por 11 quilômetros até um vilarejo cujos moradores o mantiveram protegido dos talibãs até que ele fosse resgatado.

Mais tarde, Luttrell refletiu e condenou o próprio voto em favor de não matar os pastores. "Foi a decisão mais estúpida, mais idiota, mais irresponsável que já tomei em toda a minha vida", escreveu em um livro sobre a experiência. "Eu devia estar fora do meu juízo. Na verdade, dei meu voto sabendo que ele poderia ser nossa sentença de morte (...) Pelo menos é como vejo aqueles momentos agora (...) O voto decisivo foi meu, e ele vai me perseguir até que me enterrem em um túmulo no leste do Texas."[40]

Parte do que tornou tão difícil o dilema dos soldados foi a incerteza sobre o que poderia acontecer caso soltassem os afegãos. Os pastores simplesmente seguiriam seu caminho ou alertariam os talibãs? Mas suponhamos que Luttrell soubesse que o fato de libertar os pastores fosse originar uma batalha devastadora, resultando na perda de seus companheiros, 19 americanos mortos, ferimentos nele próprio e o fracasso da missão? Ele teria tomado uma decisão diferente?

Para Luttrell, em retrospectiva, a resposta é clara: ele deveria ter matado os pastores. Considerando o desastre que se seguiu, é difícil discordar. Se considerarmos a quantidade de pessoas que morreram, a escolha de Luttrell é semelhante, de certa forma, ao caso do bonde. Matar os três afegãos teria poupado a vida de seus três companheiros e dos 16 soldados que tentaram resgatá-los. Mas com qual das versões da história do bonde isso se parece? Matar os pastores teria sido como mudar a direção do bonde ou como empurrar o homem da ponte? O fato de Luttrell ter consciência do perigo e ainda assim não ter conseguido matar civis desarmados a sangue-frio sugere que sua decisão se assemelharia a empurrar o homem da ponte.

Ainda assim, matar os pastores parece um pouco mais defensável do que empurrar o homem da ponte. Talvez porque suspeitamos que — em face do desfecho — eles não fossem espectadores inocentes, e sim simpatizantes dos talibãs. Consideremos uma analogia: se tivéssemos motivos para acreditar que o homem na ponte fosse responsável pelo mau funcionamento dos freios do bonde, com intenção de matar os operários nos trilhos (digamos que eles fossem seus inimigos), o argumento moral para empurrá-lo sobre os trilhos começaria a parecer mais defensável. Ainda precisaríamos saber quem eram seus inimigos e por que ele queria matá-los. Se soubéssemos que os operários nos trilhos eram membros da resistência francesa e o homem corpulento na ponte era um nazista que tentava matá-los danificando o bonde, o fato de empurrá-lo para salvar os outros passaria a ser moralmente aceitável.

É possível, evidentemente, que os pastores afegãos não fossem simpatizantes dos talibãs, e sim neutros no conflito ou até mesmo oponentes dos talibãs, e tivessem sido forçados por eles a revelar a presença dos soldados americanos. Suponhamos que Luttrell e seus companheiros tivessem certeza de que os pastores não tinham a intenção de fazer-lhes mal, mas que seriam torturados pelos talibãs para revelar onde eles estavam. Os americanos poderiam ter matado os pastores para proteger a missão e a eles próprios. Mas a decisão de fazer isso teria sido mais difícil (e moralmente mais questionável) do que se eles soubessem que os pastores eram espiões pró-Talibã.

## DILEMAS MORAIS

Poucos dentre nós enfrentam escolhas tão dramáticas quanto as que se apresentaram aos soldados na montanha ou à testemunha do bonde desgovernado. Mas refletir sobre esses dilemas nos permite ver de maneira mais clara como uma questão moral pode se apresentar em nossas vidas, como indivíduos e como membros de uma sociedade.

A vida em sociedades democráticas é cheia de divergências entre o certo e o errado, entre justiça e injustiça. Algumas pessoas defendem o direito ao aborto, outras o consideram um crime. Algumas acreditam que a justiça requer que o rico seja taxado para ajudar o pobre, enquanto outras acham que não é justo cobrar taxas sobre o dinheiro recebido por alguém como resultado do próprio esforço. Algumas defendem o sistema de cotas na admissão ao ensino superior como uma forma de remediar erros do passado, enquanto outras consideram esse sistema uma forma injusta de discriminação invertida contra as pessoas que merecem ser admitidas pelos próprios méritos. Algumas rejeitam a tortura de suspeitos de terrorismo por a considerarem um ato moralmente abominável e indigno de uma sociedade livre, enquanto outras a defendem como um recurso extremo para evitar futuros ataques.

Eleições são vencidas e perdidas com base nessas divergências. As chamadas guerras culturais são combatidas por esses princípios. Dadas a paixão e a intensidade com as quais debatemos as questões morais na vida pública, podemos ficar tentados a pensar que nossas convicções morais estão fixadas para sempre, pela maneira como fomos criados ou devido a nossas crenças, além do alcance da razão.

Entretanto, se isso fosse verdadeiro, a persuasão moral seria inconcebível e o que consideramos ser um debate público sobre justiça e direitos não passaria de uma saraivada de afirmações dogmáticas em uma inútil disputa ideológica.

Quando exibe sua pior face, nossa política se aproxima dessa condição. Mas não precisa ser assim. Às vezes uma discussão pode mudar nossa opinião.

Como, então, podemos raciocinar claramente no disputado terreno da justiça e da injustiça, da igualdade e da desigualdade, dos direitos individuais e do bem comum? Este livro tenta responder a essa pergunta.

Uma das maneiras de começar é observando como a reflexão moral aflora naturalmente quando nos vemos diante de uma difícil questão de natureza moral. Começamos com uma opinião, ou convicção, sobre a coisa certa a fazer: "Desviar o bonde para o outro trilho." Então, refletimos sobre a razão da nossa convicção e procuramos o princípio no qual ela se baseia: "É melhor sacrificar uma vida para evitar a perda de muitas." Então, diante de uma situação que põe em questão esse princípio, ficamos confusos: "Eu achava que era sempre certo salvar o máximo possível de vidas, mas ainda assim parece errado empurrar o homem da ponte (ou matar os pastores de cabras desarmados)." Sentir a força dessa confusão e a pressão para resolvê-la é o que nos impulsiona a filosofar.

Expostos a tal tensão, podemos rever nossa opinião sobre a coisa certa a fazer ou repensar o princípio que inicialmente abraçávamos. Ao nos depararmos com novas situações, recuamos e avançamos em nossas opiniões e nossos princípios, revisando cada um deles à luz dos demais. Essa mudança no nosso modo de pensar, indo e vindo do mundo da ação para o mundo da razão, é no que consiste a reflexão moral.

Essa forma de conceber a discussão moral, como uma dialética entre nossas opiniões sobre determinadas situações e os princípios que afirmamos ao refletir, tem uma longa tradição. Ela remonta aos diálogos de Sócrates e à filosofia moral de Aristóteles. Entretanto, não obstante sua origem tão antiga, ela está aberta ao seguinte desafio: Se a reflexão moral consiste em harmonizar os julgamentos que fazemos com os princípios que afirmamos, como pode tal reflexão nos levar à justiça ou à verdade moral? Mesmo se conseguíssemos, durante toda a vida, alinhar nossas intuições morais e os princípios que fundamentam nossa conduta, como poderíamos confiar no fato de que o resultado seria algo mais do que um amontoado de preconceitos com coerência interna?

A resposta é que a reflexão moral não é uma busca individual, e sim coletiva. Ela requer um interlocutor — um amigo, um vizinho, um camarada, um compatriota. Às vezes o interlocutor pode ser imaginário, como quando discutimos com nossa consciência. Mas não podemos descobrir o significado da justiça ou a melhor maneira de viver apenas por meio da introspecção.

Na *República*, de Platão, Sócrates compara os cidadãos comuns a um grupo de prisioneiros confinados numa caverna. Tudo que veem é o movimento das sombras na parede, um reflexo de objetos que não podem apreender. Apenas o filósofo, nesse relato, pode sair da caverna para a luz do dia, sob a qual vê as coisas como realmente são. Sócrates sugere que, tendo vislumbrado o sol, apenas o filósofo é capaz de governar os habitantes da caverna, se ele, de alguma forma, puder ser induzido a voltar para a escuridão onde vivem.

Na opinião de Platão, para captar o sentido de justiça e da natureza de uma vida boa, precisamos nos posicionar acima dos preconceitos e das rotinas do dia a dia. Ele está certo, creio, mas apenas em parte. Os clamores dos que ficaram na caverna devem ser levados em consideração. Se a reflexão moral é dialética — se avança e recua entre os julgamentos que fazemos em situações concretas e os princípios que guiam esses julgamentos —, necessita de opiniões e convicções, ainda que parciais e não instruídas, como pontos de partida. A filosofia que não tem contato com as sombras na parede só poderá produzir uma utopia estéril.

Quando a reflexão moral se torna política, quando pergunta que leis devem governar nossa vida coletiva, precisa ter alguma ligação com o tumulto da cidade, com as questões e os incidentes que perturbam a mente pública. Debates sobre *bailout* e preços extorsivos, desigualdade de renda e sistemas de cotas, serviço militar e casamento entre pessoas do mesmo sexo são o que sustenta a filosofia política. Eles nos estimulam a articular e justificar nossas convicções morais e políticas, não apenas no meio familiar ou entre amigos, mas também na exigente companhia de nossos compatriotas.

Mais exigente ainda é a companhia de filósofos políticos, antigos e modernos, que discorreram, às vezes de forma radical e surpreendente, sobre as ideias que animam a vida cívica — justiça e direitos, obrigação e consenso, honra e virtude, moral e lei. Aristóteles, Immanuel Kant, John Stuart Mill e John Rawls figuram, todos eles, nestas páginas. No entanto, a ordem de seu aparecimento não é cronológica. Este livro não é uma história das ideias, e sim uma jornada de reflexão moral e política. Seu objetivo não é mostrar quem influenciou quem na história do pensamento político, mas convidar os leitores a submeter suas próprias visões sobre justiça ao exame crítico — para que compreendam melhor o que pensam e por quê.

## Notas

1. Michael McCarthy, "After Storm Come the Vultures", *USA Today*, 20 de agosto de 2004, p. 6B.
2. Joseph B. Treaster, "With Storm Gone, Floridians Are Hit with Price Gouging", *New York Times*, 18 de agosto de 2004, p. A1; McCarthy, "After Storm Come the Vultures".

3. McCarthy, "After Storm Come the Vultures"; Treaster, "With Storm Gone, Floridians Are Hit with Price Gouging"; Crist citou Jeff Jacoby, "Bring on the 'Price Gougers'", *Boston Globe*, 22 de agosto de 2004, p. F11.
4. McCarthy, "After Storm Come the Vultures"; Allison North Jones, "West Palm Days Inn Settles Storm Gouging Suit", *Tampa Tribune*, 6 de outubro de 2004, p. 3.
5. Thomas Sowell, "How 'Price Gouging' Helps Floridians", *Tampa Tribune*, 15 de setembro de 2004; publicado também como "'Price Gouging' in Florida", *Capitalism Magazine*, 14 de setembro de 2004, em www.capmag.com/article.asp?ID=3918.
6. Ibidem.
7. Jacoby, "Bring on the 'Price Gougers'".
8. Charlie Crist, "Storm Victims Need Protection", *Tampa Tribune*, 17 de setembro de 2004, p. 17.
9. Ibidem.
10. Jacoby, "Bring on the 'Price Gougers'".
11. Lizette Alvarez e Erik Eckholm, "Purple Heart Is Ruled Out for Traumatic Stress", *New York Times*, 8 de janeiro de 2009.
12. Ibidem.
13. Tyler E. Boudreau, "Troubled Minds and Purple Hearts", *New York Times*, 26 de janeiro de 2009, p. A21.
14. Alvarez e Eckholm, "Purple Heart Is Ruled Out".
15. Boudreau, "Troubled Minds and Purple Hearts".
16. S. Mitra Kalita, "Americans See 18% of Wealth Vanish", *Wall Street Journal*, 13 de março de 2009, p. A1.
17. Jackie Calmes e Louise Story, "418 Got AIG Bonuses; Outcry Grows in Capital", *New York Times*, 18 de março de 2009, p. A1; Bill Saporito, "How AIG Became Too Big to Fail", *Time*, 30 de março de 2009, p. 16.
18. O diretor executivo da AIG Edward M. Liddy citou Edmund L. Andrews e Peter Baker, "Bonus Money at Troubled AIG Draws Heavy Criticism", *New York Times*, 16 de março de 2009; ver também Liam Pleven, Serena Ng e Sudeep Reddy, "AIG Faces Growing Wrath Over Payments", *Wall Street Journal*, 16 de março de 2009.
19. *New York Post*, 18 de março de 2009, p. 1.
20. Shailagh Murray e Paul Kane, "Senate Will Delay Action on Punitive Tax on Bonuses", *Washington Post*, 24 de março de 2009, p. A7.
21. Mary Williams Walsh e Carl Hulse, "AIG Bonuses of 450 Million to Be Repaid", *New York Times*, 24 de março de 2009, p. A1.
22. Gregg Hitt, "Drive to Tax AIG Bonuses Slows", *Wall Street Journal*, 25 de março de 2009.

23. Nem todos que receberam os disputados bônus da AIG foram responsáveis pelos investimentos de risco que provocaram o estrago. Alguns juntaram-se à divisão de produtos financeiros depois da quebra, para ajudar a resolver a confusão. Um desses executivos publicou um editorial queixando-se de que a indignação pública não conseguia fazer distinção entre os que foram responsáveis pelos investimentos desastrosos e os que não participaram deles. Ver Jake DeSantis, "Dear AIG, I Quit!", *New York Times*, 24 de março de 2009. Diferentemente de DeSantis, Joseph Cassano, diretor de produtos financeiros da AIG durante treze anos, recebeu 280 milhões de dólares antes de deixar a companhia, em março de 2008, pouco antes de a transação de crédito que ele conduziu arruinar a empresa.
24. O senador Sherrod Brown citou Jonathan Weisman, Naftali Bendavid e Deborah Solomon, "Congress Looks to a Tax to Recoup Bonus Money", *Wall Street Journal*, 18 de março de 2009, p. A2.
25. Comentários do presidente Barack Obama, Casa Branca, 16 de março de 2009, em www.whitehouse.gov/the_press_office/Remarks-by-the-President-to-small-business-owners.
26. Michael Shnayerson, "Wall Street's $16 Billion Bonus", *Vanity Fair*, março de 2009.
27. Observações do presidente Barack Obama sobre compensação executiva, Casa Branca, 4 de fevereiro de 2009, em www.whitehouse.gov/blog_post/new_rules.
28. O senador Grassley falou à emissora de rádio WMT, em Iowa. Os comentários foram também publicados em *The Caucus*, um blog no website do *New York Times*. Ver Kate Phillips, "Grassley: AIG Must Take Its Medicine (Not Hemlock)", 17 de março de 2009, em www.thecaucus.blogs.nytimes.com/2009/03/17/grassley-aig-should-take-its-medicine-not-hemlock.
29. Ibidem. Ver também Kate Phillips, "Senator Wants Some Remorse from CEOs", *New York Times*, 18 de março de 2009, p. A15.
30. Alan Schwartz, ex-diretor executivo da Bear Stearns, citado em William D. Cohen, "A Tsunami of Excuses", *New York Times*, 12 de março de 2009.
31. Ibidem.
32. Shnayerson, "Wall Street's $16 Billion Bonus".
33. David R. Francis, "Should CEO Pay Restrictions Spread to All Corporations?", *Christian Science Monitor*, 9 de março de 2009.
34. Ibidem.
35. Diretor executivo paga por dados da análise de 2004-2006 de Towers Perrin, citado em Kenji Hall, "No Outcry About CEO Pay in Japan", *Business Week*, 10 de fevereiro de 2009.

36. As formulações clássicas do caso do bonde são de Philippa Foot, "The Problem of Abortion and the Doctrine of Double Effect", em *Virtues and Vices and Other Essays in Moral Philosophy* (Oxford, Basil Blackwell, 1978), p. 19, e Judith Jarvis Thomson, "The Trolley Problem", *Yale Law Journal* 94 (maio de 1985): 1395-415.
37. O relato foi extraído de Marcus Luttrell, com Patrick Robinson, *Lone Survivor: The Eyewitness Account of Operation Redwing and the Lost Heroes of Seal Team 10* (Nova York, Little, Brown and Company, 2007).
38. Ibidem, p. 205.
39. Ibidem.
40. Ibidem, pp. 206-207.

# CAPÍTULO 2 O princípio da máxima felicidade / **O utilitarismo**

No verão de 1884, quatro marinheiros ingleses estavam à deriva em um pequeno bote salva-vidas no Atlântico Sul, a mais de 1.600 km da costa. Seu navio, o *Mignonette*, naufragara durante uma tempestade; eles tinham apenas duas latas de nabos em conserva e estavam sem água potável. Thomas Dudley era o capitão; Edwin Stephens, o primeiro oficial; e Edmund Brooks, um marinheiro — "todos homens de excelente caráter", segundo relatos de jornais.[1]

O quarto sobrevivente era o taifeiro Richard Parker, de 17 anos. Ele era órfão e fazia sua primeira longa viagem pelo mar. Richard se alistara contra o conselho de amigos, "com o otimismo da ambição juvenil", imaginando que a viagem faria dele um homem. Infelizmente, não foi assim.

No bote, os quatro marinheiros à deriva olhavam para o horizonte, esperando que um navio passasse para resgatá-los. Nos primeiros três dias, comeram pequenas porções dos nabos. No quarto dia, pegaram uma tartaruga. Conseguiram sobreviver com a tartaruga e os nabos restantes durante mais alguns dias. Depois ficaram sem ter o que comer por oito dias.

Parker, o taifeiro, estava deitado no canto do bote. Bebera água salgada, contrariando a orientação dos outros, e ficara doente. Parecia estar morrendo. No 19º dia de provação, Dudley, o capitão, sugeriu um sorteio para determinar quem morreria para que os outros pudessem sobreviver. Mas Brooks foi contra a proposta, e não houve sorteio.

Chegou o dia seguinte e não havia navio à vista. Dudley pediu a Brooks que desviasse o olhar e fez um gesto para Stephens indicando que Parker deveria ser morto. Dudley fez uma oração, disse ao rapaz que a hora dele havia chegado e o matou com um canivete, apunhalando-o na jugular. Brooks deixou de lado a objeção de sua consciência e participou da divisão do prêmio. Durante quatro dias, os três homens se alimentaram do corpo e do sangue do taifeiro.

Por fim o socorro chegou. Dudley descreve o resgate em seu diário com um eufemismo cruel: "No 24º dia, durante o desjejum", finalmente apareceu um navio. Os três sobreviventes foram resgatados. Quando voltaram para a Inglaterra, foram presos e levados a julgamento. Brooks foi testemunha da acusação. Dudley e Stephens foram julgados. Eles confessaram espontaneamente que haviam matado e comido Parker. Alegaram que tinham feito isso por necessidade.

Suponhamos que você fosse o juiz. Como os julgaria? Para simplificar as coisas, deixe de lado as questões legais e suponha que você tivesse de decidir se matar o taifeiro seria moralmente admissível.

O mais forte argumento de defesa é que, diante das circunstâncias extremas, fora necessário matar uma pessoa para salvar três. Se ninguém tivesse sido morto e comido, todos os quatro provavelmente teriam morrido. Parker, enfraquecido e doente, era o candidato lógico, já que morreria logo de qualquer maneira. E, ao contrário de Dudley e Stephens, não tinha dependentes. Sua morte não privaria ninguém de sustento e não deixaria mulher e filhos de luto.

Esse argumento está sujeito, no mínimo, a duas objeções. Primeiramente, pode-se perguntar se os benefícios de matar o taifeiro, analisados como um todo, realmente pesaram mais do que os custos. Mesmo se considerarmos o número de vidas salvas e a felicidade dos sobreviventes e de suas famílias, a aceitação desse crime poderia ter consequências ruins para a sociedade em geral — enfraquecendo a regra contra o assassinato, por exemplo, aumentando a tendência das pessoas de fazer justiça com as próprias mãos, ou tornando mais difícil para os capitães recrutar taifeiros.

Em segundo lugar, se mesmo depois de todas as considerações os benefícios pesassem mais do que os custos, não teríamos a incômoda impressão de que matar e comer um taifeiro indefeso é errado, por motivos que vão além dos cálculos de custos e benefícios sociais? Não é um erro usar um ser humano dessa maneira — explorando sua vulnerabilidade, tirando sua vida sem seu consentimento —, mesmo que isso seja feito em benefício de outros?

Para qualquer um que fique chocado com os atos de Dudley e Stephens, a primeira objeção parecerá um fraco lamento. Ela aceita o pressuposto utilitarista de que a moral consiste em pesar custos e benefícios, e apenas espera uma avaliação mais ampla das consequências sociais.

Se o assassinato do taifeiro for digno de repúdio moral, a segunda objeção atinge melhor o objetivo. Ela rejeita a ideia de que a coisa certa a fazer é simplesmente uma questão de medir as consequências — os custos e benefícios. Sugere que a moral significa algo mais — alguma coisa relativa à própria maneira como os seres humanos se tratam uns aos outros.

Esses dois entendimentos sobre o caso do bote salva-vidas ilustram duas abordagens opostas da justiça. A primeira diz que a moral de uma ação depende unicamente das consequências que ela acarreta; a coisa certa a fazer é aquela que produzirá os melhores resultados, considerando-se todos os aspectos. A segunda abordagem diz que as consequências não são tudo com o que devemos nos preocupar, moralmente falando; devemos observar certos deveres e direitos por razões que não dependem das consequências sociais de nossos atos.

Para solucionar o caso do bote salva-vidas, bem como muitos outros dilemas menos extremos com os quais normalmente nos deparamos, precisamos explorar algumas grandes questões da moral e da filosofia política: A moral é uma questão de avaliar vidas quantitativamente e pesar custos e benefícios? Ou certos deveres morais e direitos humanos são tão fundamentais que estão acima de cálculos dessa natureza? Se certos direitos são assim fundamentais — sejam eles naturais, sagrados, inalienáveis ou categóricos —, como podemos identificá-los? E o que os torna fundamentais?

## O UTILITARISMO DE JEREMY BENTHAM

O inglês Jeremy Bentham (1748-1832) não deixou dúvidas sobre sua opinião a respeito. Ele desprezava profundamente a ideia dos direitos naturais, considerando-os um "absurdo total". Seus pressupostos filosóficos exercem até hoje uma poderosa influência sobre o pensamento de legisladores, economistas, executivos e cidadãos comuns.

Bentham, filósofo moral e estudioso das leis, fundou a doutrina utilitarista. Sua ideia central é formulada de maneira simples e tem apelo intuitivo: o mais elevado objetivo da moral é maximizar a felicidade, assegurando a hegemonia do prazer sobre a dor. De acordo com Bentham, a coisa certa a fazer é aquela que maximizará a utilidade. Como "utilidade" ele define qualquer coisa que produza prazer ou felicidade e que evite a dor ou o sofrimento.

Bentham chega a esse princípio por meio da seguinte linha de raciocínio: todos somos governados pelos sentimentos de dor e prazer. São nossos "mestres soberanos". Prazer e dor nos governam em tudo que fazemos e determinam o que devemos fazer. Os conceitos de certo e errado "deles advêm".[2]

Todos gostamos do prazer e não gostamos da dor. A filosofia utilitarista reconhece esse fato e faz dele a base da vida moral e política. Maximizar a "utilidade" é um princípio não apenas para o cidadão comum, mas também para os legisladores. Ao determinar as leis ou diretrizes a serem seguidas, um governo deve fazer o possível para maximizar a felicidade da comunidade em geral. O que, afinal, é uma comunidade? Segundo Bentham, é "um corpo fictício", formado pela soma dos indivíduos que abrange. Cidadãos e legisladores devem, assim, fazer a si mesmos a seguinte pergunta: Se somarmos todos os benefícios dessa diretriz e subtrairmos todos os custos, ela produzirá mais felicidade do que uma decisão alternativa?

O argumento de Bentham para o princípio de que devemos maximizar a utilidade assume a forma de uma audaciosa afirmação: não existe a menor possibilidade de rejeitá-lo. Todo argumento moral, diz ele, deve implicitamente inspirar-se na ideia de maximizar a felicidade. As pessoas podem dizer que acreditam em alguns deveres ou direitos absolutos e categóricos. Mas não teriam base para defender esses deveres ou direitos a menos que acreditassem que respeitá-los poderia maximizar a felicidade humana, pelo menos em longo prazo.

"Quando um homem tenta combater o princípio da utilidade", escreve Bentham, "ele o faz com razões que derivam, sem que tenha consciência disso, daquele princípio em si." Todas as divergências morais, devidamente compreendidas, são discordâncias sobre como se deve aplicar o princípio utilitarista da maximização do prazer e da minimização da dor. "Um homem consegue mover a Terra?", pergunta Bentham. "Sim; mas antes ele precisa encontrar outra Terra na qual se apoiar." E a única Terra, a única premissa, o único ponto de partida para o argumento moral, de acordo com Bentham, é o princípio da utilidade.[3]

Bentham achava que seu princípio da utilidade era uma ciência da moral que poderia servir como base para a reforma política. Ele propôs uma série de projetos com vistas a tornar a lei penal mais eficiente e humana. Um deles foi o Panopticon, um presídio com uma torre central de inspeção que permitisse ao supervisor observar os detentos sem que eles o vissem. Bentham sugeriu que o Panopticon fosse dirigido por um empresário (de preferência, ele mesmo), que gerenciaria a prisão em troca dos lucros gerados pelo trabalho dos prisioneiros, que trabalhariam 16 horas por dia. Embora o plano de Bentham tenha acabado por ser rejeitado, pode-se dizer que ele era avançado para sua época. Recentemente, a ideia de terceirizar os presídios para companhias privadas foi retomada nos Estados Unidos e na Inglaterra.

### *Arrebanhando mendigos*

Outro plano de Bentham foi uma estratégia para melhorar "o tratamento dado aos pobres" por meio da criação de um reformatório autofinanciável para abrigá-los. O plano, que procurava reduzir a presença de mendigos nas ruas, oferece uma clara ilustração da lógica utilitarista. Bentham percebeu, primeiramente, que o fato de haver mendigos nas ruas reduz a felicidade dos transeuntes de duas maneiras. Para os mais sensíveis, a visão de um mendigo produz um sentimento de dor; para os mais insensíveis, causa repugnância. De uma forma ou de outra, encontrar mendigos reduz a felicidade do público em geral. Assim, Bentham propôs a remoção dos mendigos das ruas, confinando-os em abrigos.[4]

Alguns podem considerar isso injusto com os mendigos, mas Bentham não negligencia sua "utilidade" (felicidade). Ele reconhece que alguns mendigos seriam mais felizes mendigando do que trabalhando em um abrigo, mas observa também que para cada mendigo feliz mendigando existem muitos infelizes. E conclui que a soma do sofrimento do público em geral é maior do que a infelicidade que os mendigos levados para o abrigo possam sentir.[5]

Algumas pessoas podem ficar apreensivas com o fato de que construir e gerenciar o abrigo possa significar um gasto para os contribuintes, reduzindo sua felicidade e, consequentemente, sua utilidade. Mas Bentham propôs uma maneira de tornar seu plano para os pobres inteiramente autofinanciável. Qualquer cidadão que encontrasse um mendigo teria permissão para apreendê-lo e levá-lo para o abrigo mais próximo. Uma vez lá confinado, cada mendigo teria de trabalhar para pagar os custos de seu sustento, o que contaria pontos em uma "conta de autolibertação". A conta poderia incluir comida, roupas, roupa de cama, cuidados médicos e um seguro de vida caso o mendigo morresse antes de terminar o pagamento. A fim de incentivar os cidadãos a ter o trabalho de capturar os mendigos e levá-los para o reformatório, Bentham propôs uma recompensa de vinte xelins por captura — acrescidos, é claro, à dívida do mendigo.[6]

Bentham também aplicou a lógica utilitarista à distribuição dos quartos nas prisões-oficina, para minimizar o desconforto dos internos com seus vizinhos: "Perto de cada grupo, no qual todo comportamento inconveniente deve ser identificado, coloque-se um grupo não suscetível àquele comportamento inconveniente." Assim, por exemplo, "perto de loucos delirantes, ou de pessoas com linguajar libertino, coloquem-se os surdos ou idiotas (...) Perto de prostitutas e jovens desregradas, coloquem-se as mulheres idosas". Quanto aos que apresentam "deformações chocantes", Bentham propôs abrigá-los perto dos internos cegos.[7]

Por mais cruel que sua proposta possa parecer, o objetivo de Bentham não era punir os mendigos. Ele apenas queria promover o bem-estar geral resolvendo um problema que afeta a felicidade social. Seu plano para lidar com os pobres nunca foi adotado, mas o espírito utilitarista que o gerou está vivo e forte até hoje. Antes de considerar algumas instâncias do pensamento utilitarista nos dias atuais, vale perguntar se a filosofia de Bentham é passível de objeções e, se for, com base em quê.

## OBJEÇÃO 1: DIREITOS INDIVIDUAIS

A vulnerabilidade mais flagrante do utilitarismo, muitos argumentam, é que ele não consegue respeitar os direitos individuais. Ao considerar apenas a soma das satisfações, pode ser muito cruel com o indivíduo isolado. Para o utilitarista, os indivíduos têm importância, mas apenas enquanto as preferências de cada um forem consideradas em conjunto com as de todos os demais. E isso significa que a lógica utilitarista, se aplicada de forma consistente, poderia sancionar a violação do que consideramos normas fundamentais da decência e do respeito no trato humano, conforme o caso a seguir ilustra:

### *Jogando cristãos aos leões*

Na Roma antiga, cristãos eram jogados aos leões no Coliseu para a diversão da multidão. Imaginemos como seria o cálculo utilitarista: Sim, de fato o cristão sofre dores excruciantes quando o leão o ataca e o devora, mas pensemos no êxtase coletivo dos expectadores que lotam o Coliseu. Se a quantidade de romanos que se deleitam com o espetáculo for muito maior do que a de cristãos, que argumentos teria um utilitarista para condenar tal prática?

Os utilitaristas talvez se preocupassem com a possibilidade de tais jogos tornarem os romanos menos civilizados e gerarem mais violência nas ruas de Roma; ou disseminar entre as possíveis vítimas o medo de que um dia também elas seriam lançadas aos leões. Se tais efeitos são suficientemente maus, eles podem pesar mais do que o prazer proporcionado pelos jogos e dar ao utilitarista uma razão para repudiá-los. Entretanto, se esses cálculos forem as únicas razões para que se desista de submeter cristãos à morte violenta pelo bem do entretenimento, não estaria faltando algo moralmente importante a esse raciocínio?

*A tortura é justificável em alguma circunstância?*

Uma questão semelhante surge em debates atuais sobre a justificativa da tortura em interrogatórios de suspeitos de terrorismo. Consideremos uma situação na qual uma bomba-relógio está por explodir. Imagine-se no comando de um escritório local da CIA. Você prende um terrorista suspeito e acredita que ele tenha informações sobre um dispositivo nuclear preparado para explodir em Manhattan dentro de algumas horas. Na verdade, você tem razões para suspeitar que ele próprio tenha montado a bomba. O tempo vai passando e ele se recusa a admitir que é um terrorista ou a informar onde a bomba foi colocada. Seria certo torturá-lo até que ele diga onde está a bomba e como fazer para desativá-la?

O argumento a favor da tortura nesse caso começa com um cálculo utilitarista. A tortura inflige dor ao suspeito, reduzindo muito sua felicidade ou utilidade. Mas milhares de inocentes morrerão se a bomba explodir. Assim, você pode argumentar, nos termos do utilitarismo, que é moralmente justificável infligir dor intensa a uma pessoa se isso evitar morte e sofrimento em grande escala. O argumento do ex-vice-presidente Richard Cheney de que o uso de técnicas de interrogatório "severas" contra membros da Al-Qaeda suspeitos de terrorismo ajudou a impedir outro ataque terrorista como o das Torres Gêmeas baseia-se nessa lógica utilitarista.

Isso não significa que os utilitaristas sejam necessariamente favoráveis à tortura. Alguns são contra a tortura por motivos de ordem prática. Eles argumentam que ela raramente funciona porque as informações extraídas sob coação nem sempre são confiáveis. Inflige-se a dor, mas a comunidade não fica mais segura com isso: não há acréscimo à utilidade coletiva. Ou então receiam que, se nosso país adotar a tortura, nossos soldados possam enfrentar um tratamento mais cruel se forem feitos prisioneiros. Essa consequência poderia resultar, no cômputo geral, em redução da utilidade.

Essas considerações práticas podem ser verdadeiras ou não. Como motivos para que se rejeite a tortura, entretanto, são perfeitamente compatíveis com o pensamento utilitarista. Não afirmam que torturar um ser humano seja intrinsecamente errado, apenas que a prática da tortura terá efeitos nocivos que, considerados como um todo, resultarão em mais malefícios do que benefícios.

Algumas pessoas repudiam a tortura por princípio. Elas acreditam que esse recurso é uma violação dos direitos humanos, um desrespeito à dignidade intrínseca dos seres humanos. Sua posição contra a tortura não depende de considerações utilitaristas. Elas argumentam que os direitos e a dignidade humana têm uma base moral que transcende a noção de utilidade. Se essas pessoas estiverem certas, a filosofia de Bentham estará errada.

A situação da bomba-relógio, portanto, parece apoiar o argumento de Bentham. Os números realmente parecem fazer uma diferença moral. Uma coisa é aceitar a provável morte de três homens em um bote salva-vidas para evitar que se mate um inocente taifeiro a sangue-frio. Mas o que dizer quando a vida de milhares de inocentes está em jogo, como no caso da bomba-relógio? O que dizer quando centenas de milhares de vidas estão em risco? O utilitarista argumentaria que, até certo ponto, mesmo o mais ardente defensor dos direitos humanos encontraria dificuldades para justificar que é moralmente preferível deixar um grande número de inocentes morrer a torturar um único terrorista suspeito que pode saber onde a bomba está escondida.

Entretanto, como um teste para a argumentação moral do utilitarismo, o caso da bomba-relógio pode levar a um engano. Ele pretende provar que os números devem ser levados em consideração, assim, se um determinado número de vidas estiver em risco, devemos abandonar nossos escrúpulos sobre dignidade e direitos humanos. E, se isso for verdade, então a moralidade deve considerar os custos e os benefícios finais.

Entretanto, a situação da tortura não significa que a expectativa de salvar muitas vidas justifique infligir sofrimento grave a um inocente. Lembremo-nos de que a pessoa torturada com o objetivo de se salvarem muitas vidas é suspeita de terrorismo. Na verdade, é a pessoa que acreditamos que tenha colocado a bomba. A justificativa moral da tortura depende muito do fato de presumirmos que aquela pessoa seja responsável, de alguma forma, pelo perigo que tentamos afastar. Ainda que não seja responsável pela bomba em questão, presumimos que tenha cometido outros atos terríveis que a fizeram merecedora do cruel tratamento. As intuições morais no caso da bomba-relógio não estão relacionadas apenas com custos e benefícios, mas também com a ideia não utilitarista de que terroristas são pessoas más que merecem ser punidas.

Podemos ver isso mais claramente se alterarmos a situação de modo a remover qualquer elemento de presunção de culpa. Suponhamos que a única forma de induzir o suspeito de terrorismo a falar seja a tortura de sua jovem filha (que não tem noção das atividades nefastas do pai). Seria moralmente aceitável fazer isso? Acredito que até mesmo o mais convicto utilitarista vacilasse ao pensar nessa possibilidade. Mas essa versão da situação de tortura é um teste mais verdadeiro do princípio utilitarista. Ela põe de lado a percepção de que o terrorista merece ser punido de alguma forma (apesar da valiosa informação que esperamos extrair dele) e nos força a avaliar o cálculo utilitarista em si.

### *A cidade da felicidade*

A segunda versão do caso da tortura (aquela que envolve a filha inocente) remonta a um conto de Ursula K. Le Guin. A história ("The Ones Who Walked Away from Omelas") fala de uma cidade chamada Omelas — uma cidade de felicidade e celebração cívica, um lugar sem reis ou escravos, sem propaganda ou bolsa de valores, sem bomba atômica. Embora tal lugar seja difícil de imaginar, a autora nos conta mais uma coisa sobre ele: "Em um porão sob um dos belos prédios públicos de Omelas, ou talvez na adega de uma das suas espaçosas residências particulares, existe um quarto com uma porta trancada e sem janelas." E nesse quarto há uma criança. A criança é oligofrênica, está malnutrida e abandonada. Ela passa os dias em extremo sofrimento.

> Todos sabem que ela está lá, todas as pessoas de Omelas (...) Sabem que ela tem que estar lá (...) Todos acreditam que a própria felicidade, a beleza da cidade, a ternura de suas amizades, a saúde de seus filhos (...) até mesmo a abundância de suas colheitas e o clima agradável de seus céus dependem inteiramente do sofrimento abominável da criança (...) Se ela for retirada daquele local horrível e levada para a luz do dia, se for limpa, alimentada e confortada, toda a prosperidade, a beleza e o encanto de Omelas definharão e serão destruídos. São essas as condições.[8]

Essas condições são moralmente aceitáveis? A primeira objeção ao utilitarismo de Bentham, aquela que apela para os direitos humanos fundamentais, diz que não — mesmo que disso dependa a felicidade de uma cidade. Seria errado violar os direitos de uma criança inocente, ainda que fosse pela felicidade de uma população.

## OBJEÇÃO 2: VALORES COMO MOEDA COMUM

O utilitarismo procura mostrar-se como uma ciência de moralidade baseada na quantificação, na agregação e no cômputo geral da felicidade. Ele pesa as preferências sem as julgar. As preferências de todos têm o mesmo peso. Essa proposta de não julgamento é a origem de grande parte de seu atrativo. E a promessa de tornar a escolha moral uma ciência esclarece grande parte do raciocínio econômico contemporâneo. Para agregar valores, no entanto, é necessário pesá-los todos em uma única balança, como se tivessem todos a mesma natureza. A ideia de Bentham sobre a utilidade nos oferece essa moeda comum.

Entretanto, será possível traduzir todos os bens morais em uma única moeda corrente sem perder algo na tradução? A segunda objeção ao utilitarismo põe isso em dúvida. De acordo com essa objeção, não é possível transformar em moeda corrente valores de naturezas distintas.

A fim de explorar essa objeção, consideremos a maneira pela qual a lógica utilitarista é aplicada em análises de custo e benefício, uma forma de tomada de decisões amplamente utilizada por governos e corporações. A análise de custo e benefício tenta trazer a racionalidade e o rigor para as escolhas complexas da sociedade, transformando todos os custos e benefícios em termos monetários — e, então, comparando-os.

*Os benefícios do câncer de pulmão*

A Philip Morris, uma companhia de tabaco, tem ampla atuação na República Tcheca, onde o tabagismo continua popular e socialmente aceitável. Preocupado com os crescentes custos dos cuidados médicos em consequência do fumo, o governo tcheco pensou, recentemente, em aumentar a taxação sobre o cigarro. Na esperança de conter o aumento dos impostos, a Philip Morris encomendou uma análise do custo-benefício dos efeitos do tabagismo no orçamento do país. O estudo descobriu que o governo efetivamente lucra mais do que perde com o consumo de cigarros pela população. O motivo: embora os fumantes, em vida, imponham altos custos médicos ao orçamento, eles morrem cedo e, assim, poupam o governo de consideráveis somas em tratamentos de saúde, pensões e abrigo para os idosos. De acordo com o estudo, uma vez levados em conta os "efeitos positivos" do tabagismo — incluindo a receita com os impostos e a economia com a morte prematura dos fumantes —, o lucro líquido para o tesouro é de 147 milhões de dólares por ano.[9]

A análise de custo e benefício foi um desastre de relações públicas para a Philip Morris. "Companhias de tabaco costumavam negar que o cigarro matasse", escreveu um comentarista. "Agora, elas se gabam disso."[10] Um grupo antitabagista publicou matérias pagas em jornais mostrando o pé de um cadáver em um necrotério com a etiqueta "US$ 1,227" presa ao dedo, representando a economia do governo tcheco com cada morte causada pelo cigarro. Diante do ultraje público e ridicularizado, o diretor executivo da Philip Morris se desculpou, reconhecendo que o estudo mostrava "um desrespeito absolutamente inaceitável pelos valores humanos básicos".[11]

Alguns diriam que o estudo da Philip Morris mostra o desatino moral da análise de custo e benefício e do pensamento utilitarista que sustenta. Encarar a morte por câncer de pulmão como um benefício final realmente mostra um inominável desrespeito pela vida humana. Qualquer diretriz moralmente defensável em relação ao tabagismo deveria considerar não apenas os efeitos fiscais, mas também as consequências para a saúde pública e para o bem-estar social.

Entretanto, um utilitarista não negaria a relevância dessas consequências mais amplas — a dor e o sofrimento, as famílias enlutadas, a perda da vida. Bentham criou o conceito da utilidade precisamente para capturar, em uma única escala, a natureza discrepante das coisas com as quais nos importamos, incluindo o valor da vida humana. Para alguém que pense como ele, o estudo sobre o tabagismo não nega os princípios utilitaristas, simplesmente os aplica de forma equivocada. Uma análise mais ampla de custo e benefício acrescentaria ao cálculo moral uma quantia que representasse o custo da morte prematura para o fumante e sua família e o confrontaria com a economia que essa morte traria para o governo.

Tudo isso nos leva de volta à questão sobre a possibilidade de traduzir valores morais em termos monetários. Algumas versões da análise de custo e benefício tentam fazer isso, chegando até mesmo a estipular um valor em dólares para a vida humana. Consideremos dois usos da análise de custo e benefício que provocaram enorme indignação, não porque não tenham calculado o valor da vida humana, e sim porque o fizeram.

### *Explodindo tanques de combustível*

Durante os anos 1970, o Ford Pinto era um dos carros compactos mais vendidos nos Estados Unidos. Infelizmente seu tanque de combustível estava sujeito a explodir quando outro carro colidia com ele pela traseira. Mais de quinhentas pessoas morreram quando seus automóveis Pinto pegaram fogo e muitas mais sofreram sérias queimaduras. Quando uma das vítimas processou a Ford Motor Company pelo erro de projeto, veio a público que os engenheiros da Ford sabiam do perigo representado pelo tanque de gasolina. Mas os executivos da companhia haviam realizado uma análise de custo e benefício que os levara a concluir que os benefícios de consertar as unidades (em vidas salvas e ferimentos evitados) não compensavam os 11 dólares por carro que custaria para equipar cada veículo com um dispositivo que tornasse o tanque de combustível mais seguro.

Para calcular os benefícios obtidos com um tanque de gasolina mais seguro, a Ford estimou que em um ano 180 mortes e 180 queimaduras poderiam acontecer se nenhuma mudança fosse feita. Estipulou, então, um valor monetário para cada vida perdida e cada queimadura sofrida — 200 mil dólares por vida e 67 mil por queimadura. Acrescentou a esses valores a quantidade e o valor dos Pintos que seriam incendiados e calculou que o benefício final da melhoria da segurança seria de 49,5 milhões de dólares. Mas o custo de instalar um dispositivo de 11 dólares em 12,5 milhões de veículos seria de 137,5 milhões de dólares. Assim, a companhia chegou à conclusão de que o custo de consertar o tanque não compensaria o benefício de um carro mais seguro.[12]

O júri ficou revoltado quando tomou conhecimento do estudo e determinou que fosse paga ao autor da ação uma indenização de 2,5 milhões de dólares pelos prejuízos e 125 milhões de dólares por danos morais (total reduzido mais tarde para 3,5 milhões).[13] Talvez os jurados tenham considerado errado uma corporação atribuir um valor monetário à vida humana ou talvez tenham considerado que 200 mil dólares fosse um valor ofensivamente baixo. A Ford não chegou a esse número sozinha: obteve-o de uma agência governamental dos Estados Unidos. No início dos anos 1970, a Administração Nacional de Segurança do Tráfego Rodoviário havia calculado o custo de uma ocorrência fatal no trânsito. Considerando futuras perdas de produtividade, custos médicos, custos funerários e a dor e o sofrimento da vítima, a agência chegou ao valor de 200 mil dólares para cada vítima fatal.

Se a objeção do júri fosse quanto ao valor atribuído, e não ao princípio, um utilitarista poderia concordar. Poucas pessoas concordariam em morrer num acidente de carro por 200 mil dólares. A maioria teria escolhido viver. Para mensurar o efeito total de uma morte no trânsito sobre a utilidade, seria preciso incluir também a perda da futura felicidade da vítima, e não apenas o que ela deixaria de ganhar e os custos funerários. Qual seria, então, uma estimativa mais fiel do valor monetário de uma vida humana?

### *Um desconto para idosos*

A Agência de Proteção Ambiental dos Estados Unidos (EPA) tentou responder a essa pergunta e também provocou indignação, porém de forma diferente. Em 2003, a EPA apresentou uma análise de custo e benefício dos novos padrões de poluição do ar. A agência atribuiu um valor mais generoso à vida humana do que a Ford, porém com uma diferença no ajuste de idade: 3,7 milhões de dólares por vida salva em consequência do ar mais puro, exceto para aqueles acima de 70 anos, cujas vidas foram avaliadas em 2,3 milhões. Por trás das diferentes avaliações, havia um princípio utilitarista: salvar a vida de uma pessoa mais idosa é menos útil do que salvar a vida de uma mais jovem. (O jovem tem mais vida pela frente e, portanto, mais felicidade para usufruir.) Defensores dos mais idosos não raciocinavam assim. Eles protestaram contra o "desconto para cidadãos idosos", argumentando que o governo não deveria atribuir um valor mais alto à vida dos jovens do que à dos idosos. Abalada pelo protesto, a EPA rapidamente desistiu do desconto e tirou o relatório de circulação.[14]

Críticos do utilitarismo apontam esses episódios como provas de que a análise de custo e benefício leva a enganos e que atribuir um valor monetário à vida humana é moralmente errôneo. Defensores da análise de custo-benefício discordam. Eles argumentam que muitas escolhas sociais trocam implicitamente um determinado número de vidas por outros bens e conveniências. A vida humana tem seu preço, insistem eles, quer admitamos quer não.

Por exemplo, o uso do automóvel implica uma perda previsível de vidas humanas — mais de 40 mil mortes por ano nos Estados Unidos.

Mas isso não nos conduz a uma sociedade sem carros. De fato, não nos leva sequer a reduzir o limite de velocidade. Durante uma crise de petróleo em 1974, o Congresso dos Estados Unidos estabeleceu um limite nacional de velocidade de 90 km/h. Embora o objetivo fosse economizar combustível, um dos efeitos do limite mais baixo foi a redução dos acidentes fatais no trânsito.

Na década de 1980, o Congresso revogou essa restrição e muitos estados aumentaram o limite de velocidade para 100 km/h. Os motoristas ganharam tempo, mas as mortes no trânsito voltaram a aumentar. Naquela ocasião, ninguém fez uma análise de custo e benefício para determinar se os benefícios da direção mais rápida compensavam o custo em vidas. Alguns anos mais tarde, no entanto, dois economistas fizeram as contas. Eles definiram o benefício do limite de velocidade maior em termos de economia de tempo na ida e na volta para o trabalho, calcularam o benefício econômico do tempo poupado (avaliado na média de 20 dólares por hora) e dividiram os lucros pelo número de mortes adicionais. Descobriram que, pela facilidade de dirigir mais depressa, os americanos estavam efetivamente avaliando a vida humana à taxa de 1,54 milhão de dólares cada. Esse era o ganho financeiro, por acidente fatal, de dirigir 10 km/h mais rápido.[15]

Os defensores da análise de custo e benefício observam que, ao dirigir a 100 km/h, em vez de 90 km/h, estamos implicitamente avaliando a vida humana em 1,54 milhão — muito menos do que os 6 milhões por vida normalmente atribuídos por agências do governo dos Estados Unidos ao estabelecer os padrões de poluição e as regras de saúde e segurança. Então, por que não ser explícitos quanto a isso? Se é inevitável trocar certos níveis de segurança por determinados benefícios e conveniências, argumentam eles, deveríamos fazer isso conscientemente, comparando os custos e benefícios tão sistematicamente quanto possível — mesmo que isso implique colocar uma etiqueta de preço na vida humana.

Os utilitaristas veem nossa tendência a repudiar o valor monetário para avaliar a vida humana como um impulso que deveríamos superar, um tabu que obstrui o raciocínio claro e a escolha social racional. Para os críticos do utilitarismo, entretanto, nossa hesitação aponta para algo de importância moral — a ideia de que não é possível mensurar e comparar todos os valores e bens em uma única escala de medidas.

*Quanto custa o sofrimento*

A solução dessa controvérsia não parece muito óbvia. Entretanto, alguns cientistas sociais de mente empírica tentaram resolvê-la. Na década de 1930, Edward Thorndike, psicólogo social, tentou provar o que o utilitarismo presume: que é possível converter nossos desejos e nossas aversões aparentemente incompatíveis em uma moeda comum de prazer e dor. Thorndike chefiou uma pesquisa com jovens que recebiam auxílio do governo e perguntou-lhes quanto deveriam receber para passar por várias experiências. Por exemplo: "Quanto você cobraria para permitir que lhe extraíssem um dente superior da frente"? Ou "para ter o dedo mínimo de um dos pés amputado?" Ou "para comer uma minhoca viva de 15 centímetros?" Ou "para estrangular um gato vira-lata até a morte com as próprias mãos"? Ou "para viver o resto da vida em uma fazenda no Kansas, a 16 km de distância da cidade mais próxima?"[16]

A qual desses itens você acha que foi atribuído o preço mais alto e qual teve o preço mais baixo? Aqui está a lista dos preços que a pesquisa divulgou (em dólares de 1937):

| | |
|---:|---|
| Dente | US$ 4.500 |
| Dedo do pé | US$ 57.000 |
| Minhoca | US$ 100.000 |
| Gato | US$ 10.000 |
| Kansas | US$ 300.000 |

Thorndike achou que sua descoberta confirmava a ideia de que toda mercadoria pode ser medida e comparada em uma única escala. "Qualquer desejo ou satisfação existente ocorre em uma determinada quantidade e é, portanto, mensurável", escreveu ele. "A vida de um cachorro, ou gato, ou galinha (...) em grande parte é constituída e determinada por apetites, anseios, desejos e sua gratificação (...) E isso também se aplica à vida humana, embora o apetite e os desejos sejam mais numerosos, sutis e complicados."[17]

Entretanto, o caráter irracional da lista de preços de Thorndike sugere o absurdo de tais comparações. Podemos realmente concluir que os participantes da pesquisa consideraram a perspectiva de viver em uma fazenda no Kansas três vezes mais desagradável do que comer uma minhoca ou essas experiências são tão diferentes entre si que não é possível fazer uma comparação significativa? Thorndike revelou que quase um terço dos participantes havia declarado que nenhuma quantia os induziria a sofrer alguma dessas experiências, sugerindo que as consideravam "incomensuravelmente repugnantes".[18]

### *As meninas do St. Anne*

Pode não existir um argumento irrefutável a favor ou contra a pretensão de que todo bem moral pode ser transformado, sem perdas, em uma única medida de valor. Mas eis um caso que questiona essa pretensão.

Na década de 1970, quando eu estudava em Oxford, havia faculdades separadas para homens e mulheres. As das mulheres tinham regras que não permitiam que rapazes passassem a noite nos quartos das moças. O cumprimento dessas regras raramente era fiscalizado, portanto, eram facilmente violadas, ou pelo menos era o que se dizia. A maioria dos funcionários das faculdades não considerava mais uma atribuição sua zelar pelas noções tradicionais de moralidade sexual. Cresciam as pressões para o relaxamento de tais regras, o que se tornou tema de debate no St. Anne's College, uma das instituições só para moças.

Algumas mulheres mais velhas do corpo docente da faculdade eram conservadoras. Eram contra as visitas masculinas por razões morais convencionais; segundo elas, era imoral que jovens solteiras passassem a noite com rapazes. Mas os tempos haviam mudado e as conservadoras se sentiam constrangidas. Assim, traduziram seus argumentos em termos utilitaristas. "Se os homens passarem a noite", contestavam elas, "as despesas da faculdade aumentarão." Como?, poderíamos perguntar. "Bem, eles tomarão banho e consequentemente usarão mais água quente." Além disso, argumentaram, "seremos forçadas a substituir os colchões com mais frequência".

As liberais enfrentaram os argumentos das conservadoras adotando a seguinte solução: cada mulher poderia receber no máximo três convidados por semana, desde que cada um pagasse 50 *pence* por noite para reduzir os custos da faculdade. No dia seguinte, a manchete estampada no *Guardian* dizia: "Moças do St. Anne, 50 *pence* por noite." A linguagem da virtude não fora muito bem traduzida para a linguagem da utilidade. Pouco depois, as regras para os alojamentos femininos foram totalmente relaxadas e a cobrança foi suspensa.

## JOHN STUART MILL

Já tecemos considerações sobre duas objeções ao princípio da "maior felicidade" de Bentham: ele não atribui o devido valor à dignidade humana e aos direitos individuais e reduz equivocadamente tudo que tem importância moral a uma única escala de prazer e dor. Quão convincentes são essas objeções?

John Stuart Mill (1806-1873) acreditava que havia resposta para elas. Nascido uma geração após a de Bentham, tentou salvar o utilitarismo reformulando-o como uma doutrina mais humana e menos calculista. John Stuart Mill era filho de James Mill, amigo e discípulo de Bentham. James Mill educou o filho em casa, e o menino se tornou uma criança-prodígio. Estudou grego aos 3 anos e latim aos 8. Aos 11, escreveu uma história das leis romanas. Quando completou 20, sofreu um colapso nervoso que o deixou deprimido por vários anos. Pouco tempo depois, conheceu Harriet Taylor. Na época, ela era casada e tinha dois filhos, mas se tornou amiga íntima de Mill. Quando seu marido morreu, vinte anos mais tarde, ela e Mill se casaram. Taylor foi a maior colaboradora e companheira intelectual de Mill quando ele se dispôs a revisar a doutrina de Bentham.

### *Em defesa da liberdade*

Os trabalhos de Mill são uma árdua tentativa de conciliar os direitos do indivíduo com a filosofia utilitarista que herdara do pai e adotara de Bentham. Seu livro *On Liberty* (1859) é a clássica defesa da liberdade individual nos países de língua inglesa. Seu princípio central é o de que as pessoas devem ser livres para fazer o que quiserem, contanto que não façam mal aos outros. O governo não deve interferir na liberdade individual a fim de proteger uma pessoa de si mesma ou impor as crenças da maioria no que concerne à melhor maneira de viver. Os únicos atos pelos quais uma pessoa deve explicações à sociedade, segundo Mill, são aqueles que atingem os demais. Desde que eu não esteja prejudicando o próximo, minha "independência é, por direito, absoluta. No que diz respeito a si mesmo, ao próprio corpo e à própria mente, o indivíduo é soberano".[19]

Essa reflexão radical sobre os direitos individuais parece necessitar de algo mais forte do que a teoria do utilitarismo para se justificar. Por exemplo: suponhamos que a maioria rejeite uma pequena crença religiosa e queira extingui-la. Não seria possível, ou até mesmo provável, que a extinção da crença produzisse maior felicidade para um número maior de pessoas? É claro que a minoria rejeitada sofreria, infeliz e frustrada. Mas se a maioria for grande e entusiasta o bastante em seu repúdio aos tais "hereges", a felicidade coletiva compensará o sofrimento dos outros. Se esse cenário for possível, então parece que o utilitarismo é uma base fraca e não confiável para a liberdade religiosa. O princípio de liberdade de Mill pareceria necessitar de uma base moral mais concreta do que o princípio da utilidade de Bentham.

Mill discorda. Ele insiste que a liberdade individual depende inteiramente de considerações utilitaristas: "É correto afirmar que eu renuncio a qualquer vantagem que possa ser acrescida à minha tese que provenha da ideia do direito abstrato como algo independente da teoria utilitarista. Eu vejo a utilidade como a instância final de todas as questões éticas; mas deve ser uma utilidade no sentido mais amplo, baseada nos interesses permanentes do homem como um ser em evolução."[20]

Mill acredita que devamos maximizar a utilidade em longo prazo, e não caso a caso. Com o tempo, argumenta, o respeito à liberdade individual levará à máxima felicidade humana. Permitir que a maioria se imponha aos dissidentes ou censure os livres-pensadores pode maximizar a utilidade hoje, porém tornará a sociedade pior — e menos feliz — no longo prazo.

Por que deveríamos presumir que, ao defender a liberdade individual e o direito de discordar, estaremos promovendo o bem-estar da sociedade no longo prazo? Em resposta, Mill nos dá várias razões: a opinião dissidente pode se provar verdadeira, ou parcialmente verdadeira, representando, assim, uma correção da opinião da maioria. E, mesmo que esse não seja o caso, submeter a opinião da maioria a uma vigorosa contestação de ideias evitará que ela se transforme em dogma ou preconceito. Finalmente, a sociedade que força seus membros a abraçar costumes e convenções está sujeita a cair em um conformismo ridículo, privando-se da energia e da vitalidade que promovem o avanço social.

As especulações de Mill sobre os efeitos sociais salutares da liberdade são bastante plausíveis. Entretanto, não fornecem uma base moral convincente para os direitos do indivíduo por pelo menos duas razões: em primeiro lugar, respeitar os direitos individuais com o objetivo de promover o progresso social torna os direitos reféns da contingência. Suponhamos que uma sociedade atinja um tipo de felicidade de longo prazo por meios despóticos. Os utilitaristas não concluiriam, então, que nessa sociedade os direitos individuais não são moralmente necessários? Em segundo lugar, ao basear os direitos individuais em considerações utilitaristas, deixamos de considerar a ideia segundo a qual a violação dos direitos de alguém inflige um mal ao indivíduo, qualquer que seja seu efeito no bem-estar geral. Não seria a perseguição da maioria aos adeptos de determinada crença impopular uma injustiça *com eles*, como indivíduos, independentemente dos efeitos negativos que tal intolerância possa produzir para a sociedade como um todo ao longo do tempo?

Mill tem uma resposta para esses desafios, mas ela o leva além dos limites da moral utilitarista. É errado forçar uma pessoa a viver de acordo com costumes e convenções ou com a opinião predominante, explica Mill, porque isso a impede de atingir a finalidade máxima da vida humana — o desenvolvimento completo e livre de suas faculdades. A conformidade, na opinião de Mill, é inimiga da melhor forma de viver.

> As faculdades humanas de percepção, julgamento, sentimento discriminativo, atividade mental e até mesmo a preferência moral só são exercitadas quando se faz uma escolha. Aquele que só faz alguma coisa porque é o costume não faz escolha alguma. Ele não é capaz de discernir nem de desejar o que é melhor. As capacidades mentais e morais, assim como as musculares, só se aperfeiçoam se forem estimuladas (...) Quem abdica de tomar as próprias decisões não necessita de outra faculdade, apenas da capacidade de imitar, como os macacos. Aquele que decide por si emprega todas as suas faculdades.[21]

Mill admite que seguir convenções pode levar uma pessoa a um caminho na vida satisfatório, que a manterá longe de perigos. "Entretanto, qual será seu valor comparativo como ser humano?", pergunta ele. "É realmente importante considerar não apenas o que os homens fazem, mas também que tipo de homem são para fazer o que fazem."[22]

Ações e consequências não são tudo, afinal. O caráter também conta. Para Mill, a individualidade tem menos importância pelo prazer que ela proporciona do que por aquilo que ela reflete. "Aquele cujos desejos e impulsos não são próprios não tem caráter, não mais do que uma máquina tem caráter."[23]

A enfática celebração da individualidade é a mais importante contribuição de Mill em *On Liberty,* mas é também, de certa forma, um tipo de heresia em relação ao utilitarismo. Já que apela para os ideais morais além dos utilitários — ideais de caráter e desenvolvimento humano —, não é na realidade a reelaboração do princípio de Bentham, e sim uma renúncia a ele, apesar de Mill afirmar o contrário.

*Prazeres mais elevados*

A resposta de Mill à segunda objeção ao utilitarismo — a de que ele reduz todos os valores a uma única escala — também termina por apoiar-se em ideais morais independentes da utilidade. Em *Utilitarianism* (1861), um longo ensaio que escreveu pouco depois de *On Liberty*, Mill tenta mostrar que os utilitaristas sabem distinguir os prazeres mais elevados dos menos elevados.

Para Bentham, prazer é prazer e dor é dor. A única base para se considerar uma experiência melhor ou pior do que outra são a intensidade e a duração do prazer ou da dor que ela ocasiona. Os chamados prazeres mais elevados, ou virtudes mais nobres, são simplesmente aqueles que produzem prazer mais intenso e duradouro. Bentham não reconhece nenhuma distinção qualitativa entre os prazeres. "Se a quantidade do prazer proporcionado for igual", escreve ele, "*push-pin** tem o mesmo valor que a poesia."[24]

Em parte, o atrativo do utilitarismo de Bentham é esse espírito acrítico. Ele considera as preferências das pessoas como elas são, sem julgar seu valor moral. Todas as preferências têm o mesmo peso. Bentham acredita que é presunçoso considerar alguns prazeres inerentemente melhores do que outros. Algumas pessoas gostam de Mozart, outras de Madonna. Umas apreciam balé, outras gostam de boliche. Alguns leem Platão, outros a *Playboy*. Quem pode determinar, pergunta Bentham, quais desses prazeres são mais elevados, ou mais valiosos, ou mais nobres do que os demais?

A recusa em distinguir os prazeres mais elevados dos mais reles reflete a crença de Bentham de que todos os valores podem ser mensurados e comparados em uma única escala. Se as experiências diferem apenas na quantidade do prazer ou da dor que proporcionam, e não qualitativamente, faz sentido avaliá-las em uma única escala. Mas alguns se opõem ao utilitarismo precisamente neste ponto: eles acreditam que alguns prazeres sejam realmente "mais elevados" do que outros. Se certos prazeres são

*Antiga brincadeira infantil praticada entre os séculos XVI e XIX. (*N. da T.*)

valiosos e outros são banais, como dizem eles, por que uma sociedade deveria mensurar todas as preferências de maneira indiscriminada, e além disso considerar a soma dessas preferências como o bem maior?

Pense novamente nos romanos que atiravam cristãos aos leões no Coliseu. Uma das objeções feitas ao sangrento espetáculo é que ele violava os direitos das vítimas. Mas outra objeção é que ele proporciona prazeres perversos, em vez de prazeres nobres. Não seria melhor mudar tais preferências em vez de satisfazê-las?

Dizem que os puritanos proibiram o *bearbaiting** não porque causasse sofrimento aos ursos, mas devido ao prazer que proporcionava aos espectadores. O *bearbaiting* deixou de ser um passatempo popular, mas as rinhas de cães e galos exercem um fascínio persistente, e algumas jurisdições as proíbem. Um argumento para proibir essas brigas é a crueldade contra os animais. Entretanto, tais leis também podem refletir um argumento moral de que sentir prazer com brigas de cães é abominável, algo que uma sociedade civilizada deveria desencorajar. Não é preciso ser um puritano para simpatizar com esse argumento.

Bentham levaria em consideração todas as preferências, independentemente de seu valor, ao determinar como a lei deveria ser. Entretanto, se mais pessoas preferissem assistir a brigas de cães do que apreciar as pinturas de Rembrandt, a sociedade deveria subsidiar arenas de luta em vez de museus de arte? Se alguns prazeres são indignos e degradantes, por que deveriam ter algum peso na decisão sobre quais leis deveriam ser adotadas?

Mill tenta poupar o utilitarismo dessa objeção. Ao contrário de Bentham, ele acredita que seja possível distinguir entre os prazeres mais elevados e os mais desprezíveis — avaliar a qualidade, e não apenas a quantidade ou a intensidade, dos nossos desejos. E acha que pode fazer essa distinção sem se basear em qualquer outra ideia moral que não a própria utilidade.

Mill começa por afirmar sua fidelidade ao credo utilitarista: "As ações estão certas na proporção em que tendam a promover a felicidade;

*Esporte medieval no qual os ursos tinham os dentes e as garras arrancados e, acorrentados, eram devorados por cães ferozes. (*N. da T.*)

erradas quando tendem a produzir o oposto da felicidade. Por felicidade compreende-se o prazer e a ausência do sofrimento; por infelicidade, a dor e a privação do prazer." Ele também confirma a "teoria da vida na qual se baseia essa teoria da moralidade — ou seja, que prazer e ausência da dor são as únicas coisas desejáveis como finalidade; e que todas as coisas desejáveis (...) o são tanto pelo prazer inerente a elas quanto por promover o prazer e evitar a dor".[25]

Apesar de insistir no fato de que apenas prazer e dor são realmente importantes, Mill reconhece que "alguns tipos de prazer são mais desejáveis e mais valiosos do que outros". Como podemos saber quais prazeres são qualitativamente mais elevados? Mill propõe um teste simples: "Entre dois prazeres, se houver um que obtenha a preferência de todos ou de quase todos que tenham experimentado ambos, independentemente de qualquer sentimento de obrigação moral para tal preferência, esse será o prazer mais desejável."[26]

Esse teste tem uma clara vantagem: não parte da ideia utilitarista de que a moralidade baseia-se única e simplesmente em nossos desejos. "A única prova de que algo seja desejável é alguém o desejar", escreve Mill.[27] Entretanto, como meio de chegar a distinções qualitativas entre os prazeres, o teste parece estar aberto a uma objeção óbvia: Não é verdade que frequentemente preferimos os prazeres "menores" aos mais elevados? Não é verdade que às vezes preferimos ficar deitados no sofá assistindo a uma comédia a ler Platão ou ir à ópera? E não é possível preferir essas experiências sem as considerar particularmente valiosas?

## *Shakespeare versus* Os Simpsons

Quando discuto com meus alunos sobre as ideias de Mill relativas a prazeres mais elevados, faço uma experiência com uma versão do seu teste. Mostro a eles três exemplos de diversão que costumam ser apreciados: uma luta da World Wrestling Entertainment (um espetáculo barulhento no qual os assim chamados lutadores agridem-se mutuamente com cadeiras dobráveis); um monólogo de *Hamlet* interpretado por um ator shakespeariano; e um episódio de *Os Simpsons*. Eu lhes faço, então, duas perguntas: De qual dessas apresentações você mais gostou — qual lhe deu mais prazer — e qual delas você considera a mais elevada ou mais valiosa?

Invariavelmente, *Os Simpsons* recebem o maior número de votos como a que deu mais prazer, seguida do texto de Shakespeare. (Alguns poucos corajosos confessam sua preferência pela luta de WWE.) Entretanto, quando lhes pergunto qual experiência consideram a mais elevada qualitativamente, os alunos em peso votam em Shakespeare.

Os resultados dessa experiência representam um desafio para o teste de Mill. Muitos alunos preferem ver Homer Simpson, mas ainda assim consideram que um monólogo de *Hamlet* possa proporcionar um prazer mais elevado. Reconhecidamente, alguns dizem que Shakespeare é melhor porque estão em uma sala de aula e não querem parecer incultos. E alguns alunos argumentam que *Os Simpsons*, uma sutil mistura de ironia, humor e crítica social, são comparáveis à arte de Shakespeare. Entretanto, visto que a maioria das pessoas que experimentaram os dois diz preferir assistir a *Os Simpsons*, Mill teria dificuldade de concluir que Shakespeare é qualitativamente mais elevado.

E ainda assim ele não desiste da ideia de que algumas maneiras de viver sejam mais nobres do que outras, mesmo que seja mais difícil satisfazer as pessoas que as adotem. "Um ser com faculdades mais elevadas é mais exigente para ser feliz e é provavelmente mais capaz de sofrer de maneira intensa (...) do que um ser de faculdades inferiores; mas, apesar de tudo, ele jamais desejaria situar-se em um patamar de existência que considera inferior." Por que não queremos trocar uma vida comprometida com as nossas mais altas faculdades por uma vida de contentamento banal? Mill acha que a razão para isso tem a ver com "o amor pela liberdade e pela independência pessoal" e conclui que "seu argumento mais adequado é o senso de dignidade que todos os seres humanos possuem de uma forma ou de outra".[28]

Mill reconhece que "ocasionalmente, sob a influência da tentação", até mesmo o melhor entre nós adia os prazeres mais elevados em favor dos mais simples. Todos nós, por vezes, cedemos ao impulso da preguiça. Entretanto, isso não significa que não saibamos distinguir entre Rembrandt e uma reprodução. Mill aborda esse ponto em uma passagem memorável: "É melhor ser um ser humano insatisfeito do que um porco satisfeito; é melhor ser Sócrates insatisfeito do que um tolo satisfeito. E, se o tolo ou o porco tiverem uma opinião diferente, é porque eles só conhecem o próprio lado da questão."[29]

Essa expressão de fé nas faculdades humanas mais elevadas é convincente. Mas, ao basear-se nela, Mill foge da premissa do utilitarismo. Os desejos *de facto* não são mais a única base para julgar o que é nobre e o que é vulgar. O padrão atual parte de um ideal da dignidade humana independente daquilo que queremos e desejamos. Os prazeres mais elevados não são maiores *porque* os preferimos; nós os preferimos porque reconhecemos que são mais elevados. Não consideramos *Hamlet* uma grande obra de arte porque a preferimos às diversões mais simples, e sim porque ela exige mais de nossas faculdades e nos torna mais plenamente humanos.

O que acontece com os direitos individuais acontece também com os prazeres mais elevados: Mill salva o utilitarismo da acusação de que ele reduz tudo a um cálculo primitivo de prazer e dor, mas o consegue apenas invocando um ideal moral da dignidade e da personalidade humana independente da própria utilidade.

Entre os dois maiores defensores do utilitarismo, Mill foi o filósofo mais humano; Bentham, o mais consistente. Bentham morreu em 1832, aos 84 anos. Entretanto, se você for a Londres hoje, pode visitá-lo. Ele exigiu em testamento que seu corpo fosse conservado, embalsamado e exposto. E assim ele se encontra no University College de Londres, onde permanece sentado e meditativo dentro de uma urna de vidro, com as roupas que vestia em vida.

Pouco antes de morrer, Bentham fez a si mesmo uma pergunta coerente com sua filosofia: Qual seria a utilidade de um homem morto para os vivos? Uma das utilidades seria, concluiu, ceder o próprio corpo para o estudo da anatomia. No caso de grandes filósofos, no entanto, melhor seria preservar sua presença física, a fim de inspirar as futuras gerações de pensadores.[30] Bentham enquadrou-se na segunda categoria.

De fato, a modéstia não era uma das características mais evidentes de Bentham. Ele não apenas deu instruções rigorosas para a conservação e exposição de seu corpo, mas também sugeriu que seus amigos e discípulos se reunissem todos os anos, "no intuito de celebrar o fundador do maior sistema de felicidade moral e legal" e, quando o fizessem, que Bentham estivesse presente na ocasião.[31]

Seus admiradores fizeram-lhe a vontade. O "autoícone" de Bentham, conforme ele mesmo o chamou, estava presente na fundação da Sociedade Internacional Bentham na década de 1980. E consta que o Bentham embalsamado é levado para reuniões do conselho diretor da faculdade, cujas minutas o registram como "presente, porém não votante".[32]

Apesar do planejamento criterioso de Bentham, o processo de embalsamamento da sua cabeça não deu certo, e agora ele mantém sua vigília com uma cabeça de cera no lugar da verdadeira. Sua cabeça verdadeira, atualmente mantida em um porão, foi exposta por algum tempo sobre uma bandeja entre seus pés. Mas os estudantes roubaram-na e cobraram como resgate que a universidade doasse dinheiro a uma obra de caridade.[33]

Mesmo depois de morto, Jeremy Bentham promove o bem maior para o maior número de pessoas.

## Notas

1. *Queen v. Dudley and Stephens*, 14 Queens Bench Division 273, 9 de dezembro de 1884. Citações de notícia de jornal em "The Story of the Mignonette", *The Illustrated London News*, 20 de setembro de 1884. Ver também A. W. Brian Simpson, *Cannibalism and the Common Law* (Chicago, University of Chicago Press, 1984).
2. Jeremy Bentham, *Introduction to the Principles of Morals and Legislation* (1789), J. H. Burns e H. L. A. Hart, eds. (Oxford, Oxford University Press, 1996), cap. 1.
3. Ibidem.
4. Jeremy Bentham, "Tracts on Poor Laws and Pauper Management", 1797, em John Bowring, ed., *The Works of Jeremy Bentham*, vol. 8 (Nova York, Russel & Russell, 1962), pp. 369-439.

5. Ibidem, p. 401.
6. Ibidem, pp. 401-402.
7. Ibidem, p. 373.
8. Ursula K. Le Guin, "The Ones Who Walked Away from Omelas", em Richard Bausch, ed., *Norton Anthology of Short Fiction* (Nova York, W. W. Norton, 2000).
9. Gordon Fairclough, "Philip Morris Notes Cigarettes' Benefits for Nation's Finances", *Wall Street Journal*, 16 de julho de 2001, p. A2. O texto da reportagem, "Public Finance Balance of Smoking in the Czech Republic", 28 de novembro de 2000, conforme foi preparado para Philip Morris por Arthur D. Little International, Inc., está disponível online em www.mindfully.org/Industry/Philip-Morris-Czech-Study.htm e em www.tobaccofreekids.org/reports/philipmorris/pmczechstudy.pdf.
10. Ellen Goodman, "Thanks, but No Thanks", *Boston Globe*, 22 de julho de 2001, p. D7.
11. Gordon Fairclough, "Philip Morris Says It's Sorry for Death Report", *Wall Street Journal*, 26 de julho de 2001, p. B1.
12. O caso da corte era *Grimshaw v. Ford Motor Co.*, 174 *Cal. Reporter* 348 (Cal. Ct., App. 1981). A análise custo e benefício foi divulgada em Mark Dowie, "Pinto Madness", *Mother Jones*, setembro/outubro de 1977. Para um caso similar da General Motors, ver Elsa Walsh e Benjamin Weiser, "Court Secrecy Masks Safety Issues", *Washington Post*, 23 de outubro de 1988, pp. A1, A22.
13. W. Kip Kiscusi, "Corporate Risk Analysis: A Reckless Act?", *Stanford Law Review* 52 (fevereiro de 2000): 569.
14. Katharine Q. Seelye e John Tierney, "EPA Drops Age-Based Cost Studies", *New York Times*, 8 de maio de 2003, p. A26; Cindy Skrzycki, "Under Fire, EPA Drops the 'Seniro Death Discount'", *Washington Post*, 13 de maio de 2003, p. E1; Robert Hahn e Scott Wallsten, "Whose Life Is Worth More? (And Why Is It Horrible to Ask?)", *Washington Post*, 1º de junho de 2003.
15. Orlei Ashenfelter e Michael Greenstone, "Using Mandated Speed Limits to Measure the Value of a Statistical Life", *Journal of Political Economy* 112, suplemento (fevereiro de 2004): S227-67.
16. Edward L. Thorndike, *Human Nature and the Social Order* (Nova York, Macmillan, 1940). Versão resumida editada por Geraldine Joncich Clifford (Boston: MIT Press, 1969), pp. 78-83.
17. Ibidem, p. 43.
18. Ibidem.
19. John Stuart Mill, *On Liberty* (1859), Stefan Collini, ed. (Cambridge, Cambridge University Press, 1989), cap. 1.
20. Ibidem.
21. Ibidem, cap. 3.

22. Ibidem.
23. Ibidem.
24. A citação é de um texto pouco conhecido de Bentham, "The Rationale of Reward", publicado na década de 1820. A opinião de Bentham tornou-se conhecida por intermédio de John Stuart Mill. Ver Ross Harrison, *Bentham* (Londres, Routledge, 1983), p. 5.
25. John Stuart Mill, *Utilitarianism* (1861), George Sher, ed. (Indianapolis, Hackett Publishing, 1979), cap. 2.
26. Ibidem.
27. Ibidem, cap. 4.
28. Ibidem, cap. 2.
29. Ibidem.
30. Eu me baseei aqui e nos parágrafos seguintes no excelente relato de Joseph Lelyveld, "English Thinker (1748-1832) Preserves His Poise", *New York Times*, 18 de junho de 1986.
31. "Extrack from Jeremy Bentham's Last Will And Testament", 30 de maio de 1832, no website do Bentham Project, University Colllege London, em www.ucl.ac.uk/Bentham-Project/info/will.htm.
32. Esses e outros casos são relatados no website de Bentham Project, University College London, em www.ucl.uk/Bentham-Project/info/jb.htm.
33. Ibidem.

# CAPÍTULO 3 Somos donos de nós mesmos? / **A ideologia libertária**

Todo outono, a revista *Forbes* publica uma lista com os quatrocentos americanos mais ricos. Durante mais de dez anos, o fundador da Microsoft, Bill Gates, manteve-se no topo da lista, como aconteceu em 2008, quando a *Forbes* calculou sua fortuna líquida em 57 bilhões de dólares. Entre os outros membros do clube encontram-se o investidor Warren Buffett (em segundo lugar, com 50 bilhões de dólares), os proprietários da Wal-Mart, os fundadores do Google e da Amazon, vários industriais do petróleo, administradores de fundos *hedge*, magnatas da mídia e do mercado imobiliário, a apresentadora de televisão Oprah Winfrey (no 155º lugar, com 2,7 bilhões de dólares) e o dono do New York Yankees, George Steinbrenner (na última colocação, com 1,3 bilhão de dólares).[1]

A riqueza da economia americana é tão vasta, até mesmo em situação de crise, que não basta ser um mero bilionário para ser admitido entre os 400 da *Forbes*. Na verdade, mais de um terço da riqueza do país está nas mãos de 1% dos americanos mais ricos, mais do que a riqueza dos 90% menos favorecidos junta. Os 10% de lares no topo da lista representam 42% de toda a renda e mantêm 71% de toda a riqueza.[2]

A desigualdade econômica é mais exorbitante nos Estados Unidos do que nas outras democracias. Algumas pessoas consideram essa desigualdade injusta e são favoráveis à taxação do rico para ajudar o pobre. Outras discordam. Elas dizem que nada há de injusto na desigualdade econômica desde que ela não resulte do uso da força ou de fraude, mas das escolhas feitas em uma economia de mercado.

Quem tem razão? Se você acha que a justiça é a maximização da felicidade, provavelmente apoiará a redistribuição da riqueza, pelos seguintes motivos: suponhamos que tiremos 1 milhão de dólares de

Bill Gates para dividi-lo entre cem pessoas necessitadas, dando 10 mil dólares a cada uma. Isso resultaria em um aumento da felicidade geral. Gates mal sentiria falta do dinheiro, enquanto cada um dos destinatários sentiria uma grande felicidade com os 10 mil dólares inesperados. A utilidade coletiva para essas pessoas seria maior do que a redução da utilidade para Gates.

Essa lógica utilitarista poderia ir além para justificar uma redistribuição radical da riqueza; ela nos orientaria a transferir dinheiro do rico para o pobre até que o último dólar extraído de Gates o ferisse na mesma proporção da ajuda dada ao destinatário.

Esse cenário de Robin Hood permite pelo menos duas objeções — uma é inerente ao raciocínio utilitarista e a outra vem de fora dele. A primeira objeção preocupa-se com o fato de altos impostos, principalmente sobre a renda, reduzirem o incentivo ao trabalho e aos investimentos, o que levaria a um declínio da produtividade. Se o bolo econômico encolher, deixando menos para redistribuir, o nível geral da utilidade pode cair. Portanto, antes de cobrar impostos excessivos de Bill Gates e Oprah Winfrey, o utilitarista deveria questionar-se se, ao fazer isso, não os estaria motivando a trabalhar menos e ganhar menos, consequentemente reduzindo a quantia de dinheiro disponível para redistribuição aos necessitados.

A segunda objeção desconsidera esses cálculos. Ela argumenta que cobrar impostos do rico para ajudar o pobre é injusto porque isso viola um direito fundamental. De acordo com essa objeção, subtrair dinheiro de Gates e Winfrey sem o seu consentimento, mesmo que por uma boa causa, é coercivo. É uma violação da liberdade deles de utilizar seu dinheiro como quiserem. Aqueles que se opõem à redistribuição com base nesses argumentos são muitas vezes chamados de "libertários".

Os libertários defendem os mercados livres e se opõem à regulamentação do governo, não em nome da eficiência econômica, e sim em nome da liberdade humana. Sua alegação principal é que cada um de nós tem o direito fundamental à liberdade — temos o direito de fazer o que quisermos com aquilo que nos pertence, desde que respeitemos os direitos dos outros de fazer o mesmo.

## O ESTADO MÍNIMO

Se a teoria libertária dos direitos estiver correta, muitas atividades do Estado moderno são ilegítimas e violam a liberdade. Apenas um Estado mínimo — aquele que faça cumprir contratos, proteja a propriedade privada contra roubos e mantenha a paz — é compatível com a teoria libertária dos direitos. Qualquer Estado que vá além disso é moralmente injustificável.

O libertário rejeita três tipos de diretrizes e leis que o Estado moderno normalmente promulga:

1. Nenhum paternalismo. Os libertários são contra as leis que protegem as pessoas contra si mesmas. As leis que tornam obrigatório o uso do cinto de segurança são um bom exemplo, bem como as leis relativas ao uso de capacetes para motociclistas. Embora o fato de dirigir uma moto sem capacete seja uma imprudência, e mesmo considerando que as leis sobre o uso de capacetes salvem vidas e evitem ferimentos graves, os libertários argumentam que elas violam o direito do indivíduo de decidir os riscos que quer assumir. Desde que não haja riscos para terceiros e que os pilotos de motos sejam responsáveis pelas próprias despesas médicas, o Estado não tem o direito de ditar a que riscos eles podem submeter seu corpo e sua vida.

2. Nenhuma legislação sobre a moral. Os libertários são contra o uso da força coerciva da lei para promover noções de virtude ou para expressar as convicções morais da maioria. A prostituição pode ser moralmente contestável para muitas pessoas, mas não justifica leis que proíbam adultos conscientes de praticá-la. Em determinadas comunidades, a maioria pode desaprovar a homossexualidade, mas isso não justifica leis que privem gays e lésbicas do direito de escolher livremente os parceiros sexuais.

3. Nenhuma redistribuição de renda ou riqueza. A teoria libertária dos direitos exclui qualquer lei que force algumas pessoas a ajudar outras, incluindo impostos para redistribuição de riqueza. Embora seja desejável que o mais abastado ajude o menos afortunado — subsidiando suas despesas de saúde, moradia e educação —, esse auxílio deve ser fa-

cultativo para cada indivíduo, e não uma obrigação ditada pelo governo. De acordo com o ponto de vista libertário, taxas para redistribuição são uma forma de coerção e até mesmo de roubo. O Estado não tem mais direito de forçar o contribuinte abastado a apoiar os programas sociais para o pobre do que um ladrão benevolente de roubar o dinheiro do rico para distribuí-lo entre os desfavorecidos.

A filosofia libertária não se define com clareza no espectro político. Conservadores favoráveis à política econômica do *laissez-faire* frequentemente discordam dos libertários a respeito de questões culturais como oração nas escolas, aborto e restrições à pornografia. E muitos partidários do Estado de bem-estar social têm uma visão libertária de assuntos como os direitos dos homossexuais, direitos de reprodução, liberdade de expressão e separação entre Igreja e Estado.

Na década de 1980, as ideias libertárias encontraram proeminente expressão na retórica antigovernamental e pró-mercado de Ronald Reagan e Margaret Thatcher. Como doutrina intelectual, a teoria libertária já havia surgido antes, em oposição ao Estado de bem-estar social. Em *The Constitution of Liberty* (1960), o economista e filósofo austríaco Friedrich A. Hayek (1899-1992) argumentou que qualquer tentativa de forçar maior igualdade econômica tenderia a coagir e a destruir uma sociedade livre.[3] Em *Capitalism and Freedom* (1962), o economista americano Milton Friedman (1912-2006) argumentou que muitas atividades estatais amplamente aceitas são infrações ilegítimas da liberdade individual. A previdência social, ou qualquer outro programa governamental obrigatório, é um de seus principais exemplos: "Se um homem conscientemente decidir viver o dia de hoje, usar seus recursos para usufruir o presente, escolhendo livremente uma velhice mais penosa, com que direito nós o impedimos de fazer isso?", Friedman pergunta. Podemos incentivar uma pessoa a poupar para a aposentadoria, "mas teríamos o direito de usar a coação para evitar que ela faça o que decidir fazer?"[4]

Friedman é contra a regulamentação do salário mínimo pelo mesmo motivo. Para ele, o governo não tem o direito de interferir no salário pago pelos empregadores, mesmo que seja baixo, se os trabalhadores resolverem aceitá-lo. O governo também viola a liberdade individual quando cria leis contra a discriminação no mercado de trabalho. Se os empregadores quiserem discriminar com base em raça, religião ou qualquer outro fator, o Estado não tem o direito de impedir que eles ajam assim. Na opinião de Friedman, "tal legislação envolve claramente a interferência na liberdade dos indivíduos de assinar contratos voluntários entre si."[5]

As exigências para o exercício de profissões também interferem erroneamente na liberdade de escolha. Se um barbeiro sem treinamento quiser oferecer seus serviços ao público, e se alguns clientes aceitarem arriscar um corte de cabelos mais barato, o Estado não tem competência para proibir a transação. Friedman estende sua lógica até mesmo para os médicos. Se eu quiser que me façam uma apendicectomia de baixo custo, devo ser livre para contratar quem eu bem quiser, diplomado ou não, para realizar o trabalho. É verdade que a maioria das pessoas quer garantias da qualificação de seu médico, e o mercado pode fornecer tal informação. Em vez de confiar apenas nos médicos licenciados pelo Estado, Friedman sugere que os pacientes possam utilizar serviços particulares de avaliação, como os selos de aprovação do *Consumer Reports* ou do *Good Housekeeping*.[6]

## A FILOSOFIA DO LIVRE MERCADO

Em *Anarchy, State, and Utopia* (1974), Robert Nozick faz uma defesa filosófica dos princípios libertários e um desafio ao conceito difundido do que seja justiça distributiva. Ele parte da afirmação de que os indivíduos têm direitos "tão inalienáveis e abrangentes" que "levantam a questão do que, se é que há alguma coisa, cabe ao Estado fazer". Ele conclui que "apenas um Estado mínimo, limitado a fazer cumprir contratos e proteger as pessoas contra a força, o roubo e a fraude, é justificável. Qualquer Estado com poderes mais abrangentes viola os direitos dos indivíduos de não serem forçados a fazer o que não querem, portanto, não se justifica".[7]

Entre as coisas que ninguém deve ser forçado a fazer, destaca-se a obrigação de ajudar o próximo. Cobrar impostos do rico para ajudar o pobre é coagir o rico. Isso viola seu direito de fazer o que quiser com aquilo que possui.

De acordo com Nozick, não há nada de errado na desigualdade econômica. O simples fato de saber que os 400 da *Forbes* têm bilhões enquanto outros nada têm não lhe permite tirar conclusões sobre a justiça ou injustiça da situação. Nozick repudia a ideia de que uma distribuição justa consista em um determinado padrão — como rendimentos igualitários, ou utilidade igualitária, ou, ainda, atendimento igualitário das necessidades básicas. O que importa é como a distribuição é feita.

Nozick rejeita as teorias preestabelecidas de justiça em favor daquelas que respeitam as escolhas individuais nos livres mercados. Ele argumenta que a justiça distributiva deve atender a duas condições — justiça na aquisição das posses e justiça em sua transferência.[8]

A primeira condição é que a riqueza tenha origem legítima. (Se você fez fortuna com a venda de produtos roubados, por exemplo, não teria direito a possuí-la.) A segunda pergunta se o dinheiro foi obtido por meio de negociações legais no mercado ou de doações voluntárias recebidas de outras pessoas. Se a resposta às duas questões for sim, você está autorizado a possuir tais bens, e o Estado não pode tirá-los de você sem seu consentimento. Contanto que ninguém inicie sua fortuna com ganhos ilícitos, qualquer distribuição resultante do livre mercado é justa, a despeito de, no final, ela parecer igual ou desigual.

Nozick admite que não é fácil determinar se o capital que deu início à fortuna de uma pessoa teve origem lícita ou ilícita. Como poderemos saber até que ponto a distribuição atual de renda e fortuna reflete ocupações ilegítimas de terras ou aquisição de bens por meio da força, do roubo ou de fraudes que aconteceram há várias gerações? Se pudéssemos provar que aqueles que estão agora no topo da pirâmide são beneficiários de injustiças passadas — como a escravidão de negros ou a expropriação de índios —, seria então o caso, segundo Nozick, de corrigir a injustiça por meio de taxações, reparações ou outros meios. Mas é importante notar que tais medidas têm como objetivo corrigir erros do passado, não resolver a questão da equidade em si.

Nozick ilustra a falta de sentido (em sua opinião) da redistribuição de riquezas citando um exemplo hipotético envolvendo o grande ídolo do basquete Wilt Chamberlain, cujo salário atingia, no início da década de 1970, a então incrível quantia de 200 mil dólares por temporada. Já que Michael Jordan é o ícone do basquete atualmente, podemos atualizar o exemplo de Nozick com Jordan, que, no último ano em que jogou pelo Chicago Bulls, recebeu 31 milhões de dólares — quantia maior, por jogo, do que Chamberlain recebia em uma temporada.

## O DINHEIRO DE MICHAEL JORDAN

Para deixar de lado qualquer questão sobre capital inicial, imaginemos, sugere Nozick, que estamos partindo de uma distribuição inicial equânime de renda (qualquer que seja nosso conceito de equanimidade). Partimos então de uma distribuição perfeitamente equânime, digamos. Tem início, então, a temporada de basquete. Aqueles que querem assistir aos jogos com Michael Jordan depositam cinco dólares em uma caixa cada vez que compram um ingresso. O dinheiro da caixa é dado a Jordan. (Na vida real, evidentemente, o salário de Jordan é pago pelos proprietários do time com o rendimento auferido. O pressuposto simplificado de Nozick — de que os torcedores pagam diretamente a Jordan — é uma maneira de enfatizar a questão filosófica relativa à aquisição voluntária.)

Já que muitas pessoas têm um grande desejo de ver Jordan jogar, o comparecimento é considerável e a caixa fica cheia. No final da temporada, Jordan tem 31 milhões de dólares, muito mais do que qualquer outro. O resultado disso é que a distribuição inicial — aquela que você considera justa — não existe mais. Jordan tem mais; e os outros, menos. Contudo, a nova distribuição partiu de escolhas inteiramente voluntárias. Quem tem motivos para reclamar? Certamente não aqueles que pagaram para ver Jordan jogar; eles compraram ingressos por vontade própria. Certamente não os que não gostam de basquete e ficaram em casa, pois não gastaram seu dinheiro com Jordan e não têm menos dinheiro agora do que tinham antes. Com toda certeza, não Jordan, pois ele fez a escolha de jogar basquete em troca de uma renda considerável.[9]

Nozick afirma que esse cenário ilustra dois problemas inerentes a teorias geralmente aceitas de justiça distributiva. Primeiramente, a liberdade é mais importante do que padrões preconcebidos de justiça distributiva. Qualquer um que acredite que a desigualdade econômica seja injusta terá de interferir no livre mercado, repetida e continuamente, para eliminar os efeitos das escolhas feitas pelos indivíduos. Em segundo lugar, interferir dessa forma — taxando Jordan para apoiar programas de ajuda aos necessitados — não apenas anula os resultados das transações voluntárias, mas também viola os direitos de Jordan ao tomar-lhe os ganhos. Ele estaria sendo forçado, na verdade, a fazer uma contribuição de caridade contra sua vontade.

Afinal, o que haveria de errado em taxar os ganhos de Jordan? Segundo Nozick, os fundamentos morais vão além do dinheiro. O que está em questão, acredita ele, é nada menos do que a liberdade humana. Ele explica sua tese da seguinte forma: "A taxação dos rendimentos do trabalho é o mesmo que trabalho forçado."[10] Quando o Estado se julga no direito de exigir uma parte dos meus rendimentos, ele também se atribui o direito de exigir uma parte do meu tempo. Em vez de tirar, digamos, 30% da minha renda, o Estado pode, da mesma forma, me obrigar a passar 30% do meu tempo trabalhando para ele. E se o Estado pode me forçar a trabalhar para ele, está essencialmente declarando seu direito de propriedade sobre mim.

> Apoderar-se do produto do trabalho de alguém equivale a apoderar-se de horas do seu tempo, obrigando-o a exercer várias atividades. Se o governo o força a executar um determinado trabalho, ou um trabalho não remunerado, durante certo período de tempo, ele está decidindo o que você deve fazer e quais são os propósitos do seu trabalho, sem levar em conta suas decisões. Isso (...) dá a ele o direito parcial de propriedade sobre você.[11]

Essa linha de raciocínio nos conduz ao cerne moral da reivindicação libertária — a ideia de que uma pessoa é a única proprietária de si mesma. Se sou senhor de mim mesmo, devo ser senhor do meu trabalho. (Se outro indivíduo pudesse me obrigar a trabalhar, esse indivíduo seria meu senhor e eu seria seu escravo.) Mas, se sou dono do meu trabalho, devo ter o direito aos seus frutos. (Se outra pessoa tiver direito aos meus rendimentos, essa pessoa será dona do meu trabalho e será, consequentemente, minha dona.) Esse é o motivo pelo qual, segundo Nozick, a taxação de parte dos 31 milhões de dólares de Michael Jordan para ajudar os pobres viola seus direitos. Na realidade, isso significa que o Estado é parcialmente proprietário dele.

Os libertários veem uma sequência lógica entre taxação (quando alguém se apossa do que recebo), trabalho forçado (quando alguém se apossa da minha força de trabalho) e escravidão (quando me nega a posse de mim mesmo):

| **Posse de si mesmo** | **Apropriação indébita** |
|---|---|
| pessoa livre | escravo |
| trabalho livre | trabalho forçado |
| produto do trabalho | impostos |

Evidentemente, até mesmo a mais alta alíquota de imposto sobre renda não exige 100% dos rendimentos de uma pessoa. Portanto, o governo não tem a posse integral dos seus contribuintes. Mas Nozick afirma que o governo exige a posse de uma parte de nós — correspondente à porção do rendimento que somos obrigados a pagar para sustentar quaisquer causas que extrapolem o Estado mínimo.

## SOMOS PROPRIETÁRIOS DE NÓS MESMOS?

Quando Michael Jordan anunciou seu afastamento das quadras de basquete, em 1993, os torcedores do Chicago Bulls ficaram desolados. Mais tarde ele voltaria e levaria os Bulls a vencer mais três campeonatos. Suponhamos, no entanto, que em 1993 o Conselho do Chicago Bulls, ou mesmo o Congresso, resolvesse agradar aos torcedores e obrigasse Jordan a jogar basquete durante um terço da temporada seguinte. A maioria das pessoas consideraria essa lei injusta, pois ela estaria violando a liberdade de Jordan. Mas se o Congresso não tem o direito de forçar Jordan a voltar às quadras de basquete (mesmo que por um terço da temporada), que direitos teria de forçá-lo a abrir mão de um terço do dinheiro que ele recebe jogando basquete?

Aqueles que se mostram favoráveis à redistribuição da renda por meio de impostos levantam várias objeções à lógica libertária. Há respostas para a maioria dessas objeções.

*Objeção 1: A taxação não é tão ruim quanto o trabalho forçado.*

Quando lhe cobram impostos sobre o que você aufere por meio do seu trabalho, resta-lhe a opção de trabalhar menos e pagar menos impostos; mas, se for forçado a trabalhar, não existirá tal escolha.

*Resposta libertária*: Sim, é verdade. Mas por que o Estado deveria forçá-lo a fazer essa escolha? Algumas pessoas gostam de apreciar o pôr do sol enquanto outras preferem atividades que impliquem algum custo — ir ao cinema, comer fora, velejar e assim por diante. Por que as pessoas que preferem o lazer devem pagar menos impostos do que aquelas que dão mais valor às atividades pelas quais precisam pagar?

Consideremos uma analogia: um ladrão invade sua casa e só tem tempo de roubar ou o aparelho de TV de tela plana, que custa mil dólares, ou aqueles mil dólares em espécie que você havia escondido sob o colchão. Provavelmente você preferiria que ele levasse a televisão, porque isso lhe daria a opção de escolher entre gastar ou não a quantia na compra de uma nova. Se o ladrão tivesse roubado o dinheiro, você não teria escolha (na hipótese de ser tarde demais para que você devolvesse o aparelho de TV e fosse integralmente reembolsado). Entretanto, essa preferência por perder a televisão (ou por trabalhar menos) não vem ao caso; o ladrão e o Estado agem errado em ambos os casos, independentemente do que as vítimas possam vir a fazer para reduzir as perdas que tiveram.

*Objeção 2: O pobre precisa mais do dinheiro.*

*Resposta libertária*: Pode ser. Mas seria o caso de persuadir o abonado a colaborar com o necessitado por livre e espontânea vontade. Isso não justifica que Jordan e Gates sejam obrigados a fazer doações de caridade. Roubar do rico para dar ao pobre não deixa de ser um roubo, e não importa que quem esteja roubando seja Robin Hood ou o Estado.

Consideremos a seguinte analogia: um paciente que se submete a diálise necessita de um dos meus rins mais do que eu (presumindo que os meus sejam sadios). Isso, porém, não lhe dá direito algum sobre um rim meu. O Estado não poderia requisitar um dos meus rins para ajudar o paciente em diálise, por mais urgente e premente que fosse sua necessidade. Por que não? Porque ele é meu. A necessidade alheia não está acima do meu direito fundamental de fazer o que bem entender com aquilo que possuo.

*Objeção 3: Michael Jordan não joga sozinho. Portanto, ele tem uma dívida para com aqueles que contribuem para seu sucesso.*

*Resposta libertária*: É verdade que o sucesso de Jordan depende de outras pessoas. O basquete é um esporte de equipe. Ninguém pagaria 31 milhões de dólares para vê-lo fazer lances livres sozinho em uma quadra vazia. Ele jamais teria conseguido aquela fortuna sem companheiros de equipe, treinadores, técnicos, juízes, narradores esportivos, trabalhadores de manutenção nos estádios e vários outros.

Entretanto, aquelas pessoas já foram remuneradas por seus serviços de acordo com o valor de mercado. Embora recebam menos do que Jordan, elas aceitaram voluntariamente os valores atribuídos às funções que desempenham. Assim, não há motivos para que Jordan lhes deva uma parte de seus ganhos. E, ainda que Jordan devesse alguma coisa aos companheiros de equipe ou treinadores, seria difícil imaginar que essa dívida pudesse justificar a taxação de seus rendimentos em prol do fornecimento de cestas básicas para quem tem fome e moradias públicas para os desabrigados.

*Objeção 4: Jordan não está, na verdade, sendo taxado sem o seu consentimento. Como cidadão de uma democracia, ele tem voz ativa para interferir na elaboração de leis referentes aos impostos aos quais está sujeito.*

*Resposta libertária*: O consentimento democrático não é suficiente. Suponhamos que Jordan tenha lutado contra a lei relativa aos impostos mas que ela tenha sido aprovada mesmo contra sua vontade. O Internal Revenue Service (Secretaria da Receita) não o obrigaria, ainda assim, a pagar? Certamente que sim. Você poderia dizer que, ao viver nessa sociedade, Jordan estaria consentindo (implicitamente, pelo menos) em acatar a vontade da maioria e obedecer às leis. Mas isso significa que, ao viver nessa sociedade simplesmente como cidadãos, estamos dando à maioria um cheque em branco assinado e aceitando de antemão qualquer lei, por mais injusta que seja?

Se esse for o caso, a maioria pode cobrar impostos da minoria ou até mesmo confiscar arbitrariamente sua fortuna e propriedade. E o que acontece com os direitos individuais? Se ao aceitar a democracia estivermos justificando o confisco da propriedade, estaremos também justificando o confisco da liberdade? Poderia a maioria privar-me da liberdade de expressão e de religião alegando que, como cidadão democrático, eu já teria dado meu consentimento para qualquer coisa que ela venha a decidir?

Os libertários têm uma resposta pronta para cada uma das quatro primeiras objeções. No entanto, há outra mais difícil de refutar.

*Objeção 5: Jordan é um homem de sorte.*

Ele tem a sorte de destacar-se no basquete pelo talento e também de viver em uma sociedade que dá valor à sua habilidade de rodopiar no ar e enfiar uma bola na cesta. Não importa que ele tenha trabalhado arduamente para desenvolver tais habilidades: o fato é que Jordan não pode reivindicar os créditos por seus dotes naturais ou por viver em uma época em que o basquete é popular e regiamente recompensado. Essas coisas não resultam dos seus esforços. Assim, não se pode dizer que ele tenha o direito moral de ficar com todo o dinheiro que seus talentos gerem. A comunidade, portanto, não está sendo injusta ao taxar seus ganhos em prol do bem público.

*Resposta libertária*: Essa objeção coloca em questão se os talentos de Jordan são realmente dele. Mas tal linha de raciocínio é potencialmente perigosa. Se Jordan não tem direito aos benefícios resultantes do exercício do próprio talento, então não os possui realmente. E, se não tiver a posse dos próprios talentos e habilidades, não é, na verdade, dono de si mesmo. E, se Jordan não é o dono de si mesmo, quem o é? Você tem certeza de que quer atribuir à comunidade política um direito de propriedade sobre seus cidadãos?

A ideia de um indivíduo ser dono de si mesmo é interessante, em especial para aqueles que procuram um fundamento forte para os direitos individuais. A ideia de que pertenço a mim mesmo, e não ao Estado ou à comunidade política, é uma forma de explicar por que é errado que eu sacrifique meus direitos em favor do bem-estar alheio. Lembremo-nos da nossa relutância em empurrar da ponte o homem corpulento para que ele bloqueasse a passagem do bonde. Não estaríamos hesitando em empurrá-lo porque reconhecemos que sua vida lhe pertence? Caso ele tivesse pulado espontaneamente para a morte a fim de salvar os trabalhadores dos trilhos, poucas pessoas fariam objeções. Tratava-se, afinal, da vida que lhe pertencia. Mas não podemos nos apoderar da vida alheia e usá-la, mesmo que isso seja feito por uma boa causa. O mesmo pode ser dito sobre o desafortunado taifeiro. Se Parker tivesse resolvido sacrificar a própria vida para salvar os companheiros famintos, a maioria diria que ele estava fazendo uso de um direito seu. Mas seus companheiros não tinham o direito de se servir de uma vida que não lhes pertencia.

Muitas pessoas que repudiam a economia do *laissez-faire* invocam, em outras circunstâncias, a ideia de que um indivíduo é dono de si mesmo. Isso pode explicar a persistente atração das ideias libertárias, até mesmo para aquelas pessoas que tendem a apoiar o Estado de bem-estar social. Consideremos a maneira pela qual o fato de o indivíduo ser dono de si mesmo surge em discussões sobre a liberdade de reprodução, a moral sexual e o direito à privacidade. O governo não pode proibir os contraceptivos ou o aborto, afirmam alguns, porque as mulheres devem ser livres para decidir o que fazer com o próprio corpo. A lei não deve punir o adultério, a prostituição ou a homossexualidade, muitas pessoas dizem, porque adultos conscientes devem ser livres para escolher seus parceiros sexuais. Alguns são favoráveis ao comércio de rins para transplante baseando-se no fato de que, se o indivíduo é dono do próprio corpo, deveria, portanto, ser livre para vender seus órgãos. Há quem parta desse princípio para defender o direito ao suicídio assistido: já que sou dono da minha vida, devo ser livre para pôr-lhe fim, se quiser, ou para designar um médico (ou qualquer pessoa) que aceite assistir-me nesse sentido. O Estado não tem o direito de me impedir de usar o meu corpo ou dispor da minha vida como eu quiser.

O conceito de que somos donos de nós mesmos aparece em muitas discussões sobre a liberdade de escolha. Se sou dono do meu corpo, da minha vida e da minha pessoa, devo ser livre para fazer o que quiser com eles (desde que não prejudique os outros). Apesar de atraente, esse conceito tem algumas implicações que não são fáceis de aceitar.

Se você está tentado a adotar os princípios libertários e quer ver até onde poderia sustentá-los, analise os casos seguintes.

### *Vendendo rins*

A maioria dos países proíbe a compra e a venda de órgãos para transplantes. Nos Estados Unidos, pode-se doar um dos rins, mas não é permitido pô-lo à venda. Entretanto, algumas pessoas acham que essas leis deveriam ser modificadas. Elas argumentam que, a cada ano, milhares de pessoas morrem à espera de um transplante de rim — e que a oferta aumentaria se existisse um livre mercado para esses órgãos. Elas acham, também, que as pessoas que precisam de dinheiro deveriam ter liberdade para vender os próprios rins se quisessem.

Um dos argumentos para que a compra e a venda de rins sejam permitidas baseia-se na noção libertária de que o indivíduo é dono de si mesmo: se sou dono do meu corpo, deveria ser livre para vender meus órgãos quando quisesse. Como escreve Nozick, "o ponto central da noção do direito de propriedade de X (...) é o direito de determinar o que deverá ser feito com X".[12] No entanto, poucos defensores da venda de órgãos adotam inteiramente a lógica libertária.

Eis por quê: a maioria dos que propõem o comércio de rins enfatiza a importância moral de se salvarem vidas e o fato de que quase todos aqueles que doam um dos rins conseguem viver apenas com o outro. Mas, se você acreditar que seu corpo e sua vida são sua propriedade, nada disso será realmente importante. Se você é dono do seu corpo, seu direito de usá-lo como bem desejar já é motivo suficiente para que você possa vender partes dele. As vidas que serão salvas ou o bem que será feito não vêm ao caso.

Para ver como isso acontece, imaginemos dois casos atípicos:

Primeiramente, imaginemos que o suposto comprador de um dos seus rins seja perfeitamente saudável. Ele lhe oferece (ou provavelmente a um camponês de um país em desenvolvimento) 8 mil dólares por um rim, não porque precise desesperadamente de um transplante, e sim por ser um excêntrico negociante de obras de arte que vende órgãos humanos para clientes abastados por motivos fúteis. A compra e a venda de rins por motivos fúteis deveriam ser permitidas? Se você acredita que somos donos do nosso corpo, terá dificuldade de dizer não. O que importa não é o propósito, e sim o direito de dispor do que lhe pertence como você quiser. Evidentemente, você abominaria o uso inconsequente de partes do corpo e seria favorável apenas à venda delas para salvar vidas. Mas, se sustentar essa opinião, sua defesa do comércio de órgãos não estaria baseada nas premissas libertárias. Você estaria admitindo que não temos um direito de propriedade ilimitado sobre nossos corpos.

Consideremos agora um segundo caso. Suponhamos que um agricultor de um vilarejo indiano deseje, mais do que qualquer outra coisa no mundo, enviar seu filho para a faculdade. Para obter o dinheiro, ele vende um dos rins a um americano rico que precisa de um transplante. Alguns anos mais tarde, quando se aproxima a época de o segundo filho do agricultor ir para a faculdade, outro comprador chega ao vilarejo e oferece um preço convidativo pelo outro rim. Deveria ele ser livre para vender o outro também, mesmo que isso o levasse à morte? Se a questão moral da venda de órgãos se basear no conceito da propriedade de si mesmo, a resposta deve ser sim. Seria estranho supor que o agricultor possuísse um dos rins e não possuísse o outro. Algumas pessoas poderiam alegar que ninguém deveria ser induzido a abrir mão da própria vida por dinheiro. Mas, se possuímos nosso corpo e nossa vida, o agricultor, nesse caso, teria todo o direito de vender o segundo rim, mesmo que isso implicasse vender sua vida. (Tal situação não é inteiramente hipotética. Na década de 1990, um presidiário na Califórnia tentou doar o segundo rim para a filha. A comissão de ética do hospital não concordou.)

É possível, evidentemente, permitir apenas as vendas de órgãos que salvem vidas e não ofereçam risco à vida do vendedor. Mas essa política não teria como base o princípio da propriedade de si mesmo. Se realmente possuímos nosso corpo e nossa vida, devemos ter o poder de decidir se venderemos nossos órgãos, com quais propósitos e quaisquer que sejam os riscos para nós mesmos.

### *Suicídio assistido*

Em 2007, o Dr. Jack Kevorkian, de 79 anos, deixou uma prisão em Michigan após cumprir uma pena de oito anos por ter administrado drogas letais a pacientes terminais que queriam morrer. Sua liberdade foi condicionada à promessa de não mais assistir pacientes que quisessem cometer suicídio. Nos anos 1990, o Dr. Kevorkian (que ficou conhecido como "Dr. Morte") defendeu leis que permitissem o suicídio assistido e pôs em prática suas ideias, ajudando 130 pessoas a pôr um fim à sua vida. Ele só foi acusado, julgado e condenado por assassinato de segundo grau depois de ter permitido a divulgação, no programa *60 Minutes* da rede de televisão CBS, de um vídeo que o mostrava em ação, aplicando uma injeção letal em um homem que sofria da síndrome de Lou Gehrig.[13]

O suicídio assistido é ilegal em Michigan, estado de origem do Dr. Kevorkian, e em todos os demais estados, exceto em Oregon e Washington. Muitos países proíbem o suicídio assistido e apenas alguns poucos (o mais famoso é a Holanda) permitem-no abertamente.

À primeira vista, o argumento a favor do suicídio assistido parece ser a aplicação da cartilha da filosofia libertária. Para os libertários, as leis que proíbem o suicídio assistido são injustas pela seguinte razão: se a minha vida pertence a mim, devo ser livre para desistir dela. E, se eu fizer um acordo voluntário com alguém que se disponha a me ajudar, o Estado não tem o direito de interferir.

Entretanto, a permissão do suicídio assistido não depende necessariamente da ideia de que sejamos donos de nós mesmos ou de que nossas vidas pertençam a nós. Muitas pessoas que defendem o suicídio assistido não invocam direitos de propriedade, mas falam em termos de dignidade e compaixão. Argumentam que pacientes terminais que passam por um grande sofrimento devem ter permissão para apressar sua morte, em vez de prolongar uma dor excruciante sem esperanças. Mesmo aqueles que acreditam que temos o dever de preservar a vida humana podem concluir que, em determinados momentos, os apelos à compaixão devem prevalecer sobre o dever de manter uma pessoa viva.

Quando se trata de pacientes terminais, é muito difícil dissociar a argumentação libertária a favor do suicídio assistido dos argumentos da compaixão. Para avaliar a força moral da noção de que o indivíduo é dono de si mesmo, consideremos um caso de suicídio assistido que não envolva um paciente terminal. Sem dúvida, é um caso estranho. Mas é exatamente isso que nos permite avaliar a lógica libertária em si, livre das considerações de dignidade e compaixão.

### *Canibalismo consensual*

Em 2001, um estranho encontro teve lugar na cidade alemã de Rotenburg. Bernd-Jurgen Brandes, um engenheiro de *software* de 43 anos, respondeu a um anúncio na internet que procurava alguém disposto a ser morto e comido. O anúncio havia sido colocado por Armin Meiwes, técnico de informática de 42 anos. Meiwes não oferecia compensação financeira, apenas a experiência em si. Cerca de duzentas pessoas responderam ao anúncio. Quatro foram até a fazenda de Meiwes para uma entrevista, mas decidiram que não estavam interessadas. Brandes, entretanto, depois de uma conversa informal com Meiwes, resolveu aceitar a proposta. Meiwes matou seu visitante, cortou o corpo dele em pedaços e os guardou em sacos plásticos no freezer. Quando foi preso, o "Canibal de Rotenburg" já havia comido quase vinte quilos de sua vítima voluntária, cozinhando partes dela em azeite de oliva e alho.[14]

Meiwes foi levado a julgamento e seu caso chocante fascinou o público, chegando a confundir o júri. A Alemanha não tem leis contrárias ao canibalismo. O acusado não poderia ser condenado por assassinato, segundo a defesa, porque a vítima participara voluntariamente da própria morte. O advogado de Meiwes alegou que seu cliente só poderia ser acusado pelo crime de "matar por solicitação", uma forma de suicídio assistido cuja pena não ultrapassa cinco anos. A corte resolveu a questão indiciando Meiwes por homicídio involuntário e condenando-o a oito anos e meio de reclusão.[15] Dois anos mais tarde, no entanto, uma corte de apelação considerou a sentença muito branda e o condenou à prisão perpétua.[16] A história sórdida teve um desfecho inusitado, e o assassino canibal tornou-se declaradamente vegetariano na prisão, alegando que a criação de animais de corte seria desumana.[17]

O canibalismo consensual entre adultos representa o teste definitivo para o princípio libertário da posse de si mesmo pelo indivíduo e da ideia de justiça dele decorrente. É uma forma extrema do suicídio assistido. Visto que não tem nenhuma relação com o alívio da dor de um doente terminal, a única justificativa cabível é que somos os donos de nosso corpo e nossa vida e podemos fazer com eles o que bem entendermos. Se o argumento libertário estiver certo, seria injusto proibir o canibalismo, pois isso violaria o direito à liberdade. O Estado não teria mais direito de punir Armin Meiwes do que de cobrar altos impostos de Bill Gates e Michael Jordan para ajudar os pobres.

## Notas

1. Matthew Miller e Duncan Greenbert, "The Forbes 400", *Forbes*, 17 de setembro de 2008, em www.forbes.com/2008/09/16/forbes-400-billionaires-lists-400list08_cx_mn_0917richamericans_land.html.
2. Lawrence Michel, Jared Bernstein e Sylvia Allegretto, *The State of Working America 2006/2007: An Economic Policy Institute Book*, Ithaca, ILR Press, um selo da Cornell University Press, 2007, com dados de Edward N. Wolff (2006), em www.stateofworkingamerica.org/tabfig/05/SWA06_05_Wealth.pdf; ver também Arthur B. Kennickell, "Currents and Undercurrents: Changes in the Distribution of Wealth, 1989-2004", Federal Reserve Board, Washington, 30 de janeiro de 2006, em www.federalreserve.gov/pubs/oss/0ss2/papers/concentration.2004.5.pdf.
3. Friedrich A. Hayek, *The Constitution of Liberty* (Chicago: University of Chicago Press, 1960).
4. Milton Friedman, *Capitalism and Freedom* (Chicago, University of Chicago Press, 1961), p. 188.
5. Ibidem, p. 111.
6. Ibidem, pp. 137-60.
7. Robert Nozick, *Anarchy, State, and Utopia* (Nova York, Basic Books, 1974), p. ix
8. Ibidem, pp. 149-60.
9. Ibidem, pp. 160-64.
10. Ibidem, p. 169.
11. Ibidem, p. 172.
12. Ibidem, p. 171.
13. Monica Davey, "Kevorkian Speaks After His Release From Prison", *New York Times*, 4 de junho de 2007.
14. Mark Landler, "Eating People Is Wrong! But Is It Homicide? Court to Rule", *New York Times*, 26 de dezembro de 2003, p. A4.
15. Mark Landler, "German Court Convicts Internet Cannibal of Manslaughter", *New York Times*, 31 de janeiro de 2004, p. A3; Tony Paterson, "Cannibal of Rotenburg Gets 8 Years for Eating a Willing Victim", *The Independent* (Londres), 31 de janeiro de 2004, p. 30.
16. Luke Harding, "German Court Finds Cannibal Guilty of Murder", *The Guardian* (Londres), 10 de maio de 2006, p. 16.
17. Karen Bale, "Killer Cannibal Becomes Veggie", *Scottish Daily Record*, 21 de novembro de 2007, p. 20.

CAPÍTULO 4

# Prestadores de serviço / **O mercado e conceitos morais**

Muitas das nossas mais acaloradas discussões sobre justiça envolvem o papel dos mercados: O livre mercado é justo? Existem bens que o dinheiro não pode comprar — ou não deveria poder comprar? Caso existam, que bens são esses e o que há de errado em vendê-los?

A questão do livre mercado fundamenta-se basicamente em duas afirmações — uma sobre liberdade e a outra sobre bem-estar social. A primeira refere-se à visão libertária dos mercados. Segundo essa ideologia, ao permitir que as pessoas realizem trocas voluntárias, estamos respeitando sua liberdade; as leis que interferem no livre mercado violam a liberdade individual. A segunda é o argumento utilitarista para os mercados. Esse argumento refere-se ao bem-estar geral que os livres mercados promovem, pois, quando duas pessoas fazem livremente um acordo, ambas ganham. Se o acordo as favorece sem que ninguém seja prejudicado, ele aumenta a felicidade geral.

Céticos do mercado questionam esses argumentos. Eles afirmam que as escolhas de mercado nem sempre são tão livres quanto parecem. E afirmam também que certos bens e práticas sociais são corrompidos ou degradados se implicarem alguma transação com dinheiro.

Neste capítulo analisaremos a moralidade da prática de pagar para que as pessoas executem dois tipos bem diferentes de trabalho — combater em guerras e gerar filhos. Refletir sobre os acertos e erros do mercado em relação a essas questões controversas nos ajudará a esclarecer as diferenças entre importantes teorias sobre justiça.

## O QUE É JUSTO: CONVOCAR SOLDADOS OU CONTRATÁ-LOS?

Nos primeiros meses da Guerra Civil Americana, passeatas festivas e o sentimento de patriotismo levaram dezenas de milhares de cidadãos dos estados do norte dos Estados Unidos a se alistar como voluntários no exército da União. Com a derrota da União em Bull Run, porém, seguida pelo fracasso da tentativa do general George B. McClellan de ocupar Richmond, os cidadãos do norte passaram a temer que o conflito não terminasse logo. Foi preciso convocar mais soldados e, em julho de 1862, Abraham Lincoln assinou a primeira lei de alistamento compulsório da União. A Confederação, do sul, já o adotara.

A obrigatoriedade do serviço militar atingia a tradição individualista americana em sua base, e a União abriu uma ampla concessão: quem fosse convocado e não quisesse servir poderia contratar outra pessoa para assumir seu lugar.[1]

Os convocados publicaram anúncios nos jornais em busca de substitutos, oferecendo até 1.500 dólares, valor considerável na época. A lei da Confederação também permitia o pagamento a substitutos, o que deu origem à expressão "guerra dos ricos, luta dos pobres", uma queixa que repercutiu no norte. Em março de 1863, o Congresso aprovou uma nova lei relativa ao alistamento, na tentativa de solucionar o problema. Embora não abolisse o direito de contratar um substituto, a lei permitia que qualquer convocado pagasse ao governo uma taxa de 300 dólares em vez de servir. Apesar de essa taxa de compensação representar o salário de quase um ano de um trabalhador não qualificado, houve a preocupação de estabelecê-la dentro do limite das posses dos trabalhadores comuns. Algumas cidades e condados* subsidiavam a taxa para os convocados, e companhias de seguros permitiam que os participantes pagassem um prêmio mensal por uma apólice que cobriria a taxa em caso de convocação.[2]

*Correspondentes às regiões de um estado brasileiro, mas com certa autonomia administrativa e até uma espécie de "capital", o município-polo que lhes dá o nome. Existem, por exemplo, as polícias municipais, a do condado e a estadual. (*N. da E.*)

Embora a intenção fosse oferecer a isenção do serviço por um preço baixo, a taxa tornou-se mais impopular politicamente do que a substituição — talvez porque ela parecesse estabelecer um preço para a vida humana (ou para o risco de morte), dando a tal quantia a sanção do governo. Manchetes de jornais proclamavam: "Trezentos dólares pela sua vida." A revolta contra a lei provocou episódios de violência nos postos de recrutamento. Na cidade de Nova York, em julho de 1863, uma revolta durou vários dias e resultou na perda de mais de cem vidas. No ano seguinte, o Congresso aprovou uma nova lei abolindo a taxa de compensação. O direito de contratar um substituto, no entanto, foi mantido no norte (embora não tenha sido mantido no sul) durante toda a guerra.[3]

No final, foram poucos os convocados que lutaram efetivamente no exército da União. (Mesmo depois da criação do serviço militar obrigatório, a grande força do exército era constituída de voluntários que se alistavam levados pelos soldos pagos e pela ameaça de ser convocados.) Muitos foram convocados por meio de sorteios, mas fugiram ou foram dispensados por incapacidade. Entre os quase 207 mil efetivamente alistados, 87 mil pagaram a taxa de compensação, 74 mil contrataram substitutos e apenas 46 mil de fato serviram.[4] Constam entre aqueles que pagaram substitutos para que combatessem em seu lugar os nomes de Andrew Carnegie e J. P. Morgan, os pais de Theodore e Franklin Roosevelt e os futuros presidentes Chester A. Arthur e Grover Cleveland.[5]

Teria sido o sistema adotado na Guerra Civil uma maneira justa de convocar soldados para o serviço militar? Quando faço essa pergunta a meus alunos, quase todos dizem que não. Eles afirmam que não é justo permitir que os ricos contratem substitutos pobres para lutar em seu lugar. Como os muitos americanos que protestaram nos anos 1860, eles consideram tal sistema uma forma de discriminação de classe.

Pergunto então aos alunos se eles são a favor do serviço militar compulsório ou do exército totalmente voluntário que temos hoje. Quase todos preferem o exército voluntário (como a maioria dos americanos). Isso levanta, porém, uma questão difícil: se o sistema da Guerra Civil era injusto porque deixava que o rico contratasse outra pessoa para combater em seu lugar, não parece que a mesma objeção se aplica ao exército voluntário?

Evidentemente, o método de contratação é diferente. Andrew Carnegie precisou encontrar o próprio substituto e pagar diretamente a ele; nos dias atuais, o Exército recruta os soldados para lutar no Iraque ou no Afeganistão e nós, os contribuintes, pagamos a eles coletivamente. Mas permanece o fato de que aqueles de nós que preferem não se alistar estão contratando outras pessoas para combater nossas guerras e arriscar sua vida. Então, moralmente falando, qual é a diferença? Se o sistema de contratação da Guerra Civil era injusto, o exército voluntário também não o é?

Para analisar essa questão, deixemos o sistema da Guerra Civil de lado e consideremos as duas maneiras básicas de recrutamento de soldados — a convocação e o mercado.

Em sua forma mais simples, a convocação preenche as fileiras militares recrutando todos os cidadãos qualificados para servir ou, caso não haja necessidade de todos eles, fazendo um sorteio para escolher aqueles que servirão. Esse foi o sistema usado pelos Estados Unidos durante a Primeira e a Segunda Guerra Mundial. O serviço obrigatório também foi adotado durante a Guerra do Vietnã, embora o sistema fosse complexo e aberto a adiamentos para estudantes e pessoas com determinadas ocupações, o que permitiu que muitos não fossem obrigados a ir para a guerra.

O serviço militar compulsório aumentou a oposição à Guerra do Vietnã, especialmente nos *campi* universitários. Até certo ponto em resposta a isso, o presidente Richard Nixon propôs abolir o recrutamento e, em 1973, quando os Estados Unidos retiraram suas tropas do Vietnã, a força militar voluntária substituiu o recrutamento. Como o serviço militar deixou de ser compulsório, o Exército aumentou o soldo e outros benefícios para atrair o número de soldados de que necessitava.

Um exército voluntário, termo que usamos atualmente, preenche suas fileiras por meio do mercado de trabalho — tal como fazem restaurantes, bancos, lojas e outros ramos de negócios. O termo "voluntário" não é muito apropriado. O exército voluntário não é como um corpo de bombeiros voluntário, no qual as pessoas servem sem pagamento, ou a distribuição da sopa aos pobres, à qual trabalhadores dedicam seu tempo voluntariamente. É um exército profissional, cujos soldados são pagos para trabalhar. Os soldados são tão "voluntários" quanto os empregados pagos em qualquer profissão. Ninguém é recrutado, e o trabalho é desempenhado por aqueles que concordam em fazê-lo em troca de dinheiro e outros benefícios.

A discussão sobre como uma sociedade democrática deve preencher suas fileiras militares torna-se mais evidente em tempos de guerra, como atestam os tumultos contra as convocações durante a Guerra Civil ou a era de protestos contra a Guerra do Vietnã. Depois que os Estados Unidos adotaram a força totalmente "voluntária", a questão da justiça relativa ao serviço militar ficou menos evidente para a opinião pública. Mas as guerras que os Estados Unidos travam no Iraque e no Afeganistão reavivaram o debate público: é correto que uma sociedade democrática recrute seus soldados por meio do mercado?

A maioria dos americanos é a favor do exército voluntário e poucos gostariam de voltar ao serviço militar obrigatório. (Em setembro de 2007, no meio da Guerra do Iraque, uma pesquisa do Gallup constatou que 80% dos americanos eram contra o restabelecimento da convocação, contra 18% a favor.[6]) Entretanto, a discussão que voltou à baila sobre o exército voluntário e o serviço militar obrigatório colocou-nos frente a frente com algumas questões relevantes da filosofia política — questões sobre a liberdade individual e a obrigação civil.

Para explorar essas questões, comparemos as três formas de compor um exército que consideramos:

1. alistamento compulsório
2. convocação com a possibilidade de contratar um substituto (sistema da Guerra Civil)
3. sistema de mercado (exército "voluntário")

Qual seria a mais justa?

## O CASO DO EXÉRCITO VOLUNTÁRIO

Se você for adepto da filosofia libertária, a resposta será óbvia. O serviço militar obrigatório (alternativa 1) é injusto porque é coercitivo, é um tipo de escravidão. Ele deixa implícito que o Estado tem a posse dos seus cidadãos e que pode fazer com eles o que quiser, incluindo forçá-los a combater e arriscar a vida na guerra. Ron Paul, membro republicano do Congresso e preeminente libertário, defendeu recentemente esse ponto de vista ao se opor à volta do recrutamento para o combate na Guerra do Iraque: "O serviço obrigatório é escravidão pura e simples, considerada ilegal pela 13ª Emenda Constitucional, que proíbe a servidão involuntária. Um militar obrigado a servir pode morrer em combate, o que torna tal obrigatoriedade uma forma perigosíssima de escravidão."[7]

Entretanto, mesmo que você não considere o serviço obrigatório um tipo de escravidão, poderá se opor a ele com base no fato de que ele limita as escolhas do indivíduo e, assim, reduz a felicidade geral. Esse é um argumento utilitarista contra o serviço militar obrigatório. Ele sustenta que, em comparação com um sistema que permita a contratação de substitutos, a obrigatoriedade do serviço militar diminui o bem-estar das pessoas, pois as impede de realizar seus objetivos particulares. Se Andrew Carnegie e seu substituto quisessem fazer um acordo, que motivo teríamos para impedi-los? A liberdade de participar da transação certamente aumenta a felicidade de ambas as partes, sem reduzir a dos demais. Assim, por razões utilitaristas, o sistema da Guerra Civil (alternativa 2) é mais vantajoso do que o serviço militar obrigatório (alternativa 1).

É fácil entender como os pressupostos utilitaristas sustentam o raciocínio de mercado. Se você partir da noção de que uma troca voluntária torna a vida de ambas as partes melhor e não prejudica ninguém, terá um bom argumento utilitarista para permitir que o mercado comande a situação.

Podemos ver isso ao compararmos o sistema da Guerra Civil (alternativa 2) com o sistema do exército voluntário (alternativa 3). A mesma lógica que defende a contratação de substitutos para os convocados é também um forte argumento favorável ao mercado: Se será permitido que as pessoas contratem substitutos, por que convocá-las afinal? Por que não simplesmente recrutar os soldados por meio do mercado de trabalho? Seriam estabelecidos os salários e benefícios suficientes para atrair soldados em número e qualidade necessários e as pessoas poderiam escolher livremente aceitar o trabalho ou não. Ninguém seria forçado a servir contra a vontade e aqueles que o desejassem poderiam avaliar todos os aspectos do serviço militar e compará-los com as outras opções.

Assim, do ponto de vista utilitarista, o exército voluntário parece ser a melhor entre as três opções. Ao permitir que as pessoas se alistem com base na remuneração oferecida, estaremos permitindo que elas sirvam ao Exército somente se isso maximizar sua própria felicidade. Aqueles que não quiserem servir não terão sua felicidade reduzida por serem forçados a prestar o serviço militar contra a vontade.

Um utilitarista talvez argumentasse que o exército voluntário é mais dispendioso do que o alistamento compulsório. Atrair soldados em número e com a qualidade suficientes e pagar os benefícios deve acarretar mais despesas do que obrigar soldados a servir. Nesse caso, o utilitarista pode temer que o aumento da felicidade dos soldados bem pagos resulte em infelicidade maior para os contribuintes, que agora pagam mais pela manutenção do exército.

Essa objeção, no entanto, não é muito convincente, especialmente se a alternativa for o alistamento compulsório (com ou sem substituição). Seria estranho aplicar o mesmo raciocínio para outros serviços do governo, como a polícia ou os bombeiros, isto é, buscar a redução dos custos para o contribuinte por meio da coerção de pessoas escolhidas aleatoriamente para desempenhar essas funções em troca de remuneração abaixo do valor do mercado. Também seria estranho propor que os custos de manutenção de estradas fossem reduzidos por meio da convocação de um subsistema de contribuintes escolhidos por sorteio para realizar tal trabalho ou contratar outras pessoas para fazê-lo. A infelicidade resultante de tais medidas coercitivas provavelmente suplantaria o benefício que os contribuintes poderiam obter com serviços públicos mais baratos.

Podemos concluir, partindo tanto de lógicas libertárias quanto de raciocínios utilitaristas, que o exército voluntário parece ser o melhor, seguido pelo sistema híbrido da Guerra Civil. A obrigatoriedade do serviço militar seria o processo de recrutamento menos desejável. Entretanto, no mínimo duas objeções podem ser feitas a essa linha de argumentação. Uma refere-se à equidade e à liberdade e outra à virtude cívica e ao bem comum.

### *Objeção 1: Equidade e liberdade*

A primeira objeção sustenta que o livre mercado, para aqueles que têm poucas alternativas, não é tão livre assim. Consideremos um caso extremo: um indivíduo sem teto, que dorme sob uma ponte, pode ter, de alguma forma, optado por isso; entretanto não podemos considerar, a princípio, que essa tenha sido uma livre escolha. Não podemos concluir que ele prefira dormir embaixo de uma ponte a dormir em um apartamento. Para que possamos saber se essa situação resulta de uma preferência por dormir na rua ou da impossibilidade de ter um lar, precisamos conhecer suas circunstâncias. Estaria ele agindo livremente ou por necessidade?

Podemos fazer a mesma pergunta em relação às escolhas do mercado em geral — incluindo as escolhas que as pessoas fazem quando assumem vários empregos. Como isso se aplica ao serviço militar? Não podemos determinar a justiça ou injustiça do exército voluntário sem que tenhamos uma noção mais profunda sobre as condições básicas que prevalecem na sociedade: Existem oportunidades relativamente iguais para todos ou algumas pessoas têm muito poucas opções na vida? Todos têm a oportunidade de frequentar uma universidade ou, para alguns, a única opção seria o alistamento militar?

Tomando por base o raciocínio de mercado, o exército voluntário é atraente porque evita a coerção do alistamento obrigatório, fazendo com que o serviço militar resulte do consentimento. No entanto, algumas pessoas que acabam por servir ao exército voluntário podem ser tão avessas ao serviço militar quanto outras que não se alistam. Em lugares em que há muita pobreza e dificuldades econômicas, a opção por se alistar pode simplesmente refletir a falta de alternativas.

De acordo com essa objeção, o exército voluntário pode não ser tão voluntário quanto possa parecer. Na verdade, pode haver aí uma coerção implícita. Se algumas pessoas em uma sociedade não tiverem outra opção, aquelas que se alistam podem ser, na verdade, forçadas a fazê-lo por necessidade financeira. Nesse caso, a diferença entre a convocação e o exército voluntário não significa que uma seja compulsória e o outro livre, mas que cada um envolve uma forma diferente de coerção — a força da lei, no primeiro caso, e as pressões econômicas, no segundo. Só é possível dizer que a opção pelo alistamento remunerado reflete preferências, em vez de alternativas limitadas, se o indivíduo tiver à disposição uma gama de opções razoáveis de trabalho.

A situação econômica e escolar dos atuais voluntários do exército comprova a lógica dessa objeção, pelo menos até certo ponto. Jovens de regiões de baixa e média renda (renda familiar média de 30.850 até 57.836 dólares) representam a maioria nas fileiras ativas do exército.[8] Os 10% mais pobres da população (muitos dos quais podem não preencher os requisitos de educação e capacidade) e os 20% mais abastados (de regiões cuja renda média é de 66.329 dólares ou mais) são os que têm menor representação.[9] Nos últimos anos, mais de 25% dos recrutas não têm diploma de ensino médio.[10] E, enquanto 46% da população civil possui algum tipo de educação universitária, apenas 6,5% dos componentes das fileiras militares entre 18 e 24 anos frequentaram uma universidade.[11]

Em anos recentes, os jovens mais privilegiados da sociedade americana não têm optado pelo serviço militar, fato bem ilustrado pelo título de um livro recente sobre a composição das Forças Armadas: *AWOL: The Unexcused Absence of America's Upper Classes from Military Service*.[12] Dos 750 membros da turma de 1956 da Universidade de Princeton, a maioria — 450 alunos — entrou para o exército após a formatura. Entre os 1.108 formandos de 2006 da mesma universidade, apenas nove se alistaram.[13] Outras universidades de elite apresentaram os mesmos padrões — e também a capital do país. Apenas 2% dos membros do Congresso têm um filho ou filha no serviço militar.[14]

O deputado Charles Rangel, democrata do Harlem e veterano condecorado da Guerra da Coreia, considera isso injusto e tentou o restabelecimento da obrigatoriedade do serviço militar. "Já que americanos estão sendo enviados para a guerra", escreveu ele, "todos deveriam estar sujeitos a isso, e não apenas aqueles que, devido a circunstâncias econômicas, sejam atraídos pelas vantagens financeiras e pelos incentivos educacionais do alistamento." Ele destaca que, na cidade de Nova York, "a diferença desproporcional do serviço é dramática. Em 2004, 70% dos voluntários da cidade eram negros ou hispânicos, recrutados nas comunidades de baixa renda".[15]

Rangel foi contra a Guerra do Iraque e acredita que ela jamais teria sido deflagrada se os filhos dos congressistas tivessem o ônus de combatê-la. Ele também argumenta que, em face das oportunidades desiguais da sociedade americana, a convocação para o serviço militar por meio do mercado não é justa com aqueles que têm poucas alternativas.

> A maioria dos que pegam em armas por este país no Iraque vem das comunidades mais pobres das cidades do interior e das regiões rurais, onde o pagamento de até 40 mil dólares e mais milhares em benefícios educacionais tornam-se muito atraentes. Para as pessoas que podem optar pelo ensino superior, tais incentivos — comparados ao risco de morte — nada representam.[16]

Portanto, a primeira objeção à lógica de mercado para o exército voluntário refere-se à inequidade e à coerção — a inequidade da discriminação de classe e a coerção que pode ocorrer se as dificuldades financeiras compelirem os jovens a arriscar sua vida em troca da educação superior e outros benefícios.

Notemos que a objeção à coerção não é uma objeção ao exército voluntário em si. Ela se aplica apenas ao exército voluntário nas sociedades que apresentam desigualdades substanciais. Ao diminunir tais desigualdades, essa objeção é eliminada. Imaginemos, por exemplo, uma sociedade perfeitamente igualitária, na qual todos tivessem acesso às mesmas oportunidades de educação. Nessa sociedade, ninguém poderia queixar-se de que a opção de se alistar no Exército não fosse totalmente livre, alegando a pressão injusta das dificuldades financeiras.

Evidentemente não existe uma sociedade perfeitamente igualitária. Assim, o risco de coerção paira sempre sobre as escolhas feitas pelo indivíduo no mercado de trabalho. Qual seria o grau de paridade necessário para garantir que as escolhas do mercado fossem livres, em vez de coercitivas? Até que ponto as desigualdades nas condições de uma sociedade prejudicam a equidade das instituições sociais (como o exército voluntário) baseada na escolha individual? Em quais condições o livre mercado é realmente livre? Para responder a essas questões, precisamos analisar as filosofias morais e políticas que veem a liberdade — e não a felicidade — no âmago da justiça. Vamos, então, adiar essas questões até que cheguemos a Immanuel Kant e John Rawls, alguns capítulos adiante.

### *Objeção 2: A virtude cívica e o bem comum*

Analisemos, por enquanto, uma segunda objeção ao uso dos mercados no recrutamento para o serviço militar — objeção em nome da virtude cívica e do bem comum.

Essa objeção alega que o serviço militar não é apenas um emprego a mais, e sim uma obrigação cívica. De acordo com esse argumento, todos os cidadãos têm o dever de servir a seu país. Alguns partidários desse ponto de vista acreditam que essa obrigação só possa ser cumprida por meio do serviço militar, enquanto outros acreditam em formas alternativas de servir à nação americana, tais como o Peace Corps, o AmeriCorps ou o Teach for America. Entretanto, se o serviço militar (ou serviço nacional) é um dever cívico, é um erro colocá-lo à venda no mercado.

Vejamos agora outra responsabilidade cívica — a obrigação do cidadão de servir como jurado. Ninguém morre por atuar como jurado, mas o fato de ser convocado para isso pode ser oneroso, principalmente se houver um conflito com o trabalho ou com outros compromissos prementes. Ainda assim, não permitimos que as pessoas contratem substitutos para ocupar seu lugar no júri. Tampouco usamos o mercado de trabalho para criar um sistema de júri "totalmente voluntário", pago e profissional. Por que não? Partindo do raciocínio de mercado, essa opção poderia ser considerada. Os mesmos argumentos utilitaristas levantados contra a convocação de soldados aplicam-se contra a convocação de jurados: permitir que um indivíduo ocupado se isente da obrigação de ser jurado por meio da contratação de um substituto poderia ser vantajoso para ambas as partes. Eliminar o júri compulsório seria ainda melhor. O recrutamento de jurados qualificados por meio do mercado de trabalho teria a vantagem de permitir que aqueles que quisessem atuar como jurados o fizessem, deixando livres os que não tivessem vontade de participar de um júri.

Por que, então, renunciar à grande vantagem social do mercado para jurados? Talvez para evitar que jurados pagos assumam grande proporção entre indivíduos com baixo grau de instrução, comprometendo a qualidade da justiça. Mas não há motivos para que se parta do princípio de que pessoas mais abastadas sejam melhores jurados do que aquelas cuja formação seja mais modesta. De qualquer maneira, os salários e benefícios poderiam ser sempre ajustados (como fez o Exército) para atrair pessoas com o grau de instrução e a capacidade necessários.

O motivo pelo qual convocamos jurados em vez de contratá-los é porque consideramos a atividade de fazer justiça nos tribunais uma responsabilidade que todos os cidadãos devem compartilhar. Os jurados não estão ali simplesmente para votar; eles deliberam sobre as provas e as leis. E as decisões são fundamentadas nas diversas experiências de vida que os jurados das várias categorias sociais levam consigo. O dever de participar do júri não é apenas uma forma de resolver os casos. É também uma forma de educação cívica e uma expressão da cidadania em um regime democrático. Embora esse dever nem sempre seja enriquecedor, a ideia de que todos os cidadãos sejam obrigados a cumpri-lo mantém a ligação entre os tribunais e o povo.

Pode-se dizer algo semelhante sobre o serviço militar. O argumento cívico para a convocação obrigatória afirma que o serviço militar, tal como o dever para com o júri, é uma responsabilidade cívica. Ele expressa e aprofunda a cidadania democrática. Desse ponto de vista, transformar o serviço militar em mercadoria — serviço que contratamos outras pessoas para executar — corrompe os ideais cívicos que deveriam governá-lo. De acordo com essa objeção, é errado contratar soldados para a guerra, não porque isso seja uma injustiça para com o pobre, mas porque nos permite abrir mão de um dever cívico.

O historiador David M. Kennedy forneceu uma variante desse argumento. Ele diz que "as Forças Armadas dos Estados Unidos têm, hoje, muitas das características de um exército mercenário", que ele define como um exército profissional e pago, até certo ponto separado da sociedade pela qual luta.[17] Sem pretender menosprezar as razões daqueles que se alistam, ele teme que a contratação de um número relativamente pequeno de cidadãos de um país para irem à guerra deixe os demais afastados do conflito. Essa contratação rompe os laços entre a maioria dos cidadãos de uma democracia e os soldados que lutam em seu nome.

Kennedy observa que "em relação ao tamanho da população, o contingente militar atualmente em serviço ativo corresponde a cerca de 4% da força que venceu a Segunda Guerra Mundial". Isso torna relativamente fácil para o Legislativo levar o país para a guerra sem que seja preciso contar com a aprovação ampla e geral da sociedade. "A mais poderosa força militar da história pode ser enviada agora aos campos de batalha em nome de uma sociedade que mal se esforça para que isso aconteça."[18] O exército voluntário isenta a maioria dos americanos da responsabilidade de lutar e morrer por seu país. Apesar de algumas pessoas considerarem isso uma vantagem, eximir-se de compartilhar o sacrifício tem um preço, pois corrói a responsabilidade política:

> O que a maioria dos americanos que não corre qualquer risco de se expor ao serviço militar fez, na verdade, foi contratar alguns dos seus compatriotas menos afortunados para cumprir uma das suas tarefas mais perigosas, enquanto a maioria continua a realizar suas atividades sem derramar uma gota de sangue e sem se abalar.[19]

Uma das mais famosas considerações sobre a questão cívica do recrutamento obrigatório foi feita por Jean-Jacques Rousseau (1712-1778), teórico político do Iluminismo nascido em Genebra. Em *O contrato social* (1762), ele argumenta que transformar um dever cívico em uma mercadoria negociável não aumenta a liberdade; ao contrário, a reduz:

> A partir do momento em que um serviço público deixa de ser a principal atribuição dos cidadãos, que preferem servir com o próprio dinheiro em vez de se engajar para servir, o Estado está prestes a ruir. Quando é necessário marchar para a guerra, eles pagam aos soldados e ficam em casa (...) Em um país verdadeiramente livre, os cidadãos fazem tudo com os próprios braços e nada por meio do dinheiro. Longe de pagar para se isentar dos seus deveres, eles até pagariam para ter o privilégio de realizá-los. Estou longe de concordar com a noção geral: considero o trabalho forçado menos contrário à liberdade do que os impostos.[20]

A forte noção de cidadania de Rousseau e as desconfianças que tinha em relação ao mercado podem não se mostrar muito adequadas aos padrões atuais. Somos inclinados a considerar o Estado, com suas leis e regras rigorosas, a expressão da força e a considerar o mercado, com suas trocas voluntárias, a expressão da liberdade. Rousseau diria que é exatamente o contrário — pelo menos no que se refere aos bens cívicos.

Os defensores do mercado podem defender o exército voluntário rejeitando a rígida noção de cidadania de Rousseau, ou negando sua relevância para o serviço militar. Entretanto, os ideais cívicos que ele defende continuam a ter certa ressonância, mesmo em uma sociedade governada pelo mercado como os Estados Unidos. A maioria dos partidários do exército voluntário nega veementemente o fato de que ele possa transformar-se em um exército de mercenários. Com propriedade, afirmam que muitos daqueles que se alistam o fazem motivados pelo patriotismo, não apenas pelo dinheiro e pelos benefícios. Por que, então, consideramos isso importante? Desde que os soldados desempenhem devidamente suas funções, por que deveríamos nos preocupar com sua motivação? Mesmo que deleguemos ao mercado a responsabilidade pelo recrutamento, não é fácil dissociar o serviço militar de antigas noções de patriotismo e virtude cívica.

Consideremos, então: Qual é, na verdade, a diferença entre o exército voluntário contemporâneo e um exército de mercenários? Ambos pagam aos soldados para que lutem. Ambos incentivam o alistamento com promessas de salários e benefícios. Se o mercado é uma maneira apropriada de formar um exército, o que há realmente de errado com os mercenários?

Podemos alegar que os mercenários são estrangeiros que combatem por dinheiro, enquanto o exército voluntário dos Estados Unidos só alista cidadãos americanos. Mas se o mercado de trabalho é uma maneira adequada de recrutar soldados, não fica claro por que o Exército dos Estados Unidos deveria discriminar os cidadãos de outros países. Por que não recrutar os soldados entre cidadãos estrangeiros que queiram trabalhar e que tenham as qualificações necessárias? Por que não formar uma legião estrangeira com soldados de países em desenvolvimento, onde os salários são baixos e os bons empregos são escassos?

Poderíamos argumentar que soldados estrangeiros seriam menos leais do que os americanos. Mas a nacionalidade não é garantia de lealdade no campo de batalha, e aqueles que recrutam os soldados poderiam selecionar os candidatos estrangeiros para determinar sua confiabilidade. Uma vez que aceitemos a ideia do recrutamento para as fileiras militares por meio do mercado de trabalho, não há razão, em princípio, para que o serviço militar seja restrito apenas aos cidadãos americanos — não há razão a não ser que acreditemos que o serviço militar seja, acima de tudo, uma responsabilidade cívica, uma expressão de cidadania. Se acreditarmos nisso, aí sim teremos motivos para questionar a solução do mercado.

Passadas duas gerações do fim do alistamento obrigatório, os americanos ainda hesitam em aplicar a lógica de mercado ao serviço militar. A Legião Estrangeira francesa tem uma antiga tradição de recrutar soldados estrangeiros para combater pela França. Embora as leis do país proíbam que a Legião recrute cidadãos fora da França, a internet tornou essa restrição sem sentido. O recrutamento *on-line* em 13 idiomas atrai, atualmente, soldados de todo o mundo. Cerca de um quarto da força atual vem da América Latina, e aumenta a proporção proveniente da China e de outros países asiáticos.[21]

Os Estados Unidos não criaram uma legião estrangeira, mas já deram um passo nessa direção. Enfrentando dificuldades para conseguir combatentes para guerras como as do Iraque e do Afeganistão, o Exército começou a aceitar imigrantes estrangeiros que vivem atualmente nos Estados Unidos com visto temporário. Os argumentos de persuasão incluem bons salários e um caminho mais rápido para a obtenção da cidadania. Cerca de 30 mil não cidadãos servem no momento às Forças Armadas dos Estados Unidos. O novo programa, aberto antes apenas para residentes permanentes com *green card*, estende essa oportunidade também a imigrantes temporários, estudantes estrangeiros e refugiados.[22]

O recrutamento de soldados estrangeiros não é a única forma por meio da qual a lógica do mercado se expressa. Se considerarmos o serviço militar um emprego como qualquer outro, não há razão para acreditarmos que a contratação deva ser feita apenas pelo governo. Na verdade, atualmente os Estados Unidos terceirizam grande parte das funções militares para a iniciativa privada. Militares contratados desempenham um papel cada vez maior em conflitos em todo o mundo e representam uma parte substancial da presença militar dos Estados Unidos no Iraque.

Em julho de 2007, o *Los Angeles Times* informou que o número de prestadores de serviço contratados pelos Estados Unidos em ação no Iraque (180 mil) superava o número de militares em serviço em solo iraquiano (160 mil).[23] Muitos deles desempenhavam funções de apoio logístico fora das linhas de combate — construindo bases, consertando veículos, fazendo entregas de suprimentos ou trabalhando nos serviços de alimentação. Mas cerca de 50 mil trabalhavam na segurança armada, e suas funções na proteção de bases, comboios e diplomatas frequentemente os forçavam a combater.[24] Mais de 1.200 prestadores de serviço morreram no Iraque, mas não voltaram para casa em caixões cobertos com a bandeira e não foram incluídos nas estatísticas das baixas militares dos Estados Unidos.[25]

Uma das principais companhias militares privadas é a Blackwater Worldwide. Erik Prince, seu diretor presidente, é um ex-Seal da Marinha e fervoroso adepto do livre mercado. Ele não aceita que seus soldados sejam denominados “mercenários”, termo que considera “difamatório”.[26] Prince explica: "Estamos tentando fazer para o aparato da segurança nacional o mesmo que a Federal Express fez pelo serviço postal."[27] A Blackwater recebeu mais de um bilhão de dólares em contratos com o governo por seus serviços no Iraque, mas esteve muitas vezes no centro de controvérsias.[28] Seu papel veio a público pela primeira vez em 2004, quando quatro de seus funcionários sofreram uma emboscada e morreram em Fallujah e dois dos corpos foram pendurados em uma ponte. O incidente levou o presidente George W. Bush a enviar os fuzileiros para Fallujah, onde ocorreu uma monumental e cara batalha contra os insurgentes.

Em 2007, seis guardas da Blackwater abriram fogo contra uma multidão em uma praça de Bagdá, matando 17 civis. Os guardas, que alegaram que os inimigos haviam atirado antes, tinham imunidade contra ações judiciais pelas leis iraquianas devido a regras impostas pelas autoridades governamentais americanas após a invasão. Eles foram finalmente indiciados por homicídio involuntário pelo Departamento de Justiça dos Estados Unidos, e o incidente levou o governo do Iraque a solicitar a retirada da Blackwater do país.[29]

Muitos membros do Congresso e o público em geral se opõem à terceirização da guerra para companhias com fins lucrativos como a Blackwater. Grande parte das críticas refere-se à impossibilidade de responsabilizar tais companhias e ao seu envolvimento em situações de abuso. Vários anos antes do incidente da troca de tiros em que a Blackwater esteve envolvida, prestadores de serviços de outras empresas estavam entre os agressores dos detentos na prisão de Abu Ghraib. Embora os soldados do Exército envolvidos tenham sido julgados, os prestadores de serviço não foram punidos.[30]

Suponhamos, no entanto, que o Congresso aprovasse leis mais rigorosas para as companhias militares privadas com a finalidade de torná-las mais responsáveis e para que seus empregados fossem submetidos aos mesmos padrões de conduta impostos aos soldados dos Estados Unidos. O uso de companhias privadas para combater nossas guerras deixaria de ser questionável? Ou há uma diferença moral entre pagar à Federal Express para que ela entregue a correspondência e contratar a Blackwater para levar força letal aos campos de batalha?

Para responder a essa pergunta, precisamos antes resolver uma questão: O serviço militar (e talvez os serviços nacionais em geral) é uma obrigação cívica que todos os cidadãos têm o dever de cumprir ou é um trabalho difícil e arriscado como tantos outros (mineração, por exemplo, ou pesca comercial) devidamente regulamentados pelo mercado de trabalho? Para responder a essa pergunta, precisamos fazer outra mais abrangente: Quais são as obrigações que os cidadãos de uma sociedade democrática têm para com os demais e como surgem essas obrigações? Teorias diversas sobre justiça oferecem diferentes respostas para essa pergunta. Teremos mais condições de decidir se devemos convocar ou contratar soldados depois que explorarmos, mais adiante neste livro, os fundamentos e os objetivos da obrigação cívica. Enquanto isso, analisemos outra utilização controversa do mercado de trabalho.

## A BARRIGA DE ALUGUEL

William e Elizabeth Stern eram um casal de profissionais liberais que morava em Tenafly, Nova Jersey — ele era bioquímico, e ela, pediatra. Eles queriam ter um filho mas não podiam conceber, pelo menos não sem que isso trouxesse riscos para a saúde de Elizabeth, que sofria de esclerose múltipla. Então entraram em contato com um centro para tratamento de infertilidade que intermediava gravidez "de aluguel". O centro divulgava anúncios em busca de "mães de aluguel" — mulheres dispostas a carregar um bebê no ventre para outra pessoa em troca de compensação financeira.[31]

Uma das mulheres que responderam ao anúncio foi Mary Beth Whitehead, de 29 anos, mãe de duas crianças e casada com um trabalhador da área de saneamento. Em fevereiro de 1985, William Stern e Mary Beth Whitehead assinaram um contrato. Mary Beth aceitou se submeter a uma inseminação artificial com o esperma de William, gerar o bebê e entregá-lo a William após o nascimento. Ela também concordou em abrir mão de seus direitos maternos, para que Elizabeth Stern pudesse adotar a criança. Por sua vez, William aceitou pagar a Mary Beth a quantia de

10 mil dólares (por ocasião do parto), além das despesas médicas. (Ele também pagou 7.500 dólares ao centro de tratamento de infertilidade pela intermediação.)

Após várias tentativas de inseminação artificial, Mary Beth engravidou e, em março de 1986, deu à luz uma menina. Os Sterns, ansiosos por adotar logo a filha, deram-lhe o nome de Melissa. Mas Mary Beth decidiu que não conseguiria abrir mão da criança e resolveu ficar com ela. Ela fugiu para a Flórida com o bebê, mas os Sterns conseguiram uma ordem judicial para que ela lhes entregasse a criança. A polícia da Flórida encontrou Mary Beth, o bebê foi entregue aos Sterns e a batalha pela custódia foi parar na Justiça de Nova Jersey.

O juiz tinha de decidir se deveria fazer valer o contrato ou não. O que você acha que seria a coisa certa a fazer? Para simplificar, concentremo-nos na questão moral, deixando de lado a questão legal. Acontece que Nova Jersey não tinha leis que permitissem ou proibissem contratos sobre gravidez de aluguel na época. William Stern e Mary Beth Whitehead haviam assinado um contrato. Moralmente falando, ele deveria ser cumprido?

O argumento mais forte a favor do cumprimento do acordo é que trato é trato. Dois adultos, espontaneamente, estabeleceram um acordo que traria benefícios para ambas as partes: William Stern teria um filho biológico e Mary Beth Whitehead receberia 10 mil dólares pelos nove meses de trabalho.

É verdade que essa não foi uma transação comercial comum. Assim, poderíamos hesitar em fazer com que o contrato fosse cumprido por um dos dois seguintes motivos: Primeiramente, poderíamos questionar se o fato de uma mulher aceitar ter um bebê e entregá-lo a outra pessoa por dinheiro seria uma decisão fundamentada. Estaria ela realmente segura quanto aos sentimentos que teria quando chegasse o momento de abrir mão da criança? Se isso não fosse possível, poderíamos argumentar que seu consentimento inicial teria sido prejudicado pela necessidade de dinheiro e pela falta do conhecimento adequado sobre o que representaria, na verdade, o fato de abrir mão do filho. Em segundo lugar, poderia haver objeções quanto ao fato de vender bebês ou de alugar a capacidade reprodutiva de uma mulher, ainda que ambas as partes houvessem concordado com isso conscientemente. Poderíamos ainda argumentar que essa prática transforma crianças em mercadorias e explora mulheres ao tratar a gravidez e o parto como uma transação comercial.

O juiz Harvey R. Sorkow, encarregado do julgamento do caso que se tornou conhecido como "Baby M", não se deixou persuadir por nenhuma das objeções anteriores.[32] Ele alegou a invulnerabilidade dos contratos e exigiu o seu cumprimento. Trato é trato, e a mãe que gerara a criança não tinha o direito de quebrar um acordo simplesmente por haver mudado de ideia.[33]

O juiz fez considerações sobre ambas as objeções. Primeiramente, negou que a aquiescência de Mary Beth tivesse sido involuntária ou que ela tivesse sido de alguma forma influenciada:

> Nenhuma das partes estava em vantagem em relação à outra. Cada uma tinha aquilo que a outra queria. O valor do serviço que cada uma teria de realizar foi estipulado e o trato foi feito. Ninguém foi forçado a coisa alguma. Tampouco lançou-se mão de qualquer artifício que colocasse a outra parte em desvantagem. Ambas as partes tinham o mesmo poder de barganha.[34]

Em seguida, o juiz rejeitou a ideia de que a gravidez de aluguel é um comércio de bebês. Ele alegou que William Stern, o pai biológico, não comprou uma criança de Mary Beth Whitehead; ele pagou a ela pelo trabalho de engravidar e dar à luz seu filho. "Em um nascimento, o pai não compra o bebê. Ele é seu filho biológico e carrega sua herança genética. Uma pessoa não pode comprar aquilo que já é seu."[35] Segundo o raciocínio do juiz, uma vez que o bebê foi concebido a partir do esperma de William Stern, ele era seu filho. Portanto, não houve comércio de bebê. O pagamento de 10 mil dólares foi feito por um serviço (a gravidez e o parto), e não por um produto (a criança).

Quanto à alegação de que tal serviço é uma exploração da mulher, o juiz Sorkow discordou. Ele comparou a gravidez de aluguel à doação de esperma. Já que homens podem vender seu esperma, as mulheres deveriam poder vender sua capacidade reprodutiva: "Se um homem pode oferecer meios para a procriação, uma mulher pode, igualmente, fazê-lo."[36] Qualquer objeção a isso, declarou, seria privar a mulher da proteção igualitária da lei.

Mary Beth Whitehead apelou à Suprema Corte de Nova Jersey.* Por unanimidade, a corte anulou a sentença do juiz Sorkow e declarou inválido o contrato da gravidez de aluguel.[37] A corte deu a custódia de Baby M para William Stern com base no fato de que essa seria a melhor opção para a criança. Contrato à parte, a corte considerou que os Sterns teriam melhores condições de criar Melissa. Entretanto, restituiu a condição de mãe para Mary Beth Whitehead e determinou à Justiça comum que estipulasse direitos de visitação.

O relator, o presidente da Suprema Corte Robert Wilentz, rejeitou o contrato de aluguel, argumentando que ele não havia sido verdadeiramente voluntário e que constituía comércio de bebês.

Primeiramente, apontou falhas no consentimento de Mary Beth. Concordar em gerar uma criança e entregá-la após o nascimento não foi um ato realmente voluntário, porque Mary Beth não tinha condições de saber, de fato, o que isso implicava.

> De acordo com o contrato, a mãe natural se comprometeu de forma irrevogável antes de conhecer a força dos seus laços com a criança. Ela não poderia ter tomado uma decisão totalmente voluntária, consciente, pois é evidente que qualquer decisão antes do nascimento do bebê é, no sentido mais importante, uma decisão desinformada.[38]

Depois do nascimento da criança, a mãe está mais preparada para tomar uma decisão consciente. Entretanto, a essa altura sua decisão não é livre; ela sofre as pressões da "ameaça de um processo e da força persuasiva de um pagamento de 10 mil dólares", o que a torna "não totalmente voluntária".[39] Além disso, a necessidade financeira faz com que seja provável

*Nos Estados Unidos, os estados têm Suprema Corte, além da Federal. No Brasil, temos apenas o Supremo Tribunal Federal. (*N. da E.*)

que mulheres pobres "optem" por ser barrigas de aluguel para os ricos, em vez do contrário. O juiz Wilentz sugeriu que isso também colocava em questão o caráter voluntário de tais acordos: "Duvidamos que casais inférteis das camadas sociais mais baixas encontrem pessoas de camadas mais altas dispostas a fazer com eles um contrato de gravidez de aluguel."[40]

Assim sendo, uma das razões para o cancelamento do contrato foi o consentimento comprometido. Mas Wilentz deu outra razão, ainda mais fundamental:

> Deixando de lado a grande necessidade financeira e a sua falta de informações quanto às consequências que poderiam advir, sugerimos que seu consentimento tenha sido irrelevante. Existem algumas coisas em uma sociedade civilizada que o dinheiro não pode comprar.[41]

A gravidez de aluguel configura comércio de crianças, afirmou Wilentz, e o comércio de crianças é ilegal, por mais que seja voluntário. Ele rejeitou o argumento de que o pagamento tivesse sido pela gravidez de aluguel, e não pela criança. De acordo com o contrato, 10 mil dólares seriam pagos apenas depois que a mãe abrisse mão da custódia do bebê e de todos os seus direitos maternos.

> Trata-se da venda de uma criança ou, na melhor das hipóteses, da venda dos direitos de uma mãe sobre seu filho. A única atenuante é que o comprador é o pai (...) [Um] intermediário, incentivado pelo lucro, promove a venda. Qualquer que tenha sido o idealismo que motivou os participantes, o objetivo do lucro impõe-se, permeia e, finalmente, comanda a transação.[42]

## CONTRATOS DE GRAVIDEZ DE ALUGUEL E JUSTIÇA

Quem estaria certo, então, no caso Baby M — a corte que exigiu o cumprimento do contrato ou a que o invalidou? Para responder a essa pergunta, precisamos avaliar a força moral dos contratos e as duas objeções que foram levantadas contra o contrato de gravidez de aluguel.

O argumento a favor da manutenção do contrato baseia-se nas duas teorias de justiça que consideramos até aqui — libertarismo e utilitarismo. A tese do libertarismo para os contratos baseia-se no fato de que eles refletem a liberdade de escolha; respeitar um contrato assinado espontaneamente por dois adultos significa respeitar sua liberdade. A argumentação do utilitarismo nesses casos é que os contratos promovem bem-estar geral; se ambas as partes entrarem em um acordo, ambas devem obter algum benefício ou felicidade por meio dele — caso contrário, não o teriam assinado. Assim, a menos que fique claro que o acordo reduz a felicidade de alguém (mais do que beneficia as partes), as negociações mutuamente vantajosas — incluindo contratos de gravidez de aluguel — devem ser respeitadas.

Que dizer sobre as objeções? Elas são convincentes o bastante?

### *Objeção 1: Consentimento comprometido*

A primeira objeção, que questiona se Mary Beth Whitehead realmente fez um acordo voluntário, levanta uma questão sobre as condições nas quais as pessoas fazem escolhas. Ela argumenta que nossas escolhas só serão livres se não estivermos sob excessiva pressão (por necessidade financeira, digamos) e se estivermos razoavelmente informados sobre todas as alternativas. O que exatamente conta como pressão excessiva ou falta de consentimento fundamentado está aberto a discussão. Entretanto, o objetivo desse debate é determinar quando um acordo supostamente voluntário é realmente voluntário — ou não. Essa questão ficou bem evidente no caso Baby M, tal como aconteceu nas discussões sobre o exército de voluntários.

Deixando os casos de lado, vale notar que esse debate sobre as condições necessárias para que haja um consentimento significativo é, na verdade, uma disputa bem conhecida no âmbito de uma das três abordagens da justiça analisadas neste livro — aquela que diz que a justiça significa o respeito à liberdade. Como já vimos, o libertarismo faz parte dessa linha de raciocínio. Ele sustenta que a justiça requer o respeito às escolhas do indivíduo, quaisquer que sejam elas, desde que não estejam violando os direitos de ninguém. Outras teorias que veem a justiça como o respeito à liberdade impõem algumas restrições às condições da escolha. Elas dizem — como disse o juiz Wilentz em relação ao caso Baby M — que as escolhas feitas sob pressão, ou quando não houver um consentimento consciente, não são realmente voluntárias. Estaremos mais aptos para analisar esse debate quando abordarmos a filosofia política de John Rawls — partidário da teoria da liberdade que não aceita a abordagem libertarista da justiça.

*Objeção 2: Degradação e bens maiores*

O que dizer sobre a segunda objeção aos contratos de gravidez de aluguel — aquela que afirma que existem certas coisas que o dinheiro não deveria comprar, incluindo bebês e a capacidade reprodutiva da mulher? O que há exatamente de errado com a compra e a venda dessas "coisas"? A resposta mais convincente é que, quando tratamos bebês e gravidez como se fossem mercadorias, nós os depreciamos ou não lhes damos o devido valor.

Por trás dessa resposta existe um conceito abrangente: a maneira correta de avaliar bens e práticas sociais não depende simplesmente de nós. Algumas formas de avaliação são apropriadas para certos bens e práticas. No caso de mercadorias, como um carro ou uma torradeira, a maneira adequada de avaliá-las é fazer uso delas ou fabricá-las e vendê-las com fins lucrativos. Entretanto, seria errado tratar todas as coisas como se fossem mercadorias. Seria errado, por exemplo, tratar seres humanos como mercadorias, meros produtos para serem comprados e vendidos. Isso acontece porque seres humanos são pessoas que merecem respeito, e não objetos para ser usados. Respeito e uso são duas modalidades diferentes de avaliação.

Elizabeth Anderson, filósofa moral contemporânea, aplicou uma versão desse argumento à discussão sobre a gravidez de aluguel. Ela alega que os contratos de aluguel degradam a criança e a procriação ao tratá-la como mercadoria.[43] Ela entende como degradação tratar alguma coisa

> de acordo com uma modalidade de avaliação inferior àquela que seria adequada. Nós não avaliamos as coisas apenas como "mais" ou "menos", mas atribuímos a elas valores qualitativamente mais altos ou mais baixos. Amar e respeitar uma pessoa é atribuir-lhe um valor mais alto do que aquele que ela teria se fosse meramente usada (...) O comércio da gravidez degrada a criança pois a trata como mercadoria.[44]

Ele a usa como instrumento de lucro em vez de valorizá-la como uma pessoa merecedora de amor e cuidados.

A gravidez de aluguel também degrada a mulher, argumenta Anderson, porque trata seu corpo como se fosse uma fábrica e porque paga a ela para que não crie laços afetivos com a criança que gerou. Ela substitui "as normas de maternidade que normalmente governam a prática de gerar bebês pelas normas econômicas que governam a produção comum". Ao exigir que a mãe de aluguel "reprima todo tipo de amor materno que possa sentir pela criança", escreve Anderson, os contratos de gravidez de aluguel "transformam a procriação em um tipo de trabalho alienado".[45]

> No contrato de gravidez de aluguel, (a mãe) aceita não criar ou tentar criar um relacionamento mãe-filho com seu bebê. Seu trabalho é alienado porque ela deve desviá-lo da finalidade que as práticas sociais de uma gravidez corretamente incentivam — um laço emocional com seu filho.[46]

O ponto principal do argumento de Anderson é a noção de que as mercadorias pertencem a categorias diferentes; portanto, é um erro avaliá-las da mesma forma, como se fossem instrumentos de lucro ou objetos de uso. Se essa ideia estiver certa, ela explica por que existem certas coisas que o dinheiro não deveria comprar.

Ela também lança um desafio ao utilitarismo. Se a justiça for apenas uma questão de maximizar o peso do prazer sobre o do sofrimento, precisamos de uma forma única e uniforme para pesar e avaliar todas as mercadorias e o prazer ou a dor que elas possam nos proporcionar. Bentham criou o conceito de utilidade exatamente com esse objetivo. Mas Anderson alega que avaliar tudo de acordo com a utilidade (ou o dinheiro) degrada os bens e as práticas sociais — incluindo crianças, gravidez e criação dos filhos — que são devidamente avaliados de acordo com padrões mais elevados.

Quais são, no entanto, esses padrões mais elevados e como poderemos saber quais modalidades de avaliação são adequadas a quais bens e práticas sociais? Uma abordagem dessa questão começa com a ideia da liberdade. Considerando que os seres humanos são livres, não deveríamos ser usados como se fôssemos meros objetos; ao contrário, deveríamos ser tratados com dignidade e respeito. Essa abordagem enfatiza a distinção entre pessoas (merecedoras de respeito) e meros objetos ou coisas (para uso) como a distinção fundamental da moralidade. O maior defensor dessa noção é Immanuel Kant, de quem trataremos no próximo capítulo.

Outra abordagem das normas mais elevadas parte da ideia de que a forma certa de avaliar bens e práticas sociais depende dos propósitos e das finalidades aos quais tais práticas servem. Lembremo-nos de que, ao se opor à gravidez de aluguel, Anderson argumenta que "as práticas sociais da gravidez promovem" uma certa finalidade: um laço emocional da mãe com o filho. Um contrato que implique que a mãe não crie tal laço é degradante porque a afasta dessa finalidade. Ele substitui uma "norma de parentesco" por uma "norma de produção comercial". A noção de que identificamos as normas apropriadas às práticas sociais ao tentar captar a finalidade ou o propósito característicos de tais práticas é o ponto central da teoria de justiça de Aristóteles. Examinaremos sua abordagem em um capítulo posterior.

Não poderemos determinar realmente quais bens e práticas sociais devem ser governados pelo mercado até que examinemos essas teorias de moralidade e justiça. Mas a discussão sobre gravidez de aluguel, assim como a discussão sobre o exército de voluntários, nos dá uma ideia do que está em questão.

## TERCEIRIZANDO A GRAVIDEZ

Melissa Stern, que já foi conhecida como Baby M, formou-se recentemente pela Universidade George Washington no curso de religião.[47] Mais de duas décadas já se passaram desde a famosa batalha por sua custódia, em Nova Jersey, mas as discussões sobre a gravidez de aluguel permanecem. Muitos países europeus proíbem o comércio da gravidez. Nos Estados Unidos, mais de uma dezena de estados legalizou a prática, cerca de uma dezena a proíbe e nos demais seu status legal não está bem definido.[48]

Novas técnicas de reprodução mudaram o perfil da gravidez de aluguel e aumentaram o dilema ético que ela suscita. Quando Mary Beth Whitehead concordou em ter uma gravidez por encomenda, ela colocou à disposição tanto seu óvulo quanto seu ventre. Portanto, foi a mãe biológica da criança que gerou. A fertilização *in vitro*, porém, possibilita que uma mulher forneça o óvulo e outra o gere. Deborah Spar, professora de administração na Harvard Business School, analisou as vantagens comerciais da nova modalidade de gravidez de aluguel.[49] Anteriormente, quem desejasse contratar uma gravidez de aluguel "necessitaria comprar basicamente um único pacote de óvulo-mais-útero". Agora, podem-se adquirir "o óvulo de uma fonte (incluindo, em muitos casos, a mulher que pretende ser mãe) e o útero de outra".[50]

Esse "desdobramento" da cadeia de fornecimento, explica Spar, levou ao aumento do mercado da gravidez de aluguel.[51] "Ao remover a relação tradicional entre óvulo, útero e mãe, a gravidez de aluguel reduziu os riscos legais e emocionais que cercavam a gravidez por encomenda tradicional e permitiu que um novo mercado florescesse." "Livres das restrições do pacote óvulo-mais-útero", os intermediários do comércio de gravidez tornaram-se "mais exigentes" em suas transações, "procurando óvulos com características genéticas específicas e úteros ligados a uma determinada personalidade".[52] Os pais em potencial não precisam mais se preocupar com as características genéticas da mulher contratada para gerar seu bebê, "porque estão adquirindo essas características em outro lugar".[53]

> Eles não se importam com sua aparência e já não têm tanto medo de que ela reivindique a criança depois do nascimento, ou de que os tribunais fiquem inclinados a decidir a seu favor. Tudo de que eles realmente necessitam é uma mulher saudável, disposta a levar a cabo a gravidez e que se comprometa com certos padrões de comportamento — que não beba, não fume nem use drogas — durante a gravidez.[54]

Embora a gravidez por encomenda tenha aumentado a oferta de mães de aluguel, a demanda também aumentou. Mães de aluguel recebem atualmente de 20 mil a 25 mil dólares por gestação. O custo total da negociação (incluindo despesas médicas e taxas legais) oscila entre 75 mil e 80 mil dólares.

Com preços tão elevados, não é difícil entender por que os pais em potencial começaram a procurar alternativas menos dispendiosas. Como acontece com outros produtos e serviços em uma economia global, a gravidez por encomenda tem sido terceirizada por intermediários a um custo mais baixo. Em 2002, a Índia legalizou o comércio da gestação na esperança de atrair clientes estrangeiros.[55]

A cidade de Ananda, no oeste da Índia, pode em breve tornar-se para a gravidez de aluguel o mesmo que Bangalore representa para as centrais de atendimento. Em 2008, mais de cinquenta mulheres da cidade tiveram filhos para casais dos Estados Unidos, de Taiwan, da Inglaterra e de outros países.[56] Uma clínica local fornece alojamentos coletivos completos, com empregadas, cozinheiras e médicos, para 15 mulheres grávidas que geram filhos para clientes de todo o mundo.[57] O dinheiro que elas recebem, entre 4.500 e 7.500 dólares, muitas vezes representa mais do que conseguiriam ganhar em quinze anos e permite que comprem uma casa ou que financiem a educação dos próprios filhos.[58] Para os pais em potencial que viajam até Ananda, esse valor é uma barganha. O custo total de cerca de 25 mil dólares (incluindo despesas médicas, o pagamento da mãe de aluguel, a viagem aérea de ida e volta e as despesas de hotel para duas pessoas) representa mais ou menos um terço do que seria cobrado por uma barriga de aluguel nos Estados Unidos.[59]

Algumas pessoas acham que a gravidez comercial como é praticada atualmente levanta menos problemas morais do que a negociação que originou o caso Baby M. Já que a mãe de aluguel não fornece o óvulo, apenas o ventre e o trabalho da gestação, argumenta-se que a criança não pertence a ela geneticamente. De acordo com esse ponto de vista, não existe venda de bebê, e é menos provável que o direito de reivindicar a criança seja contestado.

Entretanto, a gravidez de aluguel não soluciona o dilema moral. Pode ser verdade que essas mães de aluguel estejam menos ligadas às crianças que geram do que aquelas que também fornecem o óvulo. Mas a divisão do papel de mãe em três partes (mãe adotiva, doadora do óvulo e barriga de aluguel) em vez de em duas não resolve a questão de quem tem mais direito de reivindicar a criança.

Na verdade, a terceirização da gravidez por meio da fertilização *in vitro* deixa mais em evidência o dilema moral da questão. A substancial economia para os pais em potencial e os enormes benefícios financeiros, em relação aos salários locais, que as mães de aluguel indianas obtêm com essa prática tornam inegável o fato de que o comércio da gravidez aumenta o bem-estar das pessoas envolvidas. Assim, do ponto de vista do utilitarismo, é difícil questionar a transformação da barriga de aluguel em uma indústria global.

Entretanto, a terceirização mundial da gravidez também dramatiza os questionamentos morais. Suman Dodia, uma indiana de 26 anos que gerou um bebê para um casal inglês, recebia 25 dólares por mês trabalhando como empregada doméstica. Para ela, a oportunidade de ganhar 4.500 dólares por nove meses de trabalho foi praticamente irresistível.[60] O fato de que ela tivera seus três filhos em casa e nunca consultara um médico torna seu caso ainda mais comovente. Em relação à sua gravidez por encomenda, disse ela: "Estou sendo mais cuidadosa agora do que fui quando estava grávida dos meus filhos."[61] Embora os benefícios financeiros de sua opção por ser mãe de aluguel fossem evidentes, não se pode afirmar que essa escolha tenha sido livre. Além disso, o surgimento de uma indústria de gravidez terceirizada em âmbito global — como uma política assumida em países pobres — aumenta a sensação de que a gravidez degrada a mulher ao transformar seu corpo e sua capacidade reprodutiva em meros instrumentos.

É difícil imaginar duas atividades humanas mais díspares do que gerar filhos e combater em guerras. Mas as mães de aluguel na Índia e o soldado que Andrew Carnegie contratou para lutar em seu lugar na Guerra Civil têm algo em comum. Ao refletir sobre o que é certo ou errado nessas situações, vemo-nos diante de duas das questões que dividem concepções antagônicas de justiça: Até que ponto nossas escolhas no livre mercado são realmente livres? Há certas virtudes e bens de natureza tão elevada que transcendam as leis do mercado e o poder do dinheiro?

## Notas

1. James W. Geary, *We Need Men: The Union Draft in the Civil War* (DeKalb, Northern Illinois University Press, 1991), pp. 3-48; James M. McPherson, *Battle Cry of Freedom: The Civil Era* (Nova York, Oxford University Press, 1988), pp. 490-94).
2. McPherson, *Battle Cry*, pp. 600-11.
3. Ibidem; Geary, *We Need Men*, pp. 103-50.
4. McPherson, *Battle Cry*, p. 601; Geary, *We Need Men*, p. 83.
5. Geary, *We Need Men*, p. 150, e *The Civil War: A Film by Ken Burns*, episódio 5, "The Universe of Battle", capítulo 8.
6. Jeffrey M. Jones, "Vast Majority of Americans Opposed to Reinstating Military Draft", Gallup News Service, 7 de setembro de 2007, em www.gallup.com/poll/28642/Vast-Majority-Americans-Opposed-Reinstituting-Military-Draft.aspx.
7. Hon. Ron Paul (R-Texas), "3000 American Deaths in Iraq", US House of Representatives, 5 de janeiro de 2007; em www.ronpaullibrary.org/document.php?id=532.
8. "Army Recruitment in FY 2008: A Look at Age, Race, Income, and Education of New Soldiers", National Priorities Project; dados da tabela 6: Active-duty Army: Recruits by Neighborhood Income, 2005, 2007, 2008; em www.nationalpriorities.org/militaryrecruiting2008/active_duty_army/recruits_by_neighborhood_income.

9. Ibidem. Um estudo da Heritage Foundation contesta esses dados, em parte mostrando que a proporção da origem dos oficiais não é equilibrada em relação aos códigos postais de determinadas áreas. Ver Shanea J. Watkins e James Sherk, "Who Serves in the US Military? Demographic Characteristics of Enlisted Troops and Officers", Heritage Center for Data Analysis, 21 de agosto de 2008, em www.heritage.org/Research/NationalSecurity/cdaou-05.cfm.
10. "Military Recruitment 2008: Significant Gap in Army's Quality and Quantity Goals", National Priorities Project; dados da Tabela 1: Educational Attinment, FY 2008, em www.nationalpriorities.org/militaryrecruiting2008/army2008edattainment.
11. David M. Kennedy, "The Wages of a Mercenary Army: Issues of Civil-Military Relations", *Bulletin of the American Academy* (primavera de 2006): 12-16. Kennedy cita Andrew Bacevich, *The New American Militarism: How Americans Are Seduced by War* (Nova York, Oxford University Press, 2005), p. 28.
12. Kathy Roth-Douquet e Frank Schaeffer, *AWOL: The Unexcused Absence of Americas's Upper Classes from Military Service* (Nova York, HarperCollins, 2006).
13. Arielle Gorin, "Princeton, in the Nation's Service?", *The Daily Princetonian*, 22 de janeiro de 2007. Os dados de Princeton são de Charles Moskos, sociólogo que estuda os militares. Moskos é citado em Julian E. Barnes e Peter Spiegel, "Expanding the Military, Without a Draft", *Los Angeles Times*, 24 de dezembro de 2006.
14. O *USA Today* informa que, segundo a biblioteca do Senado, pelo menos 9 dos 535 membros do Congresso têm filhos ou filhas que serviram no Iraque. Kathy Kiely, "Lawmakers Have Loved Ones in Combat Zone", *USA Today*, 23 de janeiro de 2007.
15. Charles Rangel, "Why I Want the Draft", *New York Daily News*, 22 de novembro de 2006, p. 15.
16. Ibidem.
17. Kennedy, "The Wages of a Mercenary Army"; ver também David M. Kennedy, "The Best Army We Can Buy", *New York Times*, 25 de julho de 2005, p. A19.
18. Ibidem, p. 13.
19. Ibidem, p. 16.
20. Jean-Jacques Rousseau, *The Social Contract (O contrato social)* (1762), livro III, capítulo 15, traduzido para o inglês por G. D. H. Cole (Londres, J. M. Dent and Sons, 1973).
21. Doreen Carvajal, "Foreign Legion Turns to Internet in Drive for Recruits", *Boston Sunday Globe*, 12 de novembro de 2006; Molly Moore, "Legendary Force Updates Its Image: Online Recruiting, Anti-Terrorist Activities Routine in Today's French Foreign Legion", *Washington Post*, 13 de maio de 2007, p. A14.

22. Júlia Preston, "US Military Will Offer Path to Citizenship", *New York Times*, 15 de fevereiro de 2009, p. 1; Bryan Bender, "Military Considers Recruiting Foreigners", *Boston Globe*, 26 de dezembro de 2006, p. 1.
23. T. Christian Miller, "Contractors Outnumber Troops in Iraq", *Los Angeles Times*, 4 de julho de 2007.
24. Peter W. Singer, "Can't Win with 'Em, Can't Go to War Without 'Em: Private Military Contractors and Counterinsurgency", Brookings Institution, *Foreign Policy Paper Series*, setembro de 2007, p. 3.
25. Segundo declaração do Departamento do Trabalho dos Estados Unidos, 1.292 prestadores de serviço foram mortos desde abril de 2008. Dados citados em Peter W. Singer, "Outsourcing the fight", *Forbes*, 5 de junho de 2008. Sobre morte de prestadores de serviços não incluídos na lista de militares dos Estados Unidos, ver Steve Fainaru, "Soldier of Misfortune: Fighting a Parallel War in Iraq, Private Contractors Are Officially Invisible — Even in Death", *Washington Post*, 1º de dezembro de 2008, p. C1.
26. Evan Thomas e March Hosenball, "The Man Behind Blackwater", *Newsweek*, 22 de outubro de 2007, p. 36.
27. Prince citado em Mark Hemingway, "Warriors for Hire: Blackwater USA and the Rise of Private Military Contractors", *The Weekly Standard*, 18 de dezembro de 2006.
28. As cifras de bilhões de dólares de Blackwater no Iraque são de Steve Fainaru, *Big Boy Rules: America's Mercenaries Fighting in Iraq* (Nova York, Da Capo, 2008), citado em Ralph Peters, "Hired Guns", *Washington Post*, 21 de dezembro de 2008.
29. Ginger Thompson e James Risen, "Five Guards Face US Charges in Iraq Deaths", *New York Times*, 6 de dezembro de 2008.
30. Singer, "Can't Win with 'Em", p. 7.
31. Os dados do caso apresentado nesse parágrafo e nos parágrafos seguintes foram colhidos de opiniões da corte: no caso *Baby M*, 217 New Jersey Superior Court, 313 (1987), e *Matter of Baby M*, Supreme Court of New Jersey, 537 *Atlantic Reporter*, 2ª série, 1227 (1988).
32. Caso *Baby M*, 217 New Jersey Superior Court, 313 (1987).
33. Ibidem, pp. 374-375.
34. Ibidem, p. 376.
35. Ibidem, p. 372.
36. Ibidem, p. 388.
37. *Matter of Baby M*, Supreme Court of New Jersey, 537 *Atlantic Reporter*, 2ª série, 1227 (1988).
38. Ibidem, p. 1248.
39. Ibidem.

40. Ibidem, p. 1249.
41. Ibidem.
42. Ibidem, pp. 1248-49.
43. Elizabeth S. Anderson, "Is Women's Labor a Commodity?", *Philosophy and Public Affairs* 19 (inverno de 1990): 71-92.
44. Ibidem, p. 77.
45. Ibidem, pp. 80-81.
46. Ibidem, p. 82.
47. Susannah Cahalan, "Tug O' Love Baby M All Grown Up", *New York Post*, 13 de abril de 2008.
48. Lorraine Ali e Raina Kelley, "The Curious Lives of Surrogates", *Newsweek*, 7 de abril de 2008; Deborah L. Spar, *The Baby Business* (Cambridge, Harvard Business School Press, 2006), pp. 83-84.
49. Spar, *The Baby Business*. Spar tornou-se então diretora do Barnard College.
50. Ibidem, p. 79.
51. Ibidem.
52. Ibidem, p. 80.
53. Ibidem, p. 81.
54. Ibidem.
55. Sam Dolnick, "World Outsources Pregnancies to India", Associated Press Online, 30 de dezembro de 2007.
56. Ibidem, ver também Amelia Gentleman, "India Nurtures Business of Surrogate Motherhood", *New York Times*, 10 de março de 2008, p. 9.
57. Dolnick, "World Outsources Pregnancies to India".
58. Ibidem.
59. Gentleman, "India Nurtures Business of Surrogate Motherhood".
60. A mulher e sua situação econômica estão em Dolnick, "World Outsources Pregnancies to India".
61. Ibidem.

# CAPÍTULO 5 O que importa é o motivo / **Immanuel Kant**

Se você acredita em direitos humanos universais, provavelmente não é um utilitarista. Se todos os seres humanos são merecedores de respeito, não importa quem sejam ou onde vivam, então é errado tratá-los como meros instrumentos da felicidade coletiva. (Lembre-se da história da criança malnutrida que era mantida em um porão pelo bem da "cidade da felicidade".)

Você poderia defender os direitos humanos baseando-se no fato de que, em longo prazo, respeitá-los maximiza a utilidade (a felicidade da maioria das pessoas). Nesse caso, entretanto, seu motivo para respeitar os direitos humanos não estaria baseado no respeito pelo indivíduo, mas sim no objetivo de tornar as coisas melhores para o maior número de pessoas. Uma coisa é condenar o sofrimento de uma criança porque ele reduz a felicidade geral e outra é condená-lo por ser moralmente inaceitável, uma injustiça com a criança.

Se os direitos não se baseiam na felicidade da maioria das pessoas, qual seria então sua base moral? Os libertários talvez tenham uma resposta: as pessoas não deveriam ser usadas como meros instrumentos para a obtenção do bem-estar alheio, porque isso viola o direito fundamental da propriedade de si mesmo. Minha vida, meu trabalho e minha pessoa pertencem a mim e somente a mim. Não estão à disposição da sociedade como um todo.

Como já vimos, no entanto, a ideia de que somos donos de nós mesmos, se aplicada de maneira radical, tem implicações que apenas um libertário convicto poderia apoiar: um mercado irrestrito sem a proteção de uma rede de segurança; um Estado mínimo, o que exclui a maioria das medidas para diminuir a desigualdade e promover o bem comum; e uma celebração tão completa do consentimento que permita ao ser humano infligir afrontas à própria dignidade, como o canibalismo ou a venda de si mesmo como escravo.

Nem mesmo John Locke (1632-1704), o grande teórico defensor dos direitos de propriedade e da limitação dos poderes do governo, está de acordo com a noção de propriedade ilimitada de nós mesmos. Ele repudia a ideia de que podemos dispor da nossa vida e da nossa liberdade como quisermos. Entretanto, a teoria de Locke sobre os direitos inalienáveis invoca Deus, o que é um problema para aqueles que procuram uma base moral para os direitos que não se apoie em dogmas religiosos.

## A QUESTÃO DOS DIREITOS PARA KANT

Immanuel Kant (1724-1804) apresenta uma proposta alternativa para a questão dos direitos e deveres, uma das mais poderosas e influentes já feitas por um filósofo. Ela não se fundamenta na ideia de que somos donos de nós mesmos ou na afirmação de que nossa vida e nossa liberdade sejam um presente de Deus. Ao contrário: parte da ideia de que somos seres racionais, merecedores de dignidade e respeito.

Kant nasceu em 1724, na cidade de Konigsberg, no leste da Prússia, onde morreu dois meses antes de completar 80 anos. Sua família tinha posses modestas. O pai fabricava selas e, tal como a mulher, era pietista, membro de uma seita protestante que enfatizava a vida religiosa interior e a prática da caridade.[1]

Kant destacou-se como aluno da Universidade de Konigsberg, para a qual entrou aos 16 anos. Durante algum tempo trabalhou como professor particular e mais tarde, aos 31 anos, conseguiu seu primeiro emprego acadêmico como palestrante autônomo, trabalho pelo qual era remunerado de acordo com o número de alunos que compareciam a suas palestras. Ele era popular e dedicado e proferia cerca de vinte palestras por semana, sobre assuntos que incluíam metafísica, lógica, ética, direito, geografia e antropologia.

Em 1781, aos 57 anos, Kant publicou seu primeiro livro importante, *A crítica da razão pura*, que desafiava a teoria empírica do conhecimento associada a David Hume e John Locke. Quatro anos mais tarde, publicou *Fundamentação da metafísica dos costumes*, o primeiro de vários trabalhos sobre filosofia moral. Cinco anos depois da publicação de *Princípios da moral e da legislação*, de Jeremy Bentham (1780), a *Fundamentação* de Kant foi uma crítica arrasadora ao utilitarismo. Kant argumenta que a moral não diz respeito ao aumento da felicidade ou a qualquer outra finalidade. Ele afirma, ao contrário, que ela está fundamentada no respeito às pessoas como fins em si mesmas.

A *Fundamentação* de Kant foi publicada pouco depois da Revolução Americana (1776) e antes da Revolução Francesa (1789). Em sintonia com o espírito e com o impulso moral daquelas revoluções, ela fornece uma base consistente para aquilo que os revolucionários do século XVIII denominaram os direitos do homem, e nós, no início do XXI, chamamos de direitos humanos.

A filosofia de Kant não é fácil. Mas não permita que isso se transforme em um empecilho ao seu estudo. O esforço vale a pena, porque as implicações são enormes. A *Fundamentação* levanta uma grande questão: Qual é o princípio supremo da moralidade? Ao responder a essa pergunta, faz outra, também extremamente importante: O que é liberdade?

As respostas de Kant a essas questões fazem parte da filosofia moral e política desde então. Mas sua influência histórica não é a única razão para que se preste atenção a ele. Por mais desafiadora que a filosofia de Kant possa parecer à primeira vista, ela na verdade está por trás de grande parte do pensamento contemporâneo sobre moral e política, mesmo que não nos demos conta disso. Portanto, ao tentar entender Kant não estamos apenas fazendo um exercício filosófico; estamos examinando alguns dos pressupostos-chave implícitos em nossa vida pública.

A importância atribuída por Kant à dignidade humana define nossas concepções atuais dos direitos humanos universais. Ademais, seu conceito de liberdade figura em muitos de nossos debates contemporâneos sobre justiça. Na introdução deste livro, destaquei três abordagens de justiça. Uma delas, a dos utilitaristas, diz que devemos definir a justiça e determinar a coisa certa a fazer perguntando-nos o que maximizará o bem-estar ou a felicidade da sociedade como um todo. Uma segunda abordagem associa justiça a liberdade. O pensamento libertário é um exemplo dessa abordagem. Segundo os libertários, a distribuição justa de renda e riqueza é aquela que tem origem na livre troca de bens e serviços, em um mercado sem restrições. Regular esse mercado é injusto, dizem eles, porque viola a liberdade individual de escolha. De acordo com uma terceira abordagem, justiça é dar às pessoas o que elas moralmente merecem, alocando bens para recompensar e promover a equidade. Como veremos quando estudarmos Aristóteles (no Capítulo 8), a abordagem fundamentada na virtude relaciona a justiça à reflexão sobre o que deve ser considerado uma boa vida.

Kant repudia a abordagem número um (maximização do bem-estar) e a abordagem número três (valorização da virtude). Segundo ele, elas não respeitam a liberdade humana. Kant é um grande defensor da abordagem número dois — aquela que associa justiça e moralidade à liberdade. Contudo, a concepção de liberdade que ele defende vai muito além da liberdade de escolha que praticamos quando compramos ou vendemos mercadorias no mercado. O que consideramos liberdade de mercado ou escolha do consumidor não é a verdadeira liberdade, segundo Kant, porque envolve simplesmente a satisfação de desejos que não escolhemos.

Logo chegaremos à concepção mais exaltada de Kant sobre liberdade. Antes disso, porém, vejamos por que ele acha que os utilitaristas estão errados em pensar que justiça e moralidade sejam uma questão de maximização da felicidade.

## O PROBLEMA COM A MAXIMIZAÇÃO DA FELICIDADE

Kant repudia o utilitarismo. Ao basear direitos em um cálculo sobre o que produzirá a maior felicidade, argumenta ele, o utilitarismo deixa esses direitos vulneráveis. Existe ainda um problema mais grave: tentar tomar como base para os princípios morais os desejos que porventura tivermos, é uma maneira errada de abordar a moral. Só porque uma coisa proporciona prazer a muitas pessoas, isso não significa que possa ser considerada correta. O simples fato de a maioria, por maior que seja, concordar com uma determinada lei, ainda que com convicção, não faz com que ela seja uma lei justa.

Kant afirma que a moralidade não deve ser baseada apenas em considerações empíricas, como interesses, vontades, desejos e preferências que as pessoas possam ter em um determinado momento. Esses fatores são variáveis e contingentes, diz ele, e dificilmente poderão servir como base para princípios morais universais — como direitos humanos universais. Mas o argumento mais fundamental de Kant é o de que basear os princípios morais em preferências e desejos — até mesmo o desejo da felicidade — seria um entendimento equivocado do que venha a ser moralidade. O princípio utilitarista da felicidade "não traz nenhuma contribuição para o estabelecimento da moralidade, visto que fazer um homem feliz é muito diferente de fazer dele um homem bom. Torná-lo astuto não é torná-lo virtuoso".[2] Fundamentar a moralidade em interesses e preferências destrói sua dignidade. Isso não nos ensina a distinguir o certo do errado, mas "apenas a sermos mais espertos".[3]

Se nossas vontades e nossos desejos não podem servir de base para a moralidade, o que nos resta então? Deus seria uma possibilidade. Mas essa não é a resposta de Kant. Embora fosse cristão, Kant não fundamenta a moralidade na autoridade divina. Em vez disso, argumenta que podemos atingir o princípio supremo da moralidade por meio do exercício daquilo que ele denomina "pura razão prática". Para sabermos como entender a lei moral de acordo com Kant, vamos agora explorar a íntima ligação, como ele a vê, entre nossa capacidade de raciocínio e nossa capacidade de liberdade.

Kant diz que somos merecedores de respeito, não porque somos donos de nós mesmos, mas porque somos seres racionais, capazes de pensar; somos também seres autônomos, capazes de agir e escolher livremente. Ele não quer dizer que sempre conseguimos agir racionalmente ou que sempre fazemos nossas escolhas com autonomia. Às vezes conseguimos fazer isso, às vezes, não. O que ele quer dizer é apenas que temos a capacidade de raciocinar e de ser livres, e que essa capacidade é comum aos seres humanos.

Kant admite que nossa capacidade de raciocínio não é a única que possuímos. Somos capazes também de sentir prazer e dor. Ele reconhece que somos criaturas sencientes, bem como racionais. Kant quer dizer que respondemos aos nossos sentidos, aos nossos sentimentos. Então

Bentham estava certo, mas apenas em parte. Ele tinha razão ao observar que gostamos do prazer e não gostamos da dor. Mas estava errado ao insistir que prazer e dor são "nossos mestres soberanos". Kant diz que a razão pode ser soberana, pelo menos parte do tempo. Quando a razão comanda nossa vontade, não somos levados apenas pelo desejo de procurar o prazer e evitar a dor.

Nossa capacidade de raciocinar está intimamente ligada a nossa capacidade de sermos livres. Juntas, essas capacidades nos tornam únicos e nos distinguem da existência meramente animal. Elas nos transformam em algo mais do que meras criaturas com apetites.

## O QUE É LIBERDADE?

Para entender a filosofia moral de Kant, precisamos saber o que ele entende por liberdade. Com frequência definimos liberdade como ausência de obstáculos para que possamos fazer o que quisermos. Kant discorda. Ele tem uma definição mais estrita e rigorosa de liberdade.

Kant raciocina da seguinte forma: quando nós, como animais, buscamos o prazer ou evitamos a dor, na verdade não estamos agindo livremente. Estamos agindo como escravos dos nossos apetites e desejos. Por quê? Porque, sempre que estamos em busca da satisfação dos nossos desejos, tudo que fazemos é voltado para alguma finalidade além de nós. Faço isso para aplacar minha fome, faço aquilo para aliviar minha sede.

Suponhamos que eu tenha dúvidas sobre qual sabor de sorvete pedir: chocolate, baunilha ou café expresso com caramelo crocante? Posso supor que esteja, dessa forma, exercendo meu direito de liberdade, mas na realidade estou tentando descobrir qual sabor satisfará melhor minhas preferências — preferências que não foram escolhas minhas, para começo de conversa. Kant não afirma que é errado tentar satisfazer nossas preferências. A questão é a seguinte: quando fazemos isso, não estamos agindo livremente, mas agindo de acordo com uma determinação exterior. Na verdade, não optei por meu desejo de tomar sorvete de café expresso com caramelo crocante em vez de baunilha. Simplesmente tenho tal desejo.

Há alguns anos, o refrigerante Sprite tinha um slogan publicitário: "Obedeça à sua sede." O anúncio do Sprite continha (inadvertidamente, sem dúvida) uma inspiração kantiana. Quando pego uma lata de Sprite (ou de Pepsi ou de Coca), estou agindo por obediência, e não por liberdade. Estou atendendo a um desejo que não escolhi ter. Estou obedecendo à minha sede.

As pessoas frequentemente discutem o papel que a natureza e a cultura têm no comportamento. Estaria o desejo de tomar Sprite (ou outra bebida adocicada) inscrito nos genes ou teria ele sido induzido pela propaganda? Para Kant, essa discussão não vem ao caso. Quer meu desejo seja biologicamente determinado, quer seja socialmente condicionado, ele não é verdadeiramente livre. Para agir livremente, de acordo com Kant, deve-se agir com autonomia. E agir com autonomia é agir de acordo com a lei que imponho a mim mesmo — e não de acordo com os ditames da natureza ou das convenções sociais.

Uma forma de entender o que Kant quer dizer quando fala em agir com autonomia é comparar o conceito de autonomia com seu oposto. Kant inventa uma palavra para melhor definir esse contraste — *heteronomia*. Quando ajo com heteronomia, ajo de acordo com determinações exteriores. Eis um exemplo: quando você deixa cair uma bola de bilhar, ela não está agindo livremente. Seu movimento é comandado pelas leis da natureza — nesse caso, a lei da gravidade.

Suponhamos que eu caia (ou seja empurrado) do Empire State Building. Ao me espatifar no chão, ninguém diria que estou agindo livremente; meu movimento é comandado pela lei da gravidade, tal como o da bola de bilhar.

Agora, suponhamos que eu caia sobre outra pessoa e a mate. Eu não seria moralmente responsável pela desafortunada morte, não mais do que a bola de bilhar teria sido caso ela tivesse caído de uma grande altura sobre a cabeça de alguém. Em nenhum dos casos o objeto que cai — eu ou a bola de bilhar — está agindo livremente. Em ambos os casos, o objeto que cai é comandado pela lei da gravidade. E, se não existe autonomia, não pode haver responsabilidade moral.

Eis, portanto, a relação entre liberdade como autonomia e a concepção de Kant sobre moral. Agir livremente não é escolher as melhores formas para atingir determinado fim; é escolher o fim em si — uma escolha que os seres humanos podem fazer e bolas de bilhar (e a maioria dos animais) não podem.

## PESSOAS E COISAS

São 3h e seu colega de quarto na faculdade lhe pergunta por que você ainda está acordado meditando sobre dilemas morais envolvendo bondes desgovernados.

— Porque quero fazer um bom trabalho de ética.

— Mas para que você quer fazer um bom trabalho? — pergunta o colega.

— Para conseguir uma boa nota.

— Mas por que você se importa com boas notas?

— Porque quero arranjar um emprego em um banco de investimentos.

— Mas para que arranjar um emprego em um banco de investimentos?

— Para algum dia me tornar gerente de fundos *hedge*.

— Mas para que você quer se tornar gerente de fundos *hedge*?

— Para ganhar muito dinheiro.

— Mas para que você quer ganhar muito dinheiro?

— Para poder comer lagosta com frequência, algo que gosto de fazer. Afinal, sou uma criatura senciente. E é por *isso* que estou acordado até agora, pensando em bondes desgovernados.

Esse é um exemplo daquilo que Kant chamaria de determinação heteronômica — fazer alguma coisa por causa de outra coisa, por causa de outra coisa, e assim por diante. Quando agimos de maneira heteronômica, agimos em função de finalidades externas. Nós somos os instrumentos, e não os autores, dos objetivos que tentamos alcançar.

A concepção de Kant sobre autonomia é o absoluto oposto disso. Quando agimos com autonomia e obedecemos a uma lei que estabelecemos para nós mesmos, estamos fazendo algo por fazer algo, como uma finalidade em si mesma. Deixamos de ser instrumentos de desígnios externos. Essa capacidade de agir com autonomia é o que confere à vida humana sua dignidade especial. Ela estabelece a diferença entre pessoas e coisas.

Para Kant, o respeito à dignidade humana exige que tratemos as pessoas como fins em si mesmas. Por isso é errado usar algumas pessoas em prol do bem-estar geral, como prega o utilitarismo. Empurrar o homem corpulento nos trilhos a fim de deter o bonde seria usá-lo como um meio, e não respeitá-lo como um fim em si mesmo. Um utilitarista iluminado (como Mill) poderia recusar-se a empurrar o homem pelas consequências secundárias do ato que diminuiriam a felicidade em longo prazo. (Logo as pessoas passariam a ter medo de ficar paradas no alto de pontes etc.) Mas Kant argumentaria que esse seria um motivo errado para desistir de empurrá-lo, pois a vítima em potencial ainda é tratada como um instrumento, um objeto, um mero meio para proporcionar a felicidade alheia. Esse raciocínio não preserva a vida do homem para o seu próprio bem, mas para que outras pessoas passem por pontes sem ter medo.

Tudo isso leva à questão do que dá valor moral a uma ação. Ela nos leva do rigoroso conceito de liberdade de Kant a seu igualmente rigoroso conceito de moralidade.

## O QUE É MORAL? PROCURE O MOTIVO

De acordo com Kant, o valor moral de uma ação não consiste em suas consequências, mas na intenção com a qual a ação é realizada. O que importa é o motivo, que deve ser de uma determinada natureza. O que importa é fazer a coisa certa porque é a coisa certa, e não por algum outro motivo exterior a ela.

"Uma boa ação não é boa devido ao que dela resulta ou por aquilo que ela realiza", escreve Kant. Ela é boa por si, quer prevaleça quer não. "Mesmo que (...) essa ação não consiga concretizar suas intenções; que apesar de todo o seu esforço não seja bem-sucedida (...) ainda assim continuará a brilhar como uma joia, como algo cujo valor lhe seja inerente."[4]

Para que uma ação seja moralmente boa, "não basta que ela se *ajuste* à lei moral — ela deve ser praticada *em prol* da lei moral".[5] E o motivo que confere o valor moral a uma ação é o dever, o que para Kant é fazer a coisa certa pelo motivo certo.

Ao afirmar que apenas o cumprimento do dever confere valor moral a uma ação, Kant ainda não especifica quais são os nossos deveres. Ele ainda não nos diz o que o supremo princípio de moralidade comanda. Está simplesmente observando que, quando avaliamos o valor moral de uma ação, estamos avaliando o motivo pelo qual ela é praticada, e não suas consequências.[6]

Se agirmos por qualquer outro motivo que não seja o dever, como o interesse próprio, por exemplo, nossa ação não terá valor moral. Isso se aplica, segundo Kant, não apenas ao nosso interesse próprio, mas também a qualquer tentativa de satisfazer nossas vontades e preferências, nossos desejos e apetites. Kant compara motivos como esses — que denomina "motivos de inclinação" — com a motivação pelo dever. E insiste no fato de que apenas as ações motivadas pelo dever têm valor moral.

### *O comerciante calculista e o Better Business Bureau*

Kant nos dá vários exemplos que evidenciam a diferença entre dever e inclinação. Um deles trata de um comerciante prudente. Um freguês inexperiente — digamos, uma criança — entra em uma mercearia para comprar um pão de forma. O dono da loja poderia cobrar-lhe um valor mais alto — mais alto do que o normal para um pão de forma — e a criança nada perceberia. Mas o comerciante calcula que, se outras pessoas descobrirem que ele tirou proveito da inocência de uma criança dessa forma, o caso poderá chegar ao conhecimento geral e prejudicar seu comércio. Por essa razão, ele resolve não explorar a criança e cobra o preço justo. No caso, o lojista fez a coisa certa, porém pelo motivo errado. Seu único motivo para agir honestamente em relação à criança foi a proteção da própria reputação. O lojista age honestamente apenas para preservar o próprio interesse, portanto seu ato não tem valor moral.[7]

Encontramos uma versão moderna do exemplo de Kant sobre o comerciante prudente na campanha de recrutamento do Better Business Bureau de Nova York. Para conquistar novos membros, o BBB ocasionalmente publica um anúncio de página inteira no *New York Times* com a seguinte manchete: "A honestidade é a melhor política. E é também a mais lucrativa." O texto do anúncio não deixa dúvidas sobre o motivo.

> Honestidade. Ela é tão importante quanto qualquer outro recurso. Porque um negócio baseado na verdade, na clareza e no valor justo será sempre bem-sucedido. E é com esse objetivo que apoiamos o Better Business Bureau. Junte-se a nós. E lucre com isso.

Kant não condenaria o Better Business Bureau; é louvável que se incentive o comércio honesto. Entretanto, existe uma importante diferença moral entre a honestidade pela honestidade e aquela voltada para benefícios de natureza prática. O primeiro caso tem a ver com princípios morais; o segundo, com prudência. Kant argumenta que apenas aquele que se baseia em princípios alinha-se com a razão do dever, a única razão que confere valor moral à ação.

Consideremos, ainda, o seguinte exemplo: há alguns anos, a Universidade de Maryland tentou combater um problema generalizado de cola e pediu aos alunos que assinassem termos de compromisso comprometendo-se a não colar. Como incentivo, aqueles que assinaram o termo receberam um cupom de desconto de 10 a 25% para utilizar no comércio local.[8] Não se sabe quantos alunos prometeram não colar de olho no desconto na pizzaria. Mas a maioria de nós concordaria que a honestidade comprada não tem valor moral. (Os descontos podem ou não ter reduzido a incidência de cola; a questão moral, no entanto, é saber se a honestidade motivada pelo desconto ou recompensa financeira tem valor moral. Kant diria que não.)

Esses casos evidenciam a racionalidade do argumento de Kant de que apenas a motivação do dever — fazer alguma coisa porque é o certo, não porque é útil ou conveniente — confere valor moral a uma ação. No entanto, dois outros exemplos expõem a complexidade do argumento de Kant.

### *Manter-se vivo*

O primeiro exemplo envolve nosso dever, segundo Kant, de preservar a própria vida. Já que a maioria das pessoas deseja realmente continuar vivendo, esse dever raramente é colocado em discussão. A maioria das precauções que tomamos para preservar nossa vida, portanto, não tem conteúdo moral. Afivelar o cinto de segurança e controlar a taxa de colesterol são atos de prudência, e não atos morais.

Kant admite que muitas vezes é difícil saber o que motiva as pessoas a agir de uma determinada maneira. E reconhece que as motivações pelo dever e pela inclinação podem estar presentes simultaneamente. O que ele deixa claro é que apenas a motivação pelo dever — fazer algo porque é certo, e não porque é agradável ou conveniente — confere valor moral a uma ação. Ele ilustra esse ponto de vista com o exemplo do suicídio.

A maioria das pessoas continua a viver porque gosta da vida, e não porque tenha o dever de fazê-lo. Kant cita um caso em que a motivação do dever é colocada em questão. Ele imagina um indivíduo desesperançoso e infeliz, tão desesperado que não deseja mais continuar a viver. Se esse indivíduo reunir forças para preservar sua vida, não por inclinação, mas por dever, sua ação terá valor moral.[9]

Kant não diz que apenas os infelizes podem cumprir o dever de preservar sua vida. É possível amar a vida e ainda assim preservá-la pela razão certa — ou seja, porque temos o dever de fazê-lo. O desejo de continuar a viver não elimina o valor moral de preservarmos nossa vida, desde que reconheçamos que temos o dever de preservá-la e que o façamos por esse motivo.

### *O misantropo moral*

Talvez a questão mais difícil para o pensamento de Kant seja o que ele considera o dever de ajudar o próximo. Algumas pessoas são altruístas, sentem compaixão pelos outros e têm prazer em ajudá-los. Para Kant, no entanto, as boas ações advindas da compaixão, "embora corretas e cordiais", não têm valor moral. Isso parece contrariar o bom senso. Não é bom que tenhamos prazer em ajudar os outros? Kant diria que sim. Ele certamente nada vê de errado nas ações motivadas pela compaixão. No entanto, faz uma distinção entre o fato de ajudar os outros por prazer — porque praticar boas ações é um ato prazeroso — e ajudá-los por dever. E afirma que uma ação só tem valor moral se for motivada pelo dever. A compaixão do altruísta "merece louvor e incentivo, mas não tem valor moral".[10]

O que é preciso para que uma ação tenha valor moral? Kant dá uma situação como exemplo: imaginemos que nosso altruísta sofra um revés que acabe com seu amor pela humanidade. Ele se transforma em um misantropo sem simpatia ou compaixão. No entanto, esse ser sem coração abandona sua indiferença e vem em auxílio dos demais seres humanos. Sem nenhuma inclinação para ajudar, ele o faz "apenas em cumprimento ao dever". Agora, sim, sua ação tem valor moral.[11]

De certa forma, esse conceito parece um pouco estranho. Estaria Kant considerando os misantropos exemplos de moral? Não exatamente. Sentir prazer em fazer a coisa certa não elimina, necessariamente, seu valor moral. O que importa, segundo Kant, é que a boa ação seja feita por ser a coisa certa — quer isso nos dê prazer, quer não.

### *O herói da competição de soletração*

Analisemos um episódio que aconteceu há alguns anos no concurso nacional de soletração em Washington. Pediram a um menino de 13 anos para soletrar *ecolalia*, palavra que significa uma tendência a repetir tudo aquilo que se ouve. Embora ele não tenha soletrado a palavra corretamente, os juízes não perceberam o erro, consideraram a resposta certa e permitiram que ele avançasse na competição. Quando percebeu que havia errado, o menino dirigiu-se aos juízes e os avisou. Foi, então, eliminado. As manchetes dos jornais do dia seguinte consideraram o jovem "um herói da competição de soletração" e sua foto apareceu no *New York Times*. "Os juízes disseram que eu era um exemplo de integridade", disse o menino aos repórteres. Ele disse que parte de sua motivação teria sido que ele não queria "se sentir como um verme".[12]

Quando li a declaração do herói da soletração logo imaginei o que Kant pensaria a respeito. O fato de a pessoa não desejar sentir-se como um verme é, evidentemente, uma inclinação. Portanto, se esse foi o motivo pelo qual o menino falou a verdade, seu ato perdeu o valor moral. Mas essa seria uma afirmação dura demais. Significaria que apenas as pessoas insensíveis seriam capazes de praticar atos com algum valor moral. Não acredito que Kant pensasse assim.

Se a única razão pela qual o menino disse a verdade foi evitar sentir-se culpado, ou evitar os comentários negativos que ocorreriam caso seu erro fosse descoberto, aí, sim, seu ato não teria valor moral. Mas, se ele disse a verdade porque sabia que era a coisa certa a fazer, seu ato teve valor moral, apesar do prazer ou da satisfação que possa ter lhe proporcionado. Desde que tenha feito a coisa certa pelo motivo certo, sentir-se bem com isso não diminui seu valor moral.

O mesmo aplica-se ao altruísta de Kant. Se ele ajuda os outros simplesmente pelo prazer que isso lhe proporciona, seu ato não tem valor moral. Mas, se ele reconhece que tem o dever de ajudar outro ser humano e age em função desse dever, aí, sim, o prazer que possa advir disso não o desqualifica moralmente.

Na prática, evidentemente, dever e inclinação com frequência coexistem. É quase sempre difícil compreender nossos próprios motivos, mais ainda saber com certeza os motivos das outras pessoas. Kant não nega isso. Tampouco pensa que somente um misantropo sem coração possa praticar atos de valor moral. O objetivo principal de seu exemplo do misantropo é isolar a motivação do dever — para poder vê-la livre da empatia e da compaixão. E, uma vez que vejamos a motivação pelo dever, poderemos identificar a característica das nossas boas ações que lhes confere valor moral — ou seja, seu princípio, e não suas consequências.

## QUAL É O PRINCÍPIO MORAL SUPREMO?

Se moralidade significa agir em função do dever, resta saber em que consiste o dever. Compreender isso, segundo Kant, é compreender o princípio supremo da moralidade. Qual é o princípio supremo da moralidade? O objetivo de Kant em *Fundamentação* é responder a essa pergunta.

Podemos abordar a resposta de Kant vendo como ele correlaciona três grandes conceitos: moralidade, liberdade e razão. Ele explica esses conceitos por meio de uma série de antagonismos ou dualismos. Esse processo envolve um certo uso de jargão filosófico, mas, se percebermos o paralelo entre os seguintes termos contrastantes, estaremos no caminho certo para entender filosofia moral de Kant. Aqui estão os contrastes que devemos ter em mente:

| | |
|---|---|
| Contraste 1 (moralidade): | dever *versus* inclinação |
| Contraste 2 (liberdade): | autonomia *versus* heteronomia |
| Contraste 3 (razão): | imperativos categóricos *versus* imperativos hipotéticos |

Já exploramos o primeiro desses contrastes, entre dever e inclinação. Apenas a motivação do dever confere valor moral a uma ação. Vejamos se conseguirei explicar os outros dois.

O segundo contraste descreve duas maneiras diferentes de determinar minha vontade — de forma autônoma ou heteronômica. De acordo com Kant, só serei livre se minha vontade for determinada de maneira autônoma, comandada por uma lei que eu mesmo me imponho. Repito que costumamos considerar a liberdade a capacidade de fazermos aquilo que quisermos, de tentar realizar nossos desejos sem impedimentos. Mas Kant lança um grande desafio a esse conceito de liberdade: Se você não escolheu esses desejos livremente em primeiro lugar, como pode imaginar-se livre ao tentar realizá-los? Kant aborda essa questão ao contrapor autonomia e heteronomia.

Quando minha vontade é determinada de maneira heteronômica, ela é determinada externamente, ou seja, fora de mim. Entretanto, surge daí uma difícil questão: Se a liberdade significa algo mais do que seguir meus desejos e minhas inclinações, como isso é possível? Não seria tudo que eu faço motivado por algum desejo ou inclinação determinado por influências externas?

A resposta está longe de ser óbvia. Kant observa que "tudo na natureza funciona de acordo com leis", como as da necessidade natural, as da física, as de causa e efeito.[13] E isso nos inclui. Afinal de contas, somos seres naturais. Os seres humanos não estão imunes às leis da natureza.

No entanto, se somos capazes de ser livres, devemos ser capazes de agir de acordo com outro tipo de lei, leis que não as da física. Kant argumenta que toda ação é governada por algum tipo de lei. E, se nossas ações fossem governadas apenas pelas leis da física, não seríamos diferentes daquela bola de bilhar do exemplo que vimos. Assim, se somos capazes de ser livres, devemos ser capazes de agir não apenas de acordo com uma lei que nos tenha sido dada ou imposta, mas de acordo com uma lei que outorgamos a nós mesmos. Mas de onde viria essa lei?

A resposta de Kant: da razão. Não somos apenas seres sencientes, que obedecem aos estímulos de prazer e dor que recebemos dos nossos sentidos; somos também seres racionais, capazes de pensar. E, se a razão determina minha vontade, então a vontade torna-se o poder de escolher independentemente dos ditames da natureza ou da inclinação. (Note-se que Kant não afirma que a razão sempre governa a vontade; ele apenas diz que, na medida em que sou capaz de agir livremente, de acordo com uma lei que eu mesmo me outorguei, a razão deve poder, então, governar minha vontade.)

É evidente que Kant não foi o primeiro filósofo a sugerir que seres humanos sejam capazes de raciocinar. Mas sua noção de razão, assim como suas concepções de liberdade e moralidade, é especialmente rigorosa. Para os filósofos empiristas, incluindo os utilitaristas, a razão é simplesmente um instrumento. Ela nos permite identificar os meios para que possamos atingir determinados objetivos — objetivos que a razão em si não nos fornece. Thomas Hobbes definia a razão como a "sentinela dos desejos". David Hume a chamava de "escrava das paixões".

Os utilitaristas viam os seres humanos como capazes de raciocinar, mas um raciocínio apenas instrumental. A função da razão, para os utilitaristas, não é determinar quais são os objetivos que vale a pena buscar. Sua função é descobrir como maximizar a utilidade por meio da satisfação dos desejos que porventura tivermos.

Kant repudia esse papel subalterno da razão. Para ele, a razão não é somente uma escrava das paixões. Se a razão fosse apenas isso, diz Kant, estaríamos melhor se optássemos pelos instintos.[14]

O conceito kantiano de razão — de razão prática, aquela que tem a ver com a moralidade — não é o de uma razão instrumental, e sim "uma razão prática pura, que cria suas leis *a priori*, a despeito de quaisquer objetivos empíricos".[15]

## IMPERATIVOS CATEGÓRICOS *VERSUS* IMPERATIVOS HIPOTÉTICOS

Como pode a razão fazer isso? Kant distingue duas maneiras pelas quais a razão pode comandar a vontade, dois tipos diferentes de imperativo. Um tipo de imperativo, talvez o mais familiar, é o hipotético. Imperativos hipotéticos usam a razão instrumental: se você deseja X, então faça Y. Se você quer ter uma boa reputação nos negócios, então trate seus clientes honestamente.

Kant faz uma comparação entre os imperativos hipotéticos, que são sempre condicionais, e um tipo de imperativo incondicional: o imperativo categórico. "Se a ação for boa apenas como um meio para atingir uma determinada coisa", escreve Kant, "o imperativo será hipotético. Se a ação for boa em si, e, portanto, necessária para uma vontade que, por si só, esteja em sintonia com a razão, o imperativo, nesse caso, será categórico."[16] O termo *categórico* pode parecer um jargão, mas não está tão distante da maneira como costumamos empregá-lo. Por "categórico" Kant entende "incondicional". Assim, quando um político nega categoricamente um suposto escândalo, por exemplo, a negativa não é meramente enfática; é incondicional — sem deixar margem a interpretações. Da mesma forma, um dever ou um direito categórico é aquele que deve prevalecer em quaisquer circunstâncias.

Para Kant, um imperativo categórico comanda, digamos assim, categoricamente — sem referência a nenhum outro propósito e sem depender de nenhum outro propósito. "Ele não está relacionado com o objetivo da ação e seus supostos resultados, e sim com sua forma e com o princípio do qual ele partiu. E o que há de essencialmente positivo na ação é a disposição mental, quaisquer que sejam as consequências." Somente um imperativo categórico, segundo Kant, pode ser considerado um imperativo da moralidade.[17]

Mostra-se, agora, a relação entre os três contrastes paralelos. Para ser livre no sentido de ser autônomo, é preciso que eu aja a partir de um imperativo categórico, e não a partir de um imperativo hipotético.

Surge daí uma questão importante: O que *é* imperativo categórico e o que ele exige de nós? Kant diz que podemos responder a essa pergunta partindo da noção de "uma lei prática que detenha o comando absoluto, sem quaisquer outros motivos".[18] Podemos responder a essa pergunta a partir da noção de uma lei que nos considere seres racionais, independentemente dos nossos objetivos particulares. Então o que é o imperativo categórico?

Kant nos apresenta várias versões ou formulações do imperativo categórico que, segundo ele, resultam basicamente na mesma coisa.

### *Imperativo categórico I: Universalize sua máxima*

A primeira versão é o que Kant denomina fórmula da lei universal: "Aja apenas segundo um determinado princípio que, na sua opinião, deveria constituir uma lei universal."[19] Kant considera uma "máxima" o preceito ou princípio que propicia a razão para a ação de uma pessoa. Na verdade, isso significa que só devemos agir de acordo com os princípios que podemos universalizar sem entrar em contradição. Para ver o que Kant quer dizer com esse teste reconhecidamente abstrato, consideremos uma questão moral concreta: É sempre certo fazer uma promessa sabendo de antemão que não poderemos cumpri-la?

Suponhamos que eu precise desesperadamente de dinheiro e que lhe peça um empréstimo. Sei muito bem que não poderei quitar essa dívida tão cedo. Seria moralmente aceitável conseguir o empréstimo fazendo uma falsa promessa de que devolveria o dinheiro em pouco tempo, promessa essa que sei que não poderei cumprir? Uma falsa promessa poderia ser coerente com o imperativo categórico? Kant diz que não, obviamente não. Posso entender por que uma falsa promessa não pode ser coerente com o imperativo categórico ao tentar universalizar a máxima segundo a qual eu estou prestes a agir.[20]

Qual é a máxima nesse caso? Algo assim: "Sempre que uma pessoa estiver realmente necessitada de dinheiro, ela deve pedir um empréstimo com a promessa de quitá-lo, mesmo sabendo que isso será impossível." Se tentarmos universalizar essa máxima e, ao mesmo tempo, agir de acordo com ela, diz Kant, descobriremos uma contradição: se todos fizerem falsas promessas sempre que precisarem de dinheiro, ninguém mais acreditará nessas promessas. Na verdade, não haveria promessas; a universalização da falsa promessa eliminaria a instituição do cumprimento da promessa. Nesse caso, seria inútil ou mesmo irracional tentar conseguir dinheiro fazendo promessas. Isso mostra que fazer promessas falsas é moralmente errado, incoerente com o imperativo categórico.

Algumas pessoas consideram essa versão de Kant para o imperativo categórico pouco convincente. A fórmula da lei universal tem uma certa semelhança com uma frase que os adultos usam com frequência para repreender as crianças que furam fila ou interrompem quem está falando: "O que aconteceria se todo mundo agisse assim?" Se todo mundo mentisse, ninguém acreditaria na palavra de outra pessoa, e ficaríamos em uma situação muito pior. Se é isso que Kant quer dizer, ele está apresentando um argumento primordialmente voltado para consequências — não estaria rejeitando a falsa promessa por um princípio, e sim devido aos possíveis efeitos ou consequências negativos que ela pudesse acarretar.

Ninguém menos do que o pensador John Stuart Mill fez uma crítica a Kant quanto a isso. Mas Mill interpretou mal o que Kant quis dizer. Para Kant, ao tentar universalizar a máxima da nossa ação e continuar a agir de acordo com ela, não estamos especulando sobre as possíveis consequências. Isso é um teste para verificar se nossa máxima está de acordo com o imperativo categórico. Uma falsa promessa não é moralmente errada porque, de modo geral, subverte a confiança social (embora isso possa ser verdade). Ela é errada porque, ao fazê-la, priorizamos nossas necessidades e nossos desejos (nesse caso, de dinheiro) em relação às necessidades e aos desejos de todos os outros. O teste da universalização conduz a um importante questionamento moral: é uma forma de verificar se o que estamos a ponto de fazer coloca nossos interesses e nossas circunstâncias especiais acima das de qualquer outra pessoa.

*Imperativo categórico II: Trate as pessoas como fins em si mesmas*

A força moral do imperativo categórico fica mais clara na segunda formulação de Kant, a concepção da humanidade como um fim. Kant introduz a segunda versão do imperativo categórico da seguinte forma: não podemos fundamentar a lei moral em interesses, propósitos ou objetivos particulares, porque no caso ela só seria relativa à pessoa cujos objetivos estivessem em questão. "Mas suponhamos que exista alguma coisa cuja existência tenha em si um valor absoluto", como fim em si mesma. "Então nisso, e apenas nisso, haveria terreno para um possível imperativo categórico."[21]

O que poderia ter um valor absoluto, como um fim em si mesmo? A resposta de Kant: a humanidade. "Eu digo que o homem, e em geral todo ser racional, existe como um fim em si mesmo, e não meramente como um meio que possa ser usado de forma arbitrária por essa ou aquela vontade."[22] Essa é a diferença fundamental, lembra-nos Kant, entre pessoas e coisas. Pessoas são seres racionais. Não têm apenas um valor relativo: têm muito mais, têm um valor absoluto, um valor intrínseco. Ou seja, os seres racionais têm dignidade.

Essa linha de raciocínio conduz Kant à segunda formulação do imperativo categórico: "Aja de forma a tratar a humanidade, seja na sua pessoa seja na pessoa de outrem, nunca como um simples meio, mas sempre ao mesmo tempo como um fim."[23] Essa é a concepção da humanidade como um fim em si mesma.

Analisemos novamente a falsa promessa. A segunda formulação do imperativo categórico nos mostra, de um ângulo um pouco diferente, por que ela é errada. Quando prometo pagar-lhe o dinheiro que espero conseguir emprestado sabendo que não poderei fazê-lo, eu o estou manipulando. Eu o estou usando como um meio para resolver meu problema financeiro e não o estou tratando como um fim em si mesmo, merecedor de respeito.

Agora, consideremos o caso do suicídio. É interessante notar que tanto o homicídio quanto o suicídio são incompatíveis com o imperativo categórico, e pela mesma razão. Frequentemente consideramos o homicídio e o suicídio ações radicalmente diferentes, moralmente falando. Matar um indivíduo tira-lhe a vida contra sua vontade, enquanto o suicídio é opção da pessoa que o comete. Mas a noção de Kant de tratar a humanidade como um fim coloca homicídio e suicídio no mesmo patamar. Se eu cometer um assassinato, estarei tirando a vida de alguém visando a algum interesse próprio — roubar um banco, consolidar meu poder político ou dar vazão à minha raiva. Uso a vítima como um meio e deixo de respeitar sua humanidade como um fim. Essa é a razão pela qual o homicídio viola o imperativo categórico.

Para Kant, o suicídio viola o imperativo categórico da mesma maneira. Se ponho um fim à minha vida para escapar de alguma condição dolorosa, estou usando a mim mesmo como um meio de aliviar meu sofrimento. No entanto, como Kant nos lembra, um indivíduo não é uma coisa, "não é algo a ser usado meramente como um meio". Não tenho mais direito de dispor da humanidade em mim mesmo do que em outra pessoa. Para Kant, suicídio e homicídio são errados pelo mesmo motivo. Ambos tratam as pessoas como coisas e não respeitam a humanidade como um fim em si.[24]

O exemplo do suicídio evidencia uma característica peculiar daquilo que Kant considera o dever de respeitar os demais seres humanos. Para Kant, o autorrespeito e o respeito ao próximo partem de um mesmo e único princípio. O dever do respeito é um dever que temos para com as pessoas como seres racionais, que têm humanidade, sejam elas quem forem.

Existe uma diferença entre respeito e outras formas de ligação humana. Amor, empatia, solidariedade e companheirismo são sentimentos morais que nos aproximam mais de determinadas pessoas do que de outras. Mas a razão pela qual devemos respeitar a dignidade dos indivíduos nada tem a ver com algo sobre eles em particular. O respeito kantiano é diferente do amor. É diferente da empatia. É diferente da solidariedade e do companheirismo. Essas razões para se importar com as outras pessoas estão relacionadas com quem elas são. Amamos nossos cônjuges e os membros da nossa família e temos empatia com as pessoas com as quais nos identificamos. Somos solidários aos nossos amigos e companheiros.

O respeito kantiano, no entanto, é o respeito pela humanidade em si, pela capacidade racional que todos possuímos. Isso explica por que a violação do respeito de uma pessoa por si mesma é tão condenável quanto a violação do respeito pelo próximo. E explica também por que o princípio kantiano do respeito aplica-se às doutrinas dos direitos humanos universais. Para Kant, a justiça obriga-nos a preservar os direitos humanos de todos, independentemente de onde vivam ou do grau de conhecimento que temos deles, simplesmente porque são seres humanos, seres racionais e, portanto, merecedores de respeito.

## MORALIDADE E LIBERDADE

Podemos agora perceber a relação, segundo a concepção de Kant, entre moralidade e liberdade. Agir moralmente significa agir por dever — em obediência à lei moral. A lei moral consiste em um imperativo categórico, um princípio que exige que tratemos as pessoas com respeito, como fins em si mesmas. Só agimos livremente quando agimos de acordo com o imperativo categórico. Isso acontece porque sempre que agimos segundo um imperativo hipotético agimos em prol de algum interesse ou objetivo externo. Mas nesse caso não somos verdadeiramente livres; nossa vontade não é determinada por nós, e sim por forças externas — por nossas necessidades circunstanciais ou por vontades e desejos que porventura tenhamos.

Só podemos escapar dos ditames da natureza e das circunstâncias se agirmos com autonomia, segundo uma lei que impomos a nós mesmos. Tal lei não pode ser condicionada por nossas vontades e nossos desejos particulares. Assim, as rígidas noções de Kant sobre liberdade e moralidade são interligadas. Agir livremente, ou seja, de forma autônoma, e agir moralmente, de acordo com o imperativo categórico, são, na verdade, a mesma coisa.

Essa concepção de moralidade e liberdade leva Kant a sua crítica contundente do utilitarismo. A tentativa de basear a moralidade em algum interesse ou desejo particular (tal como felicidade ou utilidade) estava destinada ao fracasso. "Porque aquilo a que eles se referem jamais foi dever, mas apenas a necessidade de agir a partir de um determinado interesse." Mas qualquer princípio baseado no interesse "jamais passou de um princípio condicionado a algo externo e não poderia ser considerado uma lei moral".[25]

## PERGUNTAS PARA KANT

A filosofia moral de Kant é poderosa e convincente, mas pode ser difícil de compreender, principalmente à primeira vista. Se você conseguiu me acompanhar até este ponto, pode ser que várias questões lhe tenham ocorrido. Eis quatro questões particularmente importantes:

QUESTÃO I: *O imperativo categórico de Kant ensina-nos a tratar todos os indivíduos com respeito, como um fim em si mesmos. Não seria isso praticamente a mesma coisa que a Regra de Ouro? ("Faça aos outros o que deseja que os outros façam a você.")*

RESPOSTA: Não. A Regra de Ouro depende de fatos contingentes que variam de acordo com a forma como cada um gostaria de ser tratado. O imperativo categórico obriga-nos a abstrair essas contingências e a respeitar as pessoas como seres racionais, independentemente do que elas possam desejar em uma determinada situação.

Suponhamos que você tome conhecimento da morte de seu irmão em um acidente de carro. Sua mãe idosa, em estado delicado em uma casa de repouso, pede notícias dele. Você fica dividido entre contar-lhe a verdade ou poupá-la do choque e do sofrimento. Qual é a coisa certa a fazer? A Regra de Ouro perguntaria: "Como você gostaria que o tratassem em uma situação semelhante?" A resposta, evidentemente, é muito subjetiva. Algumas pessoas prefeririam que as poupassem da dura realidade quando estivessem vulneráveis, já outras gostariam de saber a verdade, por mais dolorosa que fosse. Portanto, você pode muito bem concluir que, caso estivesse no lugar da sua mãe, preferiria ignorar a verdade.

Para Kant, no entanto, essa não é a pergunta certa a fazer. O que importa não é como você (ou sua mãe) poderia sentir-se em tais circunstâncias, mas o que significa tratar as pessoas como seres racionais, merecedores de respeito. Esse é um caso no qual a compaixão pode indicar um caminho, e o respeito kantiano, outro. Do ponto de vista do imperativo categórico, mentir para sua mãe por se preocupar com seus sentimentos seria usá-la de forma questionável como um meio para a própria satisfação, em vez de respeitá-la como um ser racional.

QUESTÃO 2: *Kant parece sugerir que cumprir um dever e agir com autonomia são exatamente a mesma coisa. Mas como isso pode ser? Agir de acordo com o dever significa ter de obedecer a uma lei. Como pode a obediência a uma lei ser compatível com a liberdade?*

RESPOSTA: Dever e autonomia só caminham juntos em um caso especial — quando sou o autor da lei à qual tenho o dever de obedecer. Minha dignidade como pessoa livre não consiste em submeter-me à lei moral, mas em ser o autor "dessa mesma lei (...) e subordinar-me a ela apenas nessa situação". Quando obedecemos ao imperativo categórico, obedecemos a uma lei que escolhemos. "A dignidade do homem consiste precisamente em sua capacidade de criar leis universais, embora apenas sob a condição de estar, ele também, sujeito às leis que criou."[26]

QUESTÃO 3: *Se autonomia significa agir de acordo com uma lei que criei para mim mesmo, o que garante que todas as pessoas escolherão a mesma lei moral? Se o imperativo categórico é produto da minha vontade, isso não significa que pessoas diferentes terão imperativos categóricos diferentes? Kant parece crer que todos seguimos a mesma lei moral. Mas como ele pode ter certeza de que pessoas diferentes não raciocinarão de maneira diferente, o que ocasionaria uma diversidade de leis morais?*

RESPOSTA: Quando optamos pela lei moral, não fazemos escolhas como pessoas individuais que somos, mas como seres racionais, que participam daquilo que Kant considera "pura razão prática". Portanto, é errado considerar que a lei moral depende de nós como indivíduos. É claro que, se partirmos de nossos interesses, nossos desejos e nossas finalidades particulares, poderemos chegar a princípios diferentes. Mas esses serão princípios prudentes, e não princípios morais. Na medida em que exercitamos a pura razão prática, nós nos afastamos de nossos interesses particulares. Isso significa que todo aquele que praticar a pura razão prática chegará à mesma conclusão — chegará a um imperativo categórico (e único universal). "Assim, a escolha livre e a escolha baseada em leis morais são essencialmente a mesma coisa."[27]

QUESTÃO 4: *Kant afirma que, se moralidade significa mais do que uma questão de cálculo prático, ela deve seguir os padrões do imperativo categórico. Mas como podemos saber se a moralidade existe independentemente do exercício do poder e dos interesses? É possível ter certeza de que somos capazes de agir com autonomia e liberdade? O que aconteceria se os cientistas descobrissem (por meio de exames de imagem do cérebro, por exemplo, ou pela neurociência cognitiva) que, na verdade, não temos liberdade de escolha? Isso refutaria a filosofia moral de Kant?*

RESPOSTA: A liberdade de escolha não é algo que possa ser comprovado ou negado pela ciência. A moralidade tampouco. É verdade que os seres humanos habitam o reino da natureza. Todos os nossos atos podem ser explicados de um ponto de vista físico ou biológico. Quando levanto a mão para votar, minha ação pode ser explicada pelo uso de músculos, neurônios, sinapses e células. Mas pode também ser explicada em termos de ideias e crenças. Kant diz que não podemos deixar de compreender a nós mesmos de ambos os pontos de vista — o do domínio empírico da física e da biologia e o do domínio "inteligente" da faculdade humana de agir livremente.

Para responder a essa questão de forma mais abrangente, devo falar um pouco mais sobre esses dois pontos de vista. Há duas perspectivas das quais podemos considerar a faculdade humana de agir e as leis que comandam nossos atos. Eis como Kant as descreve:

> Um ser racional (...) pode observar-se de dois pontos de vista diferentes para, a partir deles, conhecer as leis que governam (...) todas as suas ações. Ele pode considerar-se *primeiramente* — já que pertence ao mundo sensível — governado pelas leis da natureza (heteronomia); e, *em segundo lugar* — já que pertence ao mundo inteligente —, governado pelas leis que, sendo independentes da natureza, não são empíricas mas se baseiam apenas na razão.[28]

A diferença entre essas duas perspectivas equivale aos quatro contrastes que já discutimos:

| | |
|---|---|
| Contraste 1 (moralidade): | dever *versus* inclinação |
| Contraste 2 (liberdade): | autonomia *versus* heteronomia |
| Contraste 3 (razão): | imperativos categóricos *versus* imperativos hipotéticos |
| Contraste 4 (pontos de vista): | domínio inteligível *versus* domínio sensível |

Como um ser natural, pertenço ao mundo sensível. Minhas ações são determinadas pelas leis da natureza e pelas regularidades de causa e efeito. Esse é o aspecto da ação humana que a física, a biologia e a neurociência conseguem descrever. Como um ser racional, habito um mundo inteligível. Assim, independo das leis da natureza, sou autônomo, capaz de agir de acordo com uma lei que decreto para mim mesmo.

Kant afirma que só posso me considerar livre a partir desse segundo ponto de vista (inteligível), "porque ser livre é não depender de determinações do mundo sensível (e isso é o que a razão deve sempre atribuir a si mesma)".[29]

Se eu fosse apenas um ser empírico, não seria livre; todo exercício da vontade seria condicionado a algum interesse ou desejo. Toda escolha teria por base a heteronomia, seria comandada pela busca de alguma finalidade. Minha vontade jamais poderia ser a causa primeira; ela poderia ser apenas o efeito de alguma causa anterior, o instrumento de algum impulso ou inclinação.

Na medida em que nos consideramos livres, não podemos nos considerar meros seres empíricos. "Quando nos consideramos livres, estamos nos tornando membros do mundo inteligível, reconhecendo a autonomia da vontade assim como sua consequência — a moralidade."[30]

Então — para voltarmos à pergunta — como é possível existirem imperativos categóricos? Simplesmente porque "a noção de liberdade torna-me parte do mundo inteligível".[31] A ideia de que podemos agir livremente, assumir a responsabilidade moral por nossos atos e fazer com que as outras pessoas se responsabilizem moralmente por seus atos requer que nos vejamos nesta perspectiva — do ponto de vista do agente, e não meramente de um objeto. Se você realmente resiste a essa ideia, alegando que a liberdade humana e a responsabilidade moral são ilusões descabidas, Kant não poderia considerá-lo errado em princípio. Mas seria difícil, ou quase impossível, que nós nos compreendêssemos, que encontrássemos algum sentido para nossas vidas, sem alguma concepção de liberdade e moralidade. E essa concepção, segundo Kant, compromete-nos com dois pontos de vista — o do agente e o do objeto. E, uma vez que você entenda a importância desse quadro, verá por que a ciência jamais poderá provar ou negar a possibilidade da liberdade.

Lembre-se de que Kant admite que não somos apenas seres racionais. Não habitamos apenas o mundo inteligível. Se fôssemos apenas seres racionais, sem nos submeter às leis e necessidades da natureza, todos os nossos atos "seriam invariavelmente coerentes com a autonomia da vontade".[32] Já que somos parte, simultaneamente, de ambos os domínios — o da necessidade e o da liberdade — existirá sempre uma lacuna potencial entre o que fazemos e o que devemos fazer, entre como as coisas são e como deveriam ser.

Outra forma de abordar esse ponto é dizer que a moralidade não é empírica. Ela mantém certa distância do mundo. Ela faz um julgamento do mundo. A ciência não é capaz, apesar de todo o seu poder e discernimento, de se ocupar das questões morais, porque atua no domínio do sensível.

"Negar a liberdade", escreve Kant, "é tão impossível para a mais abstrusa filosofia quanto para a mais simples razão humana."[33] Isso também é impossível, como Kant poderia ter acrescentado, para a neurociência cognitiva, por mais sofisticada que ela seja. A ciência pode investigar a natureza e indagar sobre o mundo empírico, mas não pode responder a questões morais ou negar o livre-arbítrio, porque a moralidade e a liberdade não são conceitos empíricos. Não podemos provar que elas existem, mas também não podemos explicar nossa vida moral sem partir do pressuposto de que elas existem.

## SEXO, MENTIRAS E POLÍTICA

Um dos meios de explorar a filosofia moral de Kant é ver como ele a aplicou a algumas questões concretas. Gostaria de abordar três tipos de aplicação — sexo, mentiras e política. Os filósofos nem sempre são as melhores autoridades na demonstração prática de suas teorias. No caso de Kant, entretanto, as aplicações são interessantes e também podem iluminar sua filosofia como um todo.

### *A argumentação de Kant contra o sexo casual*

A opinião de Kant sobre a moralidade sexual é tradicional e conservadora. Ele se opõe a qualquer prática sexual que não seja a relação entre marido e mulher. Saber se todas as noções de Kant sobre sexo realmente derivam de sua filosofia moral não é tão importante quanto a ideia implícita que elas refletem — de que não somos donos de nós mesmos e não podemos dispor totalmente de nós mesmos. Ele repudia o sexo casual (no caso, o sexo fora do casamento), ainda que consensual, com base no fato de que é degradante para ambos os parceiros, transformando-os em objetos. O sexo casual é condenável, acredita ele, porque diz respeito apenas à satisfação de um desejo sexual e não respeita o parceiro como ser humano.

> O desejo que um homem sente por uma mulher não é governado pelo fato de que ela é um ser humano, mas pelo fato de ela ser mulher; a ele não importa que ela seja um ser humano: o objeto de seu desejo é apenas o sexo da mulher.[34]

Mesmo quando o sexo casual proporciona satisfação mútua aos parceiros, "um está desonrando a natureza humana do outro. Eles transformam a humanidade em um instrumento para a satisfação de sua luxúria e seus desejos".[35] (Por motivos que abordaremos em seguida, Kant acredita que o casamento eleva o sexo ao considerá-lo algo que vai além do prazer físico, relacionando-o com a dignidade humana.)

Quanto à questão da moralidade ou imoralidade da prostituição, Kant pergunta em que condições o uso das nossas faculdades sexuais estaria de acordo com a moralidade. Sua resposta, nessa e em outras situações, é que não deveríamos tratar os outros — ou a nós mesmos — como meros objetos. Não estamos à disposição de nós mesmos. Em radical oposição à concepção libertária de que somos os donos de nós mesmos, Kant insiste no fato de que isso não é verdade. O requisito moral para que tratemos as pessoas como finalidades, em vez de tratá-las como meros meios, limita a maneira de tratarmos nosso corpo e nós mesmos. "O homem não pode dispor de si mesmo porque não é um objeto, tampouco sua propriedade."[36]

Em discussões contemporâneas sobre a moralidade sexual, aqueles que invocam os direitos de autonomia argumentam que os indivíduos deveriam ser livres para decidir sozinhos que uso gostariam de fazer do seu próprio corpo. Mas não é isso que Kant define como autonomia. Paradoxalmente, a concepção de Kant sobre autonomia impõe certos limites ao tipo de tratamento que podemos dar a nós mesmos. Recordemos: para que eu seja autônomo, é preciso que seja governado por uma lei que outorgo a mim mesmo — o imperativo categórico. E o imperativo categórico exige que eu trate as pessoas (incluindo a mim mesmo) com respeito — como finalidade, e não como um simples meio. Assim, segundo Kant, para que tenhamos autonomia é necessário que nos tratemos com respeito e que não transformemos nosso corpo em mero objeto. Não podemos utilizá-lo como bem entendermos.

O comércio de rins não era comum na época de Kant, mas os ricos compravam dentes dos pobres para fazer implantes. (*Transplante de dentes*, um desenho do caricaturista inglês Thomas Rowlandson, do século XVIII, mostra um consultório de dentista onde um cirurgião extrai os dentes de um limpador de chaminés enquanto mulheres ricas aguardam pelos implantes.) Kant considerava essa prática uma violação dos direitos humanos. Uma pessoa "não tem o direito de vender um membro, nem sequer um de seus dentes".[37] Fazer isso é tratar a si mesmo como um objeto, um mero recurso ou um instrumento de lucro.

Kant considerava a prostituição inaceitável pelo mesmo motivo. "Permitir-se ser usado, com fins lucrativos, para que outra pessoa satisfaça os próprios desejos sexuais, fazer de si mesmo um objeto de desejo é (...) fazer de si mesmo uma coisa por meio da qual outras pessoas saciam seus apetites, como se estivessem aplacando a fome com um bife." Os seres humanos "não têm o direito de oferecer o próprio corpo com fins lucrativos, como objeto de uso para a satisfação de desejos sexuais". Isso transforma a pessoa em uma simples coisa, em um objeto de uso. "O princípio moral básico por trás disso é que o homem não é propriedade de si mesmo, portanto não pode fazer o que quiser do próprio corpo."[38]

O repúdio de Kant à prostituição e ao sexo casual aumenta o contraste entre sua concepção de autonomia — o livre-arbítrio de um ser racional — e os atos individuais de consentimento. A lei moral à qual chegamos por meio do exercício de nossa vontade requer que tratemos a humanidade — nós mesmos e todas as outras pessoas — nunca somente como um meio, mas como uma finalidade em si. Embora esse requisito moral se baseie na autonomia, ele condena certos atos entre adultos, ainda que consentidos, que não estejam de acordo com o autorrespeito e a dignidade humana.

Kant conclui que apenas o sexo no casamento pode evitar "a degradação da humanidade". O sexo entre duas pessoas só não as transforma em objetos quando elas se entregam uma à outra integralmente, e não apenas fazem uso de suas capacidades sexuais. A sexualidade só significa "uma união de seres humanos" quando ambos os parceiros compartilham entre si "suas pessoas, seus corpos e suas almas, na alegria e na tristeza, e em todos os aspectos".[39] Kant não afirma que todo casamento seja realmente uma união assim. E pode estar errado ao considerar que uniões desse tipo jamais possam ocorrer fora do casamento ou que relações sexuais fora do casamento envolvam nada além da mera satisfação sexual. Mas sua opinião sobre sexo enfatiza a diferença entre duas ideias que são muitas vezes confundidas nas discussões atuais — entre uma ética de consentimento ilimitado e uma ética de respeito pela autonomia e pela dignidade dos indivíduos.

*É errado mentir para um assassino?*

Kant é muito rigoroso quanto à mentira. Em *Fundamentação*, a mentira é o principal exemplo do comportamento imoral. Mas suponhamos que uma amiga esteja escondida em sua casa e um assassino bata à sua porta procurando por ela. Não seria certo mentir para o assassino? Kant diz que não. O dever de dizer a verdade deve prevalecer, independentemente das consequências.

Benjamin Constant, um filósofo francês contemporâneo de Kant, combateu essa atitude intransigente. O dever de falar a verdade só se aplica, alegou Constant, àqueles que merecem a verdade, o que certamente não é o caso do criminoso. Kant respondeu alegando que mentir para o criminoso é errado não porque isso o prejudique, mas porque viola o princípio do que é correto: "A veracidade das afirmações que não podem ser evitadas é um dever formal do homem para com todos os demais, embora isso possa prejudicá-lo ou prejudicar outra pessoa."[40]

Sem dúvida, permitir que um criminoso pratique suas perversidades é uma grande "desvantagem". Lembremo-nos, no entanto, de que para Kant a moralidade não diz respeito às consequências, e sim aos princípios. Não podemos controlar as consequências de nossos atos — nesse caso, o fato de dizermos a verdade — porque as consequências estão ligadas à contingência. Até onde você sabe, sua amiga, temendo que o assassino estivesse a caminho, pode já ter escapado pela porta dos fundos. E você deve dizer a verdade, afirma Kant, não porque o criminoso mereça ouvi-la ou porque uma mentira o prejudicaria em suas intenções. O fato é que a mentira — qualquer mentira — "corrompe a própria essência daquilo que é certo (...) a verdade (honestidade) em todas as declarações é, portanto, uma lei sagrada e incondicional da razão, que não admite qualquer forma de transigência."[41]

Esse posicionamento parece estranho e radical. Com toda certeza, não teríamos o dever moral de contar a um soldado nazista que Anne Frank e sua família estavam escondidas no sótão de uma casa. A insistência de Kant para que se fale a verdade ao criminoso é uma aplicação errônea do imperativo categórico ou uma prova de seu absurdo.

Por mais descabido que o argumento de Kant possa parecer, gostaria de defendê-lo, até certo ponto. Embora minha defesa seja diferente da defesa de Kant, ela se enquadra no espírito de sua filosofia e, espero, ajuda a esclarecê-la.

Imagine-se na situação em que uma amiga esteja escondida no armário e um assassino bata à sua porta. Evidentemente, você não quer ajudar o assassino a executar seu plano perverso. Isso é um fato. Você não quer dizer coisa alguma que permita que o criminoso chegue até sua amiga. A questão é: O que dizer? Você tem duas opções. Pode mentir categoricamente: "Não, ela não está aqui." Ou pode dar uma resposta verdadeira mas evasiva: "Há uma hora eu a vi na rua, no mercado."

Do ponto de vista de Kant, a segunda estratégia é moralmente permissível, mas a primeira não o é. Talvez você considere isso um sofisma. Qual é, moralmente falando, a diferença entre uma declaração tecnicamente verdadeira, porém enganosa, e uma mentira categórica? Em ambos os casos, você tenta enganar o criminoso para que ele acredite que sua amiga não está escondida na casa.

Kant acha que há muito em jogo nessa distinção. Consideremos as "mentiras sociais", as pequenas inverdades que às vezes dizemos por educação, para não magoar as pessoas. Suponhamos que você receba um presente de um amigo e ao abrir a caixa depare-se com uma gravata horrível, que você jamais usaria. O que você diria? Poderia dizer:"Que linda!", e isso seria uma mentira social. Ou diria: "Oh, não precisava!" Ou: "Nunca vi uma gravata como essa. Muito obrigado." Tal como a mentira social, essas declarações poderiam dar a seu amigo a falsa noção de que você gostou da gravata. No entanto, ainda seriam verdadeiras.

Kant rejeitaria a mentira social, porque ela abre uma exceção à lei moral no âmbito da consequência. Evitar magoar alguém é louvável, mas isso deve ser feito de forma coerente com o imperativo categórico, o que pressupõe nossa vontade de universalizar o princípio de acordo com o qual agimos. Se abrirmos exceções sempre que considerarmos que nossas finalidades o exijam, estaremos destruindo o caráter categórico da lei moral. A declaração verdadeira mas enganadora, por sua vez, não ameaça o imperativo categórico da mesma forma. Na verdade, certa vez, Kant lançou mão da mesma distinção quando se viu diante de um dilema.

*Kant teria defendido Bill Clinton?*

Alguns anos antes de debater suas ideias com Benjamin Constant, Kant teve problemas com o rei Frederico Guilherme II. O rei e seus censores consideraram que a opinião de Kant sobre religião depreciava o cristianismo e pediram que ele se comprometesse a não mais fazer pronunciamentos sobre o assunto. Kant respondeu com uma declaração cuidadosamente elaborada: "Como súdito fiel de Vossa Majestade, renunciarei a quaisquer palestras públicas ou comentários escritos sobre religião futuramente."[42]

Kant sabia, ao fazer essa declaração, que o rei provavelmente não viveria por muitos anos. Quando o soberano morreu, alguns anos depois, Kant considerou-se livre da promessa, já que a havia feito apenas "como súdito fiel de Vossa Majestade". Mais tarde explicou que havia escolhido aquelas palavras "com muito cuidado, para que não me sentisse privado da minha liberdade (...) para sempre, mas apenas enquanto Sua Majestade vivesse".[43] Com essa evasiva inteligente, o modelo de probidade prussiana conseguiu enganar os censores sem mentir para eles.

Um subterfúgio? Talvez. Mas algo moralmente significativo parece estar em jogo na distinção entre uma mentira de cara lavada e uma artimanha ardilosa. Vejamos o caso do ex-presidente Bill Clinton. Nenhuma figura pública americana em nossa memória recente escolheu palavras ou elaborou negativas com mais cautela. Quando lhe perguntaram, durante a primeira campanha presidencial, se ele já havia experimentado algum tipo de droga, Clinton respondeu que jamais havia infringido as leis antidrogas de seu país ou de seu estado. Mais tarde admitiu ter fumado maconha quando frequentava a Universidade de Oxford, na Inglaterra.

Sua negativa mais memorável surgiu em resposta a notícias de que ele havia praticado sexo na Casa Branca com uma estagiária de 22 anos, Monica Lewinsky: "Quero dizer uma coisa ao povo americano. Quero que vocês me ouçam (...) Eu não mantive relações sexuais com aquela moça, a Srta. Lewinsky."

Mais tarde veio a público que o presidente havia de fato mantido encontros sexuais com Monica Lewinsky, e o escândalo deu início a um processo de *impeachment*. Durante os interrogatórios, um congressista republicano discutiu com um dos advogados de Clinton, Gregory Craig, e questionou a veracidade da declaração do presidente, que negava ter tido "relações sexuais":

SENADOR REPUBLICANO BOB INGLIS: Dr. Craig, ele mentiu para o povo americano quando disse: "Eu nunca tive relações sexuais com aquela mulher?" Ele mentiu?

CRAIG: Ele certamente levou as pessoas a conclusões equivocadas e enganou...

INGLIS: Espere aí. Ele mentiu?

CRAIG: Para o povo americano... Fez com que tirasse conclusões equivocadas e não lhe contou a verdade naquele momento.

INGLIS: Certo, então o senhor não pode se basear... E o presidente insistiu pessoalmente... no fato de que nenhum artifício deveria ser empregado para obstruir a simples verdade moral. Ele mentiu para o povo americano quando disse: "Eu nunca tive relações sexuais com aquela mulher?"

CRAIG: Ele não acredita que tenha mentido devido à forma como... Deixe-me explicar que... Deixe que eu explique, senhor senador.

INGLIS: Ele acha que não mentiu?

CRAIG: Não, ele acha que não mentiu porque sua concepção de sexo é a definição que consta no dicionário. O senhor pode até não concordar, mas, no entender dele, a definição não era...

INGLIS: OK, eu entendo esse argumento.

CRAIG: OK.

INGLIS: É incrível. O senhor comparece agora perante nós e retira todas as suas... suas desculpas.

CRAIG: Não.

INGLIS: O senhor as está retirando, não está?

CRAIG: Não, não estou.

INGLIS: Porque agora o senhor voltou à argumentação... Existem vários argumentos que podem ser usados aqui. Um deles é o de que ele não teve relações sexuais com ela. Foi sexo oral, não foi sexo de verdade. É isso que o senhor está aqui para nos dizer hoje? Que ele não teve relações sexuais com Monica Lewinsky?

CRAIG: O que ele disse ao povo americano foi que ele não teve relações sexuais. E compreendo que o senhor não goste disso, senador, porque... o senhor vai considerar essa resposta uma defesa técnica ou uma resposta capciosa, evasiva. Mas a relação sexual é definida em todos os dicionários de determinada maneira, e ele não teve esse tipo de contato com Monica Lewinsky... Então, ele enganou o povo americano? Sim. Isso foi errado? Sim. Foi censurável? Sim.[44]

O advogado do presidente admitiu, como Clinton admitira anteriormente, que o relacionamento com a estagiária fora errado, impróprio e censurável, e que as declarações do presidente sobre o assunto "confundiram e enganaram" o povo. A única coisa que ele se recusou a admitir foi o fato de o presidente ter mentido.

O que estava em jogo nessa recusa? A explicação não pode ser apenas a justificativa legal de que a mentira sob juramento, em depoimento ou no tribunal, é passível de acusação de perjúrio. A declaração em questão não fora feita sob juramento, mas em um pronunciamento transmitido pela televisão para o povo americano. Ainda assim, tanto o senador republicano que interrogava Clinton quanto o advogado do presidente sabiam que algo importante estava em jogo ao decidir se Clinton havia mentido ou se havia apenas dissimulado e levado as pessoas a conclusões errôneas. A arrebatada discussão sobre a palavra "mentira" está de acordo com a concepção kantiana de que existe uma diferença moral relevante entre a mentira e a dissimulação.

Mas qual seria essa diferença? Sem dúvida, a intenção é a mesma em ambos os casos. Se eu minto para o assassino à minha porta ou se me esquivo com uma evasiva, a intenção é levá-lo a acreditar que minha amiga não está escondida em minha casa. E, na teoria moral de Kant, o que importa é a intenção, o motivo.

Acho que a diferença é a seguinte: uma desculpa evasiva cuidadosamente estudada respeita o dever de dizer a verdade de uma forma que a mentira categórica não faz. Qualquer pessoa que se preocupe em elaborar uma declaração enganosa, porém tecnicamente verdadeira, em situações nas quais uma simples mentira resolveria o problema, demonstra, embora indiretamente, respeito pela lei moral.

Uma verdade enganosa tem dois motivos, e não um só. Se eu simplesmente mentir para o assassino, estarei agindo por um só motivo — proteger minha amiga. Se eu disser ao assassino que vi minha amiga no mercado há pouco, estarei agindo por dois motivos — proteger minha amiga e, ao mesmo tempo, manter o dever de falar a verdade. Em ambos os casos, estarei tentando atingir um objetivo louvável: proteger minha amiga. Mas apenas no segundo caso estarei buscando esse objetivo de acordo com a motivação do dever.

Algumas pessoas podem argumentar que, como uma mentira, uma declaração tecnicamente verdadeira, porém enganosa, não pode ser universalizada sem que constitua uma contradição. No entanto, consideremos a diferença: se todos mentissem diante de um assassino à sua porta ou um escândalo sexual embaraçoso, ninguém mais acreditaria nessas declarações, tornando-as inúteis. O mesmo não pode ser dito das evasivas. Se todas as pessoas que se encontrassem em uma situação perigosa ou embaraçosa conseguissem elaborar evasivas cuidadosas, as pessoas não necessariamente deixariam de acreditar nelas. Ao contrário, aprenderiam, como os advogados, a avaliar essas declarações com os olhos voltados para seu sentido literal. Foi exatamente isso que aconteceu quando a imprensa e o público tomaram conhecimento das negativas cuidadosamente elaboradas por Clinton.

Kant não quer dizer necessariamente que essa situação, em que as pessoas analisam as negativas dos políticos em seu sentido literal, seja de alguma forma melhor do que se ninguém acreditasse de fato nos políticos. Esse seria um argumento "consequencialista". O que Kant quer nos mostrar, na verdade, é que uma declaração enganosa mas ainda assim verdadeira não coage ou manipula o ouvinte da mesma forma que o faz uma mentira categórica. Existe sempre a possibilidade de que um ouvinte atento possa descobrir a verdade.

Assim, pode-se concluir que, de acordo com a teoria moral de Kant, declarações verdadeiras porém evasivas — para um assassino à nossa porta, para um censor prussiano ou para um promotor especial — são moralmente permissíveis de uma forma que mentiras puras e simples não são. Você pode pensar que eu tive muito trabalho para resgatar Kant de uma posição implausível. Seu argumento de que é errado mentir para o assassino pode não ser, afinal de contas, defensável. Mas a distinção entre uma mentira categórica e uma verdade evasiva ajuda a ilustrar a teoria moral de Kant. E traz à tona uma surpreendente semelhança entre Bill Clinton e o austero moralista de Konigsberg.

### *Kant e a justiça*

Diferentemente de Aristóteles, Bentham e Mill, Kant não escreveu um trabalho importante sobre teoria política, apenas alguns ensaios. Ainda assim, a concepção de moralidade e liberdade que emerge de seus escritos sobre ética contém poderosas implicações para a justiça. Embora Kant não tenha detalhado tais implicações, a teoria política que ele defende repudia o utilitarismo em favor de uma teoria de justiça fundamentada em um contrato social.

Primeiramente, Kant repudia o utilitarismo não apenas como uma base para a moralidade pessoal, mas também como uma base para a lei. Em seu entender, uma Constituição justa tem como objetivo harmonizar a liberdade de cada indivíduo com a liberdade de todos os demais. Isso nada tem a ver com a maximização da utilidade, que "não deve, em hipótese alguma, interferir" na determinação dos direitos básicos. Já que as pessoas "têm visões diferentes da finalidade empírica da felicidade e em que ela consiste", a utilidade não pode ser a base da justiça e dos direitos. Por que não? Porque basear os direitos na utilidade exigiria que a sociedade afirmasse ou endossasse uma concepção de felicidade em detrimento de outras. Basear a Constituição em uma determinada concepção de felicidade (como a concepção da maioria) imporia a algumas pessoas os valores de outras e não respeitaria o direito que cada um tem de lutar pelos próprios objetivos. "Ninguém pode obrigar-me a ser feliz segundo sua concepção do bem-estar alheio", escreve Kant, "porque cada um deve buscar sua felicidade da maneira que achar conveniente, desde que não infrinja a liberdade dos outros" de fazer o mesmo.[45]

Uma segunda característica importante da teoria política de Kant é que ela fundamenta a justiça e os direitos em um contrato social — mas um contrato social com uma característica inusitada. Filósofos anteriores a Kant que se debruçaram sobre contratos sociais, dentre eles Locke, argumentam que o governo legítimo fundamenta-se em um contrato social entre homens e mulheres que, em uma determinada ocasião, decidem entre si quais princípios deverão governar sua vida coletiva. Kant vê o contrato de outra forma. Embora o governo legítimo deva ser fundamentado em um contrato original, "não devemos, de forma alguma, presumir que tal contrato (...) realmente exista como um *fato*, porque isso seria impossível". Kant afirma que o contrato original não é real, e sim imaginário.[46]

Por que devemos fundamentar uma Constituição justa em um contrato imaginário, em vez de fundamentá-la em um contrato real? A primeira razão é prática: é muitas vezes difícil provar historicamente, na história remota das nações, que um contrato social tenha sido feito de fato. A segunda razão é filosófica: princípios morais não podem derivar apenas de fatos empíricos. Da mesma forma que a lei moral não pode ter como base os interesses ou desejos dos indivíduos, os princípios de justiça não podem se fundamentar nos interesses ou desejos de uma comunidade. O simples fato de um grupo de pessoas ter elaborado uma Constituição no passado não basta para que essa Constituição seja considerada justa.

Que tipo de contrato imaginário poderia evitar esse problema? Kant simplesmente o chama de "uma *ideia* de razão, que não obstante tem uma inegável realidade prática, porque ela pode forçar cada legislador a enquadrar suas leis de forma que elas pareçam ter sido criadas pela vontade unânime de uma nação inteira" e obrigar cada cidadão a respeitá-las "como se ele houvesse concordado com elas". Kant conclui que esse ato imaginário de consenso coletivo "é o teste de legitimidade de todas as leis públicas".[47]

Kant não nos disse como seria esse contrato imaginário, ou a que princípios de justiça ele daria origem. Quase dois séculos mais tarde, um filósofo político americano, John Rawls, tentaria responder a essas perguntas.

## Notas

1. Ver Christine M. Korsgaard, "Introduction", Immanuel Kant, *Groundwork of the Metaphysics of Morals [Fundamentação da metafísica dos costumes]* (Cambridge, Cambridge University Press, 1997), pp. vii-viii.
2. Immanuel Kant, *Groundwork of the Metaphysics of Morals* (1785), tradução para o inglês de H. J. Paton (Nova York, Harper Torchbooks, 1964), p. 442. Visto que os leitores usarão várias edições de *Groundwork* de Kant, cito os números padrão das páginas da edição publicada pela Royal Prussian Academy de Berlim. A maioria das edições contemporâneas de *Groundwork* usa essas referências.
3. Ibidem.
4. Ibidem, p. 394.
5. Ibidem, p. 390.
6. Devo essa formulação da concepção de Kant a Lucas Stanczyk.
7. Ibidem, p. 397.
8. Hubert B. Herring, "Discounts for Honesty", *New York Times*, 9 de março de 1997.
9. Kant, *Groundwork*, p. 398.
10. Ibidem.
11. Ibidem.
12. "Mispeller Is a Spelling Bee Hero" (UPI), *New York Times*, 9 de junho de 1983.
13. Kant, *Groundwork*, p. 412.
14. Ibidem, p. 395.
15. Kant usa essa frase em um ensaio escrito vários anos após *Groundwork*. Ver Immanuel Kant, "On the Common Saying: 'This May Be True in Theory, But It Does Not Apply in Practice'" (1793), em Hans Reiss, ed., *Kant's Political Writings*, tradução para o inglês de H. B. Nisbet (Cambridge, Cambridge University Press, 1970), p. 73.
16. Kant, *Groundwork*, p. 414.
17. Ibidem, p. 416.
18. Ibidem, p. 425. Ver também pp. 419-20.
19. Ibidem, p. 421.
20. Ibidem, p. 422.
21. Ibidem, p. 428.
22. Ibidem.
23. Ibidem, p. 429.
24. Ibidem.
25. Ibidem, p. 433.
26. Ibidem, p. 440.
27. Ibidem, p. 447.
28. Ibidem, p. 452.

29. Ibidem.
30. Ibidem, p. 453.
31. Ibidem, p. 454.
32. Ibidem, p. 454.
33. Ibidem, p. 456.
34. Immanuel Kant, "Duties Toward the Body in Respect of Sexual Impulse" (1784-85), tradução de Louis Infield e publicação em Immanuel Kant, *Lectures on Ethics* (Cambridge, Hackett Publishing, 1981), p. 164. Esse texto é baseado em anotações de alunos que assistiram às palestras de Kant.
35. Ibidem.
36. Ibidem, p. 165.
37. Ibidem.
38. Ibidem, pp. 165-66.
39. Ibidem, p. 167.
40. Immanuel Kant, "On a Supposed Right to Lie Because of Philanthropic Concerns" (1799), tradução de James W. Ellington e publicação como suplemento de Immanuel Kant, *Grounding for the Metaphysics of Morals* (Cambridge, Hackett Publishing, 1993), p. 64.
41. Ibidem, p. 65.
42. Kant citado em Alasdair MacIntyre, "Truthfulness and Lies: What Can We Learn from Kant?", em Alasdair MacIntyre, *Ethich and Politics: Selected Essays*, vol. 2 (Cambridge, Cambridge University Press, 2006), p. 123.
43. Ibidem.
44. House Judiciary Committee, 8 de dezembro de 1998. Excerto transcrito de cobertura da CNN. Transcrição parcial do excerto pode ser encontrada em www.cnn.com/ALLPOLITICS/stories/1998/12/08/as.it.happened.
45. Immanuel Kant, "On the Common Saying: 'This May Be True in Theory, but It Does Not Apply in Practice'" (1793), tradução de H. B. Nisbet e publicação em Hans Reiss ed., *Kant's Political Writings* (Cambridge, Cambridge University Press, 1970), pp. 73-74.
46. Ibidem, p. 79.
47. Ibidem.

# CAPÍTULO 6 A questão da equidade / **John Rawls**

A maioria dos americanos nunca assinou um contrato social. Na verdade, as únicas pessoas nos Estados Unidos que realmente se comprometem a obedecer à Constituição (exceto as autoridades públicas) são os cidadãos naturalizados — imigrantes que fazem um juramento de lealdade como condição para obter a cidadania. Nunca se obrigou nem mesmo se solicitou aos demais cidadãos que dessem seu consentimento. Então, por que somos obrigados a obedecer à lei? E como podemos dizer que nosso governo baseia-se na aquiescência daqueles que são governados?

John Locke diz que demos nosso consentimento tácito. Todo aquele que goza dos benefícios de um governo consente implicitamente em obedecer à lei, até mesmo ao trafegar por uma estrada, e está sujeito a ela.[1] No entanto, o consentimento tácito é uma forma muito branda de consentimento. É difícil entender como o simples fato de trafegar por uma estrada tenha alguma coisa a ver com a ratificação da Constituição.

Immanuel Kant recorre ao consentimento hipotético. Uma lei é justa quando tem a aquiescência da população como um todo. Mas essa também é uma alternativa complicada a um verdadeiro contrato social. Como pode um acordo hipotético desempenhar o papel moral de um acordo real?

John Rawls (1921-2002), filósofo político americano, dá uma resposta esclarecedora a essa pergunta. Em sua *Teoria da justiça* (1971), ele argumenta que a maneira pela qual podemos entender a justiça é perguntando a nós mesmos com quais princípios concordaríamos em uma situação inicial de equidade.[2]

Rawls raciocina da seguinte forma: suponhamos que estamos reunidos, como agora, para definir os princípios que governarão nossa vida coletiva — para elaborar um contrato social. Que princípios selecionaríamos? Provavelmente teríamos dificuldades para chegar a um consenso. Pessoas diferentes têm princípios diferentes, que refletem seus diversos interesses, crenças morais e religiosas e posições sociais. Algumas pessoas são ricas, outras são pobres; algumas têm poder e bons relacionamentos; outras, nem tanto. Algumas fazem parte de minorias raciais, étnicas ou religiosas; outras, não. Temos de chegar a um consenso. Mas até mesmo o consenso refletiria o maior poder de barganha de alguns sobre o dos demais. Não há motivos para acreditar que um contrato social elaborado dessa maneira seja um acordo justo.

Analisemos agora uma experiência mental: suponhamos que, ao nos reunir para definir os princípios, não saibamos a qual categoria pertencemos na sociedade. Imaginemo-nos cobertos por um "véu de ignorância" que temporariamente nos impeça de saber quem realmente somos. Não sabemos a que classe social ou gênero pertencemos e desconhecemos nossa raça ou etnia, nossas opiniões políticas ou crenças religiosas. Tampouco conhecemos nossas vantagens ou desvantagens — se somos saudáveis ou frágeis, se temos alto grau de escolaridade ou se abandonamos a escola, se nascemos em uma família estruturada ou em uma família desestruturada. Se não possuíssemos essas informações, poderíamos realmente fazer uma escolha a partir de uma posição original de equidade. Já que ninguém estaria em uma posição superior de barganha, os princípios escolhidos seriam justos.

É assim que Rawls entende um contrato social — um acordo hipotético em uma posição original de equidade. Rawls nos convida a raciocinar sobre os princípios que nós — como pessoas racionais e com interesses próprios — escolheríamos caso estivéssemos nessa posição. Ele não parte do pressuposto de que todos sejamos motivados apenas pelo interesse próprio na vida real; pede somente que deixemos de lado nossas convicções morais e religiosas para realizar essa experiência imaginária. Que princípios escolheríamos?

Primeiramente, raciocina, não optaríamos pelo utilitarismo. Por trás do véu de ignorância, cada um de nós ponderaria: "Pensando bem, posso vir a ser membro de uma minoria oprimida." E ninguém se arriscaria a ser o cristão atirado aos leões para o divertimento da multidão. Tampouco escolheríamos o simples *laissez-faire*, o princípio libertário que daria às pessoas o direito de ficar com todo o dinheiro recebido em uma economia de mercado. "Posso acabar sendo Bill Gates", alguém raciocinaria, "mas também posso, por outro lado, ser um sem-teto. Portanto, é melhor evitar um sistema que me deixe desamparado ou que não me ajude."

Rawls acredita que dois princípios de justiça poderiam emergir do contrato hipotético. O primeiro oferece as mesmas liberdades básicas para todos os cidadãos, como liberdade de expressão e religião. Esse princípio sobrepõe-se a considerações sobre utilidade social e bem-estar geral. O segundo princípio refere-se à equidade social e econômica. Embora não requeira uma distribuição igualitária de renda e riqueza, ele permite apenas as desigualdades sociais e econômicas que beneficiam os membros menos favorecidos de uma sociedade.

Os filósofos questionam se os participantes do contrato social hipotético de Rawls escolheriam os princípios que ele afirma que escolheriam. Mais à frente veremos por que Rawls acredita que esses dois princípios seriam escolhidos. Mas, antes de abordar os princípios, analisemos uma questão anterior a essa: A experiência hipotética de Rawls é a maneira correta de abordar a questão da justiça? Como podem princípios de justiça resultar de um acordo que jamais aconteceu de fato?

## OS LIMITES MORAIS DOS CONTRATOS

Para compreender a força moral do contrato hipotético de Rawls, é proveitoso observar os limites morais dos contratos reais. Às vezes partimos do princípio de que, quando duas pessoas fazem um acordo, os termos desse acordo devem ser justos. Presumimos, em outras palavras, que os contratos justificam os termos que produzem. Mas eles não o fazem — pelo menos não sozinhos. Os contratos reais não são instrumentos morais autossuficientes. O simples fato de você e eu termos feito um acordo não significa que ele seja justo. Sobre qualquer contrato real, podemos sempre perguntar: "Será que o acordo foi justo?" Para responder a essa pergunta, não podemos simplesmente partir do acordo em si; precisamos de alguma referência independente de justiça.

Onde encontraríamos essa referência? Em um contrato anterior, talvez, maior e mais importante? Uma Constituição, por exemplo? As Constituições, porém, estão sujeitas aos mesmos questionamentos dos outros contratos. O fato de uma Constituição ter sido ratificada pelo povo não significa que suas cláusulas sejam justas. Vejamos a Constituição dos Estados Unidos de 1787. Apesar das suas muitas virtudes, ela foi maculada pela aceitação da escravatura, falha que persistiu até depois da Guerra Civil. O fato de a Constituição ter sido fruto de um acordo — feito pelos representantes na Filadélfia e depois pelos estados — não bastou para torná-la justa.

Podemos argumentar que esse ponto negativo tenha tido origem em um defeito consensual. Os escravos africanos da América não foram incluídos na Convenção Constitucional, tampouco o foram as mulheres, que só conseguiram o direito de votar mais de um século depois. Certamente é possível que uma convenção mais representativa tivesse dado origem a uma Constituição mais justa. Mas aqui já estamos entrando no campo da especulação. Nenhum contrato social ou convenção constitucional real, por mais representativos que sejam, garante que os termos de cooperação social que produzem sejam justos.

Para aqueles que acreditam que moralidade começa e termina com um consenso, essa afirmação pode parecer sem sentido. Entretanto, ela é menos controversa do que parece. Frequentemente questionamos a equidade dos acordos que as pessoas fazem. E conhecemos muito bem as contingências que podem originar maus negócios: uma das partes pode ser um melhor negociador, ou estar em melhor posição de barganha, ou saber mais sobre o valor do que é negociado. As famosas palavras de Don Corleone em *O poderoso chefão* (*The Godfather*) "Farei uma proposta que ele não poderá recusar" mostram (de forma extrema) a pressão que paira, até certo ponto, sobre a maioria das negociações.

O fato de reconhecermos que os contratos não tornam justos os termos que produzem não significa que devemos violar nossos acordos sempre que quisermos. Podemos ser obrigados a cumprir até mesmo uma negociação injusta, pelo menos até certo ponto. O consentimento deve ser respeitado, embora não seja a única coisa que importe para a justiça. Mas ele é menos decisivo do que às vezes imaginamos. Frequentemente confundimos a função moral do consentimento com outros tipos de obrigação.

Suponhamos que fizemos um acordo: você me dará cem lagostas e eu lhe pagarei mil dólares. Você pesca e entrega as lagostas, eu as como com prazer, mas me recuso a pagar por elas. Você diz que eu lhe devo o dinheiro. Por quê?, pergunto. Você pode mencionar nosso acordo, mas pode também apontar o prazer que tive. Você poderia muito bem dizer que tenho a obrigação de lhe pagar o benefício do qual, graças a você, usufruí.

Agora imaginemos o mesmo trato, porém suponhamos que, dessa vez, depois de todo o trabalho que você teve para pescar as lagostas e levá-las até minha casa, eu tenha mudado de ideia. Não quero mais as lagostas. Você ainda tenta receber o dinheiro. Eu digo: "Não lhe devo nada, porque desta vez não usufruí dos benefícios." A essa altura você pode invocar nosso acordo, mas pode também alegar que teve muito trabalho para pescar as lagostas com base na certeza de que eu ia comprá-las. Você poderia dizer que tenho obrigação de pagar em virtude do esforço que você fez contando com nosso trato.

Imaginemos agora um exemplo no qual a obrigação esteja baseada apenas no consentimento — sem o peso moral do pagamento por um benefício ou da compensação por um trabalho que você tenha feito por minha causa. Desta vez, fazemos o mesmo acordo, mas, momentos depois, antes que você tenha tido o trabalho de pescar as lagostas, eu lhe telefono e digo: "Mudei de ideia. Não quero mais as lagostas." Será que ainda lhe devo os mil dólares? Você poderia alegar que "trato é trato" e insistir em que eu, ao aceitar o acordo, teria assumido uma obrigação, mesmo sem usufruir dos benefícios?

Estudiosos da justiça têm debatido essa questão há muito tempo. O consentimento pode criar uma obrigação por si só ou é preciso que haja algum elemento de benefício ou expectativa?[3] Esse debate traz à tona a moralidade dos contratos que muitas vezes negligenciamos: os contratos reais têm peso moral na medida em que concretizam dois ideais — autonomia e reciprocidade.

Como atos voluntários, os contratos expressam nossa autonomia; as obrigações que eles criam têm peso porque foram impostas por nós mesmos — nós as assumimos por livre e espontânea vontade. Como instrumentos de benefício mútuo, os contratos inspiram-se no ideal de reciprocidade; a obrigação de cumpri-los resulta da obrigação de recompensar o outro pelos benefícios que ele nos proporciona.

Na prática, esses ideais — autonomia e reciprocidade — não se realizam perfeitamente. Alguns acordos, ainda que voluntários, não trazem benefícios mútuos. E às vezes podemos ser obrigados a pagar por um benefício simplesmente por questão de reciprocidade, ainda que não exista um contrato. Isso nos leva aos limites morais do consentimento: em alguns casos, o consentimento pode não ser suficiente para criar uma obrigação moral; em outros, pode não ser necessário.

## QUANDO O CONSENTIMENTO APENAS NÃO BASTA: FIGURINHAS DE BEISEBOL E VAZAMENTO NO BANHEIRO

Analisemos duas situações que demonstram que o consentimento apenas não basta. Quando meus dois filhos eram pequenos, eles colecionavam figurinhas de beisebol e as trocavam entre si. O mais velho conhecia melhor os jogadores e sabia o valor das figurinhas. Às vezes ele fazia propostas desleais ao irmão mais novo — trocar dois meio-campistas, digamos, por um jogador secundário. Resolvi então criar uma regra estipulando que qualquer troca precisaria ter minha aprovação. Você pode achar que essa foi uma determinação paternalista, e realmente foi. (É para isso que serve o paternalismo.) Em circunstâncias como essa, as trocas voluntárias podem ser claramente injustas.

Há alguns anos, li um artigo num jornal sobre um caso mais extremo. Uma viúva idosa de Chicago tinha um vazamento no banheiro de seu apartamento e contratou um prestador de serviço para consertá-lo — por

50 mil dólares. Ela assinou um contrato comprometendo-se a pagar 25 mil dólares no início do trabalho e o restante em algumas parcelas. A transação foi descoberta quando ela foi ao banco para sacar os 25 mil dólares. O caixa perguntou-lhe por que ela estava fazendo uma retirada tão grande e a senhora respondeu que precisava pagar o bombeiro hidráulico. O caixa chamou a polícia, que prendeu o bombeiro inescrupuloso por fraude.[4]

Até o mais ganancioso dos prestadores de serviço admitiria que 50 mil dólares pelo reparo seria um valor extremamente injusto — ainda que ambas as partes tenham concordado livremente com ele. Esse caso ilustra dois pontos sobre os limites morais de um contrato: primeiramente, que um acordo não garante equidade. Em segundo lugar, que o consentimento não basta para criar uma obrigação moral. Longe de ser um instrumento de benefício mútuo, esse contrato é um ultraje ao ideal de reciprocidade. Acho que isso explica por que poucas pessoas defenderiam a obrigação moral da viúva de pagar o valor extorsivo cobrado pelo serviço.

Pode-se argumentar que o contrato abusivo para o conserto do banheiro não foi um contrato realmente voluntário, mas um tipo de exploração, em que um bombeiro inescrupuloso tentou se aproveitar de uma mulher idosa ingênua. Não conheço os detalhes desse caso, mas vamos presumir, a título de argumentação, que o bombeiro não tenha coagido a mulher e que ela estivesse lúcida (embora mal informada sobre os valores cobrados por serviços hidráulicos) ao concordar com o preço cobrado. O fato de o acordo ter sido voluntário não garante, em nenhuma hipótese, uma troca de benefícios equânimes ou comparáveis.

Argumentei até aqui que o consentimento não é condição suficiente para a obrigação moral; um acordo em condições desiguais pode estar tão longe de oferecer benefícios mútuos que nem mesmo seu caráter voluntário pode sustentá-lo. Gostaria agora de oferecer um argumento ainda mais provocativo: o consentimento não é condição necessária da obrigação moral. Se o benefício mútuo for bastante claro, as reivindicações morais de reciprocidade podem prevalecer, ainda que não haja um ato formal de consentimento.

## QUANDO O CONSENTIMENTO NÃO É ESSENCIAL: A CASA DE HUME E OS LAVADORES DE PARA-BRISAS

A questão que tenho em mente foi enfrentada certa vez por David Hume, filósofo moral escocês do século XVIII. Quando jovem, Hume publicou uma severa crítica à ideia de Locke de contrato social. Ele a chamou de "ficção filosófica que jamais teve ou terá a ver com a realidade"[5] e "uma das elucubrações mais misteriosas e incompreensíveis já concebidas".[6] Anos mais tarde, Hume passou por uma experiência que colocou à prova sua rejeição do consentimento como base da obrigação.[7]

Hume possuía uma casa em Edimburgo. Ele a alugou ao amigo James Boswell, que, por sua vez, a sublocou. O inquilino achou que a casa precisava de alguns reparos e, sem consultar Hume, contratou um empreiteiro para realizar o serviço. Os reparos foram feitos e a conta foi enviada para Hume, que se recusou a pagar, alegando não ter dado seu consentimento para os consertos. Ele não tinha contratado o empreiteiro. O caso foi levado aos tribunais. O empreiteiro reconheceu que Hume não havia autorizado o serviço. Mas a casa precisava dos reparos, e ele os executara.

Hume não aceitou esse argumento. A alegação do empreiteiro era apenas "que o trabalho precisava ser feito", disse Hume no tribunal. Mas essa "não era uma resposta cabível, porque abriria um precedente para que o empreiteiro fosse a qualquer casa de Edimburgo e fizesse a obra que considerasse necessária sem o consentimento do proprietário (...) dando a mesma justificativa para o que fizera: que o serviço era necessário e que a casa se beneficiara dele". Segundo Hume, porém, essa seria "uma doutrina nova (...) e absolutamente inadmissível".[8]

Quando se tratou da reforma da sua casa, Hume não aceitou a teoria da obrigação fundamentada apenas no benefício. Mas sua defesa não foi aceita e o tribunal o obrigou a pagar.

A ideia de que a obrigação de pagar por um benefício pode surgir sem o devido consentimento é moralmente plausível no caso da casa de Hume. Mas pode facilmente resvalar para táticas de vendas sob pressão ou outros abusos. Na década de 1980 e no início da de 1990, os "lavadores de para-brisas" tornaram-se uma presença intimidante nas ruas da cidade de Nova York. Equipados com um rodo e um balde de água, eles se aproximavam de um carro parado em um sinal vermelho, lavavam o para-brisa (frequentemente sem pedir permissão ao motorista) e queriam receber dinheiro pelo trabalho. Agiam com base na teoria do benefício invocada pelo empreiteiro de Hume. Mas, na falta do consentimento, o limite entre a prestação de um serviço e a mendicância não estava muito bem definido. O prefeito Rudolph Giuliani resolveu agir com rigor contra os lavadores de para-brisas e deu ordens à polícia para prendê-los.[9]

## BENEFÍCIO OU CONSENTIMENTO? A OFICINA MÓVEL DE SAM

Eis outro exemplo da confusão que pode ocorrer quando não se definem claramente os aspectos da obrigação baseada no consentimento e daquela baseada no benefício. Há muitos anos, quando estava na faculdade, cruzei o país de carro com alguns amigos. Paramos em uma loja de conveniência em Hammond, Indiana. Quando voltamos para o carro, ele não dava partida. Nenhum de nós entendia de mecânica. Enquanto pensávamos no que fazer, uma van parou perto de nós. Na lateral, lia-se: "Oficina Móvel do Sam". Um homem, provavelmente Sam, desceu da van.

Ele se aproximou oferecendo ajuda. "Trabalho da seguinte maneira", explicou. "Cobro 50 dólares por hora. Se eu consertar o carro em cinco minutos, vocês me pagam 50 dólares. E, se eu trabalhar por uma hora e não conseguir consertá-lo, ainda assim vocês me devem os 50 dólares."

"Quais são as chances de você conseguir consertar o carro?", perguntei-lhe. Ele não me respondeu diretamente e começou a bisbilhotar embaixo da coluna de direção. Eu não sabia o que fazer. Olhei para meus amigos para ver o que eles estavam achando daquilo. Poucos minutos depois, o homem saiu de baixo do carro e disse: "Bem, não há nada errado com o sistema de ignição, mas vocês ainda têm 45 minutos. Quer que eu abra o capô e dê uma olhada?"

"Espere aí", disse eu. "Não contratei seus serviços. Não fizemos acordo algum." O homem ficou muito zangado e disse: "Você quer dizer, então, que se eu tivesse consertado seu carro nesses cinco minutos você não ia me pagar?"

Eu disse: "Aí a questão seria outra."

Não abordei a questão da diferença entre as obrigações decorrentes do consentimento e as decorrentes dos benefícios. Achei que isso não ajudaria muito naquelas circunstâncias. Mas o contratempo com o mecânico Sam mostra que nem sempre as coisas ficam claras quando envolvem o consentimento. Sam achava que se tivesse consertado meu carro depois de ter mexido na coluna eu deveria pagar-lhe 50 dólares. Concordo. Mas eu deveria dinheiro a ele se ele tivesse me proporcionado um benefício — ou seja, consertado meu carro. Ele deduziu que, já que eu lhe deveria dinheiro nessas condições, eu (implicitamente) havia concordado em contratar seus serviços. Mas essa é uma conclusão errada. Ela parte do princípio equivocado de que sempre que houver uma obrigação deverá haver um acordo — algum tipo de consentimento. Ela ignora a possibilidade de a obrigação existir sem consentimento. Se Sam tivesse consertado meu carro, eu passaria a lhe dever em nome da reciprocidade. Agradecer-lhe e simplesmente ir embora não seria justo. Mas isso não significa que eu o tenha contratado.

Quando conto essa história a meus alunos, a maioria concorda que, naquelas circunstâncias, eu não devia os 50 dólares a Sam. Mas muitos acham isso por razões diferentes da minha. Eles argumentam que, já que eu não contratara Sam explicitamente, eu não lhe devia nada — e continuaria a não dever, ainda que ele tivesse consertado o carro. Qualquer pagamento constituiria um ato de generosidade — uma gratificação, não um dever. Portanto, eles me defendem não concordando com minha noção abrangente de obrigação, mas expressando uma visão limitada de consentimento.

Apesar de nossa tendência a ver o consentimento em qualquer reivindicação moral, é difícil compreender nossa vida moral sem reconhecer a importância da reciprocidade em si. Analisemos um contrato de casamento. Suponhamos que eu descubra, após vinte anos de fidelidade de minha parte, que minha mulher mantém encontros com outro homem. Eu teria dois motivos para me sentir ofendido. O primeiro invoca o consentimento: "Nós tínhamos um acordo. Você fez um juramento e quebrou sua promessa." O segundo tem a ver com a reciprocidade: "Mas eu sempre lhe fui fiel. Com toda certeza não merecia ser tratado assim. Minha lealdade não tem preço." E daí por diante. A segunda queixa não faz referência ao consentimento, e ele não é necessário. Ela seria moralmente plausível ainda que jamais tivéssemos trocado juras matrimoniais mas tivéssemos vivido maritalmente durante todos aqueles anos.

## IMAGINANDO O CONTRATO PERFEITO

O que todas essas desventuras nos dizem sobre a moralidade dos contratos? Que sua força moral se origina de dois ideais diferentes: autonomia e reciprocidade. Mas a maioria dos contratos fica aquém desses ideais. Se eu estiver diante de alguém com maior poder de barganha, é possível que minha aquiescência não seja totalmente voluntária, mas esteja subordinada a algum tipo de pressão ou, na pior das hipóteses, de coação. Se eu estiver negociando com alguém que tenha mais conhecimento sobre o objeto da negociação, a transação talvez não traga benefícios mútuos. Em um caso extremo, ela poderá ser uma fraude ou uma enganação.

Na vida real, as pessoas estão situadas de diferentes formas. Isso quer dizer que é sempre possível que existam diferenças de poder de barganha e de conhecimento da situação. E, se isso for verdade, um acordo não garante, por si, que uma transação seja justa. Esse é o motivo pelo qual os contratos formais não são instrumentos morais autossuficientes. É sempre válido perguntar: "Mas o que foi acordado é justo?"

Imaginemos, no entanto, um contrato entre duas partes que tenham o mesmo nível de poder e conhecimento; que se situem de forma idêntica, e não diferente. E imaginemos que o objeto desse contrato não seja um conserto hidráulico ou qualquer outro trato comum, mas os princípios que governam nossa vida em conjunto, que determinam nossos direitos e deveres como cidadãos. Um contrato como esse, entre partes como essas, não daria margem a coerção, engano ou outras vantagens injustas. Seus termos seriam justos, quaisquer que fossem eles, devido tão somente ao acordo em si.

Se você puder imaginar um contrato assim, terá compreendido a concepção de Rawls de um acordo hipotético baseado na equanimidade. O "véu de ignorância" garante a equanimidade do poder e do conhecimento que a posição original requer. Ao fazer com que as pessoas ignorem sua posição na sociedade, suas forças e fraquezas, seus valores e objetivos, o véu de ignorância garante que ninguém possa obter vantagens, ainda que involuntariamente, valendo-se de uma posição favorável de barganha.

> Se o conhecimento de particularidades é permitido, o desfecho é prejudicado por contingências arbitrárias (...) Se a posição original é chegar a acordos justos, as partes devem estar situadas de forma justa e ser tratadas igualmente como pessoas morais. As arbitrariedades do mundo devem ser corrigidas ajustando as circunstâncias da situação contratual inicial.[10]

A ironia é que um acordo hipotético realizado sob um "véu de ignorância" não é uma forma pálida de contrato real e, portanto, moralmente mais fraca; ao contrário, é uma forma pura de contrato real, portanto moralmente mais forte.

## DOIS PRINCÍPIOS DE JUSTIÇA

Suponhamos que Rawls esteja certo: a maneira pela qual devemos pensar na justiça é perguntando quais princípios escolheríamos caso partíssemos de uma posição equânime, sob um "véu de ignorância". Quais princípios surgiriam daí?

Segundo Rawls, não optaríamos pelo utilitarismo. Sob um "véu de ignorância", não sabemos qual será nossa posição na sociedade, mas sabemos que vamos buscar nossos objetivos e vamos querer ser tratados com respeito. Se por acaso pertencêssemos a uma minoria étnica ou religiosa, não gostaríamos de ser oprimidos, ainda que isso satisfizesse a uma maioria. Uma vez que o "véu de ignorância" fosse retirado e a vida real tivesse início, não íamos querer ser vítimas de perseguição religiosa ou discriminação racial. Para nos proteger contra esses perigos, repudiaríamos o utilitarismo, aceitando um princípio de liberdades básicas iguais para todos os cidadãos, incluindo o direito à liberdade de consciência e pensamento. E insistiríamos na supremacia desse princípio sobre qualquer tentativa de maximização do bem-estar geral. Não sacrificaríamos nossos direitos e nossas liberdades fundamentais em prol de benefícios sociais ou econômicos.

Que princípio escolheríamos para governar as desigualdades sociais e econômicas? Para nos resguardar do risco de nos ver na miséria, poderíamos, em um primeiro momento, apoiar uma distribuição equânime de renda e riqueza. Mas talvez nos ocorresse a possibilidade de ter uma vida melhor, ainda que estivéssemos na base da pirâmide. Suponhamos que, ao permitir certas desigualdades, como salários mais altos para médicos do que para motoristas de ônibus, pudéssemos melhorar a situação daqueles que têm menos — aumentando o acesso dos pobres aos serviços de saúde. Ao admitir essa possibilidade, estaríamos adotando o que Rawls denomina "princípio da diferença": só serão permitidas as desigualdades sociais e econômicas que visem ao benefício dos membros menos favorecidos da sociedade.

Qual é exatamente o nível de igualdade no princípio da diferença? É difícil saber, porque os efeitos das diferenças salariais dependem das circunstâncias sociais e econômicas. Suponhamos que médicos bem remunerados proporcionassem melhores condições de atendimento médico nas regiões rurais de baixa renda. Nesse caso, a diferença salarial seria coerente com o princípio de Rawls. Mas suponhamos que a remuneração mais alta dos médicos não tivesse nenhum impacto nos serviços de saúde nos Apalaches, apenas aumentasse o número de cirurgiões plásticos em Beverly Hills. Nesse caso, seria difícil justificar a diferença salarial do ponto de vista de Rawls.

O que dizer do alto salário de Michael Jordan ou da grande fortuna de Bill Gates? Essas desigualdades seriam coerentes com o princípio da diferença? Evidentemente, a teoria de Rawls não tem como objetivo avaliar se o salário dessa ou daquela pessoa é justo; ela se refere à estrutura básica da sociedade e à forma como ela distribui direitos e deveres, renda e fortuna, poder e oportunidades. Para Rawls, a questão é saber se a fortuna de Gates é parte de um sistema que, como um todo, trabalha em benefício dos menos favorecidos. Por exemplo, sua fortuna está sujeita a um sistema progressivo de impostos sobre a renda do rico com o objetivo de favorecer a saúde, a educação e o bem-estar do pobre? Em caso positivo, e se esse sistema melhorou as condições do pobre em relação ao que elas poderiam ter sido em um regime mais rigoroso de distribuição de renda, então essas desigualdades seriam coerentes com o princípio da diferença.

Há quem questione se não seria possível que as pessoas, mesmo sem saber onde se inseririam na sociedade, ainda assim escolhessem o princípio da diferença. Como Rawls pode garantir que, sob o véu de ignorância, as pessoas não iriam querer arriscar a sorte em uma sociedade altamente desigual, na esperança de conseguir um lugar no topo da pirâmide? Talvez alguns até optassem por uma sociedade feudal, dispostas a correr o risco de ser servos sem terra na esperança de, quem sabe, ser reis.

Rawls não acredita que ao escolher os princípios que devem governar sua vida as pessoas fossem correr tais riscos. A não ser que soubessem que eram pessoas que gostam de correr riscos (característica ocultada pelo "véu de ignorância"), elas não arriscariam tanto. Mas a tese de Rawls do princípio da diferença não se baseia totalmente na presunção de que as pessoas do contrato original fossem avessas a riscos. A ideia subjacente ao artifício do "véu da ignorância" é um argumento moral que pode ser apresentado independentemente de tal artifício. Sua ideia principal é que a distribuição de renda e oportunidades não deve ser fundamentada em fatores arbitrários do ponto de vista moral.

## A DISCUSSÃO SOBRE A ARBITRARIEDADE MORAL

Rawls apresenta essa discussão comparando várias teorias diferentes de justiça, a começar pela aristocracia feudal. Hoje ninguém considera justas as aristocracias feudais ou os sistemas de castas. Esses sistemas são injustos, observa Rawls, porque distribuem renda, riqueza, oportunidade e poder de acordo com o nascimento. Se você nascer na nobreza, terá direitos e poderes que serão negados àqueles que nascerem na servidão. Mas as circunstâncias do nascimento não dependem de você. Portanto, não é justo que suas perspectivas de vida dependam desse fato arbitrário.

As sociedades de mercado atenuam essas arbitrariedades, pelo menos até certo ponto. Elas permitem àqueles que possuem as aptidões necessárias a possibilidade de seguir qualquer carreira profissional e garantem a igualdade perante a lei. Os cidadãos têm garantidas as mesmas liberdades básicas, enquanto a distribuição de renda e riqueza é determinada pelo livre mercado. Esse sistema — o do livre mercado com oportunidades formalmente equânimes — corresponde à teoria libertária de justiça. Ele representa o aperfeiçoamento das sociedades feudais e de castas, pois repudia as hierarquias determinadas pelo nascimento. Em termos legais, permite que todos possam se esforçar e competir. Na prática, entretanto, as oportunidades estão longe de ser iguais.

Aqueles que podem ser sustentados pela família e têm uma boa educação têm vantagens óbvias sobre os demais. Permitir que todos participem da corrida é uma coisa boa. Mas se os corredores começarem de pontos de partida diferentes, dificilmente será uma corrida justa. É por isso, argumenta Rawls, que a distribuição de renda e fortuna que resulta do livre mercado com oportunidades formalmente iguais não pode ser considerada justa. A injustiça mais evidente do sistema libertário "é o fato de ele permitir que a divisão de bens seja indevidamente influenciada por esses fatores tão arbitrários do ponto de vista moral".[11]

Uma das formas de remediar essa injustiça é corrigir as diferenças sociais e econômicas. Uma meritocracia justa tenta fazer isso, indo além da igualdade de oportunidades meramente formal. Ela remove os obstáculos que cerceiam a realização pessoal ao oferecer oportunidades de educação iguais para todos, para que os indivíduos de famílias pobres possam competir em situação de igualdade com os que têm origens mais privilegiadas. Ela institui programas assistenciais para famílias de baixa renda, programas compensatórios de nutrição e de saúde para a infância, programas educacionais e de treinamento profissional — tudo o que for preciso para que todos, independentemente de classe ou situação familiar, tenham acesso ao mesmo ponto de partida. Segundo a concepção meritocrática, a distribuição de renda e fortuna que resulta do livre mercado é justa, mas só se todos tiverem as mesmas oportunidades para desenvolver suas aptidões. Os vencedores da corrida só serão merecedores das recompensas se todos partirem da mesma linha de largada.

Rawls acredita que a concepção meritocrática possa corrigir algumas vantagens moralmente arbitrárias, mas ainda assim está longe de ser justa. Porque, ainda que se consiga que todos partam do mesmo ponto, é fácil prever quem serão os vencedores — os corredores mais velozes. Mas ser um corredor veloz não é um mérito totalmente do indivíduo. É algo contingente do ponto de vista moral, da mesma forma que vir de uma família rica é contingente. "Ainda que atinja a perfeição em eliminar a influência das contingências sociais", escreve Rawls, o sistema meritocrático "continuará a permitir que a distribuição de riqueza e renda seja determinada pela distribuição natural de aptidões e talento".[12]

Se Rawls estiver certo, nem mesmo o livre mercado operando em uma sociedade com oportunidades iguais de educação conseguirá atingir uma distribuição justa de renda e riqueza. A razão disso:

> A distribuição é determinada pelo resultado da loteria natural; e esse resultado é arbitrário do ponto de vista moral. Não há mais razão para que se permita que a distribuição de renda e riqueza seja determinada pela distribuição dos bens naturais do que pela fortuna histórica e social.[13]

Rawls conclui que a concepção meritocrática de justiça é falha pelo mesmo motivo (embora em menor grau) que a concepção libertária: ambas fundamentam a distribuição de direitos em fatores moralmente arbitrários.

> Uma vez que somos influenciados tanto pelas contingências sociais quanto pelas oportunidades naturais na determinação da distribuição de direitos, poderemos ser prejudicados pela influência de uma ou de outra. Do ponto de vista moral, ambas parecem igualmente arbitrárias.[14]

Quando percebemos as arbitrariedades morais que maculam tanto a teoria libertária de justiça quanto a meritocrática, argumenta Rawls, não podemos aceitar nada que não seja uma concepção equânime. Mas qual poderia ser essa concepção? Uma coisa é remediar as oportunidades desiguais de educação, mas remediar os dotes naturais desiguais é outra bem diferente. Se o fato de alguns corredores serem mais velozes do que outros nos incomoda, não deveríamos obrigar os corredores mais dotados a usar sapatos de chumbo? Alguns críticos da teoria igualitária acreditam que a única alternativa para uma sociedade de mercado meritocrática seria uma igualdade niveladora que impusesse limitações aos indivíduos com mais aptidões.

## UM PESADELO IGUALITÁRIO

"Harrison Bergeron", um conto de Kurt Vonnegut, Jr., trata dessa preocupação na forma de ficção científica distópica. "Era o ano de 2081", começa a história, "e todos eram finalmente iguais (...) Ninguém era mais inteligente do que ninguém. Ninguém era mais bonito do que ninguém. Ninguém era mais forte ou mais rápido do que ninguém." Essa igualdade minuciosamente obrigatória era fiscalizada pelos agentes do United States Handicapper General (Gabinete Delimitador dos Estados Unidos). Cidadãos com inteligência acima da média eram obrigados a usar nos ouvidos um tipo de rádio para reduzir a capacidade mental. A cada vinte segundos, aproximadamente, um transmissor do governo emitia um som agudo para que eles não se beneficiassem "das injustas características da superioridade de seu cérebro".[15]

Harrison Bergeron, de 14 anos, é excepcionalmente inteligente, bonito e talentoso, tendo, pois, de ser desabilitado com mais dispositivos do que a maioria. Em vez do pequeno rádio, "ele usa um enorme par de fones de ouvido e óculos com lentes grossas e distorcidas". Para disfarçar a boa aparência, Harrison tem de colocar "uma bola vermelha de borracha no nariz, raspar as sobrancelhas e cobrir alguns de seus lindos dentes brancos com próteses pretas". Para neutralizar sua força física, ele precisa carregar, para onde quer que vá, uma pesada sucata metálica. "Na corrida da vida, Harrison carregava mais de cem quilos."[16]

Um belo dia, em um ato heroico de desafio contra a tirania igualitária, Harrison arranca todos os dispositivos que o desabilitam. Mas eu não vou estragar a história revelando o desfecho. Já deve estar bem claro como Vonnegut dá vida à queixa corrente contra as teorias igualitárias de justiça.

A teoria de justiça de Rawls, no entanto, não se presta a essa objeção. Ele mostra que há outras alternativas à sociedade de mercado meritocrática além da igualdade pelo nivelamento. A alternativa de Rawls, que ele denomina princípio da diferença, corrige a distribuição desigual de aptidões e dotes sem impor limitações aos mais talentosos. Como? Estimulando os bem-dotados a desenvolver e exercitar suas aptidões, compreendendo, porém, que as recompensas que tais aptidões acumulam no mercado pertencem à comunidade como um todo. Não criemos obstáculos para os melhores corredores; deixemos que corram e façam o melhor que puderem. Apenas reconheçamos, de antemão, que os prêmios não pertencem somente a eles, mas devem ser compartilhados com aqueles que não têm os mesmos dotes.

Embora o princípio da diferença não subentenda a distribuição igualitária de renda e riqueza, ele deixa implícita a ideia de uma visão de igualdade poderosa e até mesmo inspiradora.

> O princípio da diferença representa, na verdade, um acordo para considerar a distribuição das aptidões naturais um bem comum e para compartilhar quaisquer benefícios que ela possa propiciar. Os mais favorecidos pela natureza, não importa quem sejam, só devem usufruir de sua boa sorte de maneiras que melhorem a situação dos menos favorecidos. Aqueles que se encontram naturalmente em posição vantajosa não devem ser beneficiados simplesmente por ser mais dotados, mas apenas para cobrir os custos com treinamento e educação e usar seus dotes de modo a ajudar também os menos afortunados. Ninguém é mais merecedor de maior capacidade natural ou deve ter o privilégio de uma melhor posição de largada na sociedade. Mas isso não significa que essas distinções devam ser eliminadas. Há outra maneira de lidar com elas. A estrutura básica da sociedade pode ser elaborada de forma que essas contingências trabalhem para o bem dos menos afortunados.[17]

Analisemos, então, quatro teorias diferentes de justiça distributiva:

1. Sistema feudal ou de castas: hierarquia fixa estabelecida em função do nascimento.
2. Libertária: livre mercado com igualdade de oportunidades formal.
3. Meritocrática: livre mercado com igualdade de oportunidades justa.
4. Igualitária: princípio da diferença de Rawls.

Rawls argumenta que as três primeiras teorias baseiam a distribuição de justiça em fatores arbitrários do ponto de vista moral — seja por nascimento, seja por um melhor posicionamento social e econômico, seja por aptidões e habilidades naturais. Apenas o princípio da diferença evita que a distribuição de renda e riqueza seja fundamentada nessas contingências.

Embora o argumento da arbitrariedade moral não se baseie no argumento da posição original, ambos têm alguma semelhança neste sentido: ambos sustentam que, no que se refere à justiça, deveríamos abstrair ou colocar de lado fatos contingentes relativos às pessoas e a sua posição social.

*Objeção 1: Incentivos*

A teoria de Rawls sobre o princípio da diferença permite duas grandes objeções. Primeiramente, o que dizer dos incentivos? Se os talentosos só puderem se beneficiar de suas aptidões quando elas ajudarem os menos favorecidos, o que acontecerá se eles resolverem trabalhar menos ou não desenvolver suas habilidades? Se os impostos forem altos ou as diferenças de salários muito pequenas, quem garante que os mais talentosos, que poderiam ser cirurgiões, não optarão por profissões que tenham menor grau de exigência? Michael Jordan não se esforçaria menos em seus arremessos ou se aposentaria antes do previsto?

A resposta de Rawls é que o princípio da diferença permite desigualdades de renda a título de incentivo, desde que esses incentivos sejam necessários para melhorar a vida dos menos favorecidos. Pagar mais aos executivos ou cortar os impostos cobrados aos mais ricos apenas para aumentar o Produto Interno Bruto não seria suficiente. Mas, se os incentivos gerarem um crescimento econômico que permita àqueles que se encontram na base da pirâmide uma vida melhor do que a que teriam com uma distribuição mais equilibrada, então eles são permitidos pelo princípio da diferença.

É importante notar que permitir diferenças salariais a título de incentivo não é o mesmo que dizer que os bem-sucedidos têm mais direitos morais aos frutos de seu trabalho. Se Rawls estiver certo, as desigualdades de renda só serão justas na medida em que incentivarem esforços que, no cômputo geral, ajudem os menos privilegiados, e não porque os altos executivos ou os astros do esporte mereçam ganhar mais do que os operários de fábricas.

### *Objeção 2: Esforço*

Chegamos agora a uma segunda e mais desafiadora objeção à teoria de justiça de Rawls: O que dizer do esforço? Rawls repudia a teoria meritocrática de justiça com base no fato de que os talentos naturais não são méritos de quem o possui. Mas e o trabalho árduo a que muitas pessoas se dedicam para cultivar seu talento? Bill Gates trabalhou com afinco e durante muito tempo para fundar a Microsoft. Michael Jordan passou infindáveis horas treinando basquete. A despeito de seus talentos e dotes, será que não merecem ser recompensados por tudo que conseguiram conquistar com seu esforço?

Rawls responde que até o esforço pode ser produto de uma educação favorável. "Até mesmo a vontade de se esforçar, de tentar e, portanto, de merecer no sentido geral depende de circunstâncias familiares e sociais mais confortáveis."[18] Como outros fatores que determinam nosso sucesso, o esforço é influenciado por contingências cujos créditos não podemos reivindicar. "Parece claro que o esforço que uma pessoa está disposta a fazer é influenciado por sua habilidade natural e pelas alternativas que tem. Os mais favorecidos tendem, além de outras coisas, a se empenhar conscientemente..."[19]

Muitos de meus alunos declaram-se radicalmente contra a concepção de esforço de Rawls ao se deparar com ela. Eles alegam que suas conquistas, incluindo a admissão em Harvard, são consequências do seu próprio esforço e trabalho, e não de fatores moralmente arbitrários além de seu controle. Muitos veem com desconfiança qualquer teoria de justiça que sugira que não merecemos moralmente as recompensas por nossos esforços.

Sempre que abordo a concepção de esforço de Rawls, costumo fazer uma pesquisa não científica. Mostro que psicólogos acreditam que a ordem de nascimento das pessoas influencia o trabalho e o empenho — tal como o esforço que os alunos associam ao fato de ser admitidos em Harvard. Supostamente, o filho mais velho tem uma ética de trabalho mais sólida, ganha mais dinheiro e atinge mais facilmente o sucesso dito convencional do que os irmãos mais novos. Esses estudos são controversos, e não sei se suas conclusões são verdadeiras. Mas, apenas a título de curiosidade, pergunto a meus alunos quantos deles foram os primeiros na ordem de nascimento na família: de 75 a 85% levantam a mão. O resultado é sempre o mesmo toda vez que faço a enquete.

Ninguém pode afirmar que o fato de ser o primeiro na ordem de nascimento seja mérito próprio. Se algo tão moralmente arbitrário como a ordem de nascimento pode influenciar nossa tendência a trabalhar com mais afinco e a nos empenhar conscientemente, Rawls pode ter razão. Nem mesmo o esforço pode ser um fator determinante do mérito.

O argumento de que as pessoas merecem as recompensas que resultam do esforço e do trabalho árduo é questionável ainda por outro motivo: embora os partidários da meritocracia frequentemente invoquem as virtudes do esforço, eles não acreditam realmente que apenas o esforço deva ser a base da renda e da riqueza. Consideremos dois operários da construção civil. Um é forte e musculoso e consegue levantar quatro paredes por dia sem muito esforço. O outro é fraco e franzino e não consegue carregar mais do que dois tijolos ao mesmo tempo. Embora ele trabalhe muito, demora uma semana para fazer o que seu companheiro musculoso faz, praticamente sem grandes esforços, em um dia. Nenhum partidário da meritocracia diria que o operário fraco, porém esforçado, mereça receber mais do que o operário forte em virtude de seu esforço muito maior.

Ou, então, voltemos ao caso de Michael Jordan. É verdade que ele treinou muito. Mas outros jogadores de basquete menos talentosos do que ele treinaram ainda mais. Ninguém diria que eles merecem contratos mais altos do que os de Jordan como recompensa pelas horas que dedicam aos treinamentos. Assim, apesar das discussões sobre o esforço, na verdade é a contribuição, ou a conquista, que o partidário da meritocracia acredita que é digna de recompensa. Seja nossa ética de trabalho produto de nosso esforço ou não, nossa contribuição depende, pelo menos em parte, das aptidões naturais cujos créditos não podemos reivindicar.

## REPUDIANDO O MÉRITO MORAL

Se o argumento de Rawls sobre a arbitrariedade moral das aptidões estiver certo, chegaremos a uma conclusão surpreendente: a justiça distributiva não é questão de premiar o mérito moral.

Rawls reconhece que essa conclusão contraria o que normalmente consideramos justiça:

> Existe uma tendência generalizada a achar que renda e riqueza, ou todas as coisas boas da vida, devam ser distribuídas segundo o mérito moral. Justiça é sinônimo de felicidade em termos de virtude (...) Mas a justiça pensada como equidade repudia essa concepção.[20]

Rawls ataca as bases da visão meritocrática de justiça ao questionar sua premissa básica, ou seja, de que, uma vez removidas as barreiras sociais e econômicas que entravam o sucesso, as pessoas são dignas das recompensas resultantes de suas aptidões:

> Não merecemos o lugar que ocupamos na escala de distribuição de talentos inatos mais do que merecemos nosso ponto de partida na sociedade. Afirmar que merecemos ter a característica superior que nos permite empreender os esforços para cultivar nossas aptidões também é problemático, porque tal característica depende, em grande parte, do tipo de família que tivemos e das circunstâncias sociais de nossa infância, cujos créditos não podemos reivindicar. A noção de merecimento não se aplica aqui.[21]

Se a justiça distributiva não é uma questão de recompensar o mérito moral, isso significa que as pessoas que trabalham com afinco e respeitam as regras não têm nenhum direito às recompensas por seus esforços? Não, não é bem assim. Rawls faz aqui uma distinção importante porém sutil — entre mérito moral e o que ele denomina "direitos a expectativas legítimas". Diferentemente da reivindicação do mérito, o direito às expectativas só pode existir quando determinadas regras do jogo estiverem estabelecidas. Ele não nos pode dizer de antemão como estabelecer as regras.

O conflito entre mérito moral e direito fundamenta muitos de nossos mais acalorados debates sobre justiça: algumas pessoas dizem que aumentar os impostos cobrados dos ricos priva-os de algo que eles merecem moralmente; ou que considerar a diversidade racial e étnica um fator para admissão à faculdade priva os candidatos com as maiores notas nos testes de admissão de uma vantagem que eles moralmente merecem ter. Outras dizem que não — as pessoas não merecem moralmente essas vantagens; primeiro temos que estabelecer as regras do jogo — alíquotas de impostos, critérios de admissão. Somente então poderemos definir quem merece o quê.

Consideremos a diferença entre um jogo de azar e um jogo de destreza. Suponhamos que eu aposte na loteria. Se meus números forem sorteados, estarei apto a receber o prêmio. Mas não posso dizer que mereci ganhar, porque loteria é um jogo de azar. Minha vitória ou derrota não tem nada a ver com minha virtude ou habilidade no jogo.

Agora imaginemos que o Boston Red Sox vença o Campeonato Mundial de Beisebol. Ao vencer, tem direito ao troféu. Se merecia ou não vencer é outra questão. A resposta depende da atuação da equipe durante o jogo. Será que venceu graças a um golpe de sorte (um erro de arbitragem num momento decisivo, por exemplo) ou porque realmente jogou melhor do que o time adversário, mostrando a excelência e as virtudes (lances bem-feitos, precisão nos ataques, defesa competente etc.) que caracterizam o melhor do beisebol?

Em um jogo de destreza, diferentemente de um jogo de azar, pode existir uma distinção entre quem recebe os prêmios por direito e quem mereceria ter vencido. Isso se deve ao fato de os jogos de destreza recompensarem o exercício e a demonstração de determinadas virtudes.

Rawls argumenta que a justiça distributiva não é questão de recompensar a virtude ou o mérito moral. Ao contrário, ela trata de atender às expectativas legítimas que passam a existir quando as regras do jogo são estabelecidas. Uma vez que os princípios de justiça estabeleçam os termos da cooperação social, as pessoas passam a ser merecedoras dos benefícios que obtiverem ao cumprir as regras. Mas, se a Receita Federal as obrigar a dar uma parte de sua renda para ajudar os menos favorecidos, elas não poderão reclamar que estão sendo privadas de algo que moralmente merecem.

> Um plano justo, portanto, dá aos homens aquilo a que têm direito: satisfaz suas expectativas legítimas com base nas instituições sociais. Mas aquilo a que os homens têm direito não é proporcional nem dependente de seu valor intrínseco. Os princípios de justiça que regulamentam a estrutura básica da sociedade (...) não mencionam o mérito moral, não há nenhuma propensão da distribuição de direitos de corresponder a eles.[22]

Rawls repudia o mérito moral como fundamento da justiça distributiva com base em dois argumentos. Primeiramente, como já vimos, ter o talento que me coloque em uma situação privilegiada na competição em relação aos demais não é um mérito completamente meu. Mas uma segunda contingência é igualmente decisiva: as qualidades que uma sociedade valoriza em determinado momento, também moralmente arbitrárias. Ainda que eu pudesse reivindicar a propriedade única de minhas aptidões sem problema, ainda teria de considerar que as recompensas dessas aptidões dependeriam das contingências de oferta e procura. Na Toscana medieval, pintores de afrescos eram muito valorizados; na Califórnia do século XXI, valorizam-se os programadores de informática, e assim por diante. Se minhas habilidades valem muito ou pouco, isso depende do que a sociedade esteja demandando. O que determina aquilo que se considera contribuição depende das qualidades que cada sociedade valoriza.

Analisemos as diferenças salariais:

- A média salarial de um professor de ensino médio nos Estados Unidos é de 43 mil dólares anuais. David Letterman, apresentador de um programa de auditório exibido no final da noite, ganha 31 milhões de dólares por ano.
- John Roberts, presidente da Suprema Corte dos Estados Unidos, recebe 217.400 dólares por ano. Judy Sheindlin, que apresenta o *reality show* "Judge Judy" na televisão, ganha 25 milhões de dólares por ano.

Será que essas diferenças salariais são justas? A resposta, para Rawls, depende de elas serem parte de um sistema de taxação e redistribuição de renda que beneficie os menos favorecidos. Nesse caso, Letterman e Sheindlin seriam merecedores de seus ganhos. Mas não se pode dizer que ela mereça receber cem vezes mais do que o juiz Roberts ou que Letterman mereça mais de setecentas vezes o salário de um professor. O fato de viverem em uma sociedade que paga fortunas aos astros de televisão é parte da boa sorte que têm, e não algo de que sejam merecedores.

Os bem-sucedidos muitas vezes ignoram esse aspecto contingente de seu sucesso. Muitos de nós têm a sorte de possuir, pelo menos até certo ponto, as qualidades às quais nossa sociedade dá mais valor. Em uma sociedade capitalista, ter capacidade empreendedora é uma vantagem. Em uma sociedade burocrática, é de grande valia ter a habilidade de se relacionar bem com os superiores. Em uma sociedade democrática de massa, é uma vantagem aparecer bem na televisão ou, em suma, ser superficial. Em uma sociedade com muitos problemas legais, é interessante frequentar a faculdade de direito e ter a capacidade de discernimento e raciocínio que permitirá um bom desempenho nos exames de admissão às faculdades de Direito.

Não somos responsáveis pelo fato de nossa sociedade valorizar certas coisas. Suponhamos que nós, com os talentos que temos, não vivêssemos em uma sociedade tecnologicamente avançada e com tantos problemas como a nossa, mas em uma sociedade de caçadores, ou uma sociedade guerreira, ou uma sociedade que outorgasse suas mais altas recompensas e seu mais alto prestígio àqueles que demonstrassem maior força física ou devoção religiosa. O que seria de nosso talento? Evidentemente, ele não nos levaria muito longe. Sem dúvida alguns de nós desenvolveriam outras aptidões. Mas seríamos menos merecedores ou menos virtuosos do que somos agora?

Rawls responde que não. Poderíamos ganhar menos dinheiro, o que seria correto. Mas, ainda que ganhássemos menos, não seríamos menos merecedores do que as outras pessoas. O mesmo se aplica aos indivíduos de nossa sociedade que não ocupam uma posição de prestígio e que não possuem os talentos que nossa sociedade recompensa.

Assim, ao mesmo tempo que merecemos os benefícios que as regras do jogo prometem para o exercício de nosso talento, é errado e prepotente supor que merecemos, antes de tudo, uma sociedade que valorize nossas maiores qualidades.

Woody Allen aborda uma situação semelhante no filme *Memórias* (*Stardust Memories*). Ele vive um personagem inspirado nele mesmo, um comediante famoso chamado Sandy, que se encontra com Jerry, um amigo e ex-vizinho insatisfeito por ser motorista de táxi.

SANDY: E então, você trabalha em quê? O que anda fazendo?
JERRY: Quer saber o que faço? Sou motorista de táxi.
SANDY: Você me parece bem. Você... bem... não há nada errado em ser motorista de táxi.
JERRY: É... mas olhe para mim, em comparação a você...
SANDY: O que você quer que eu diga? Sempre fui aquela criança do bairro que gostava de contar piadas, certo?

JERRY: É...

SANDY: Bem... como você sabe, vivemos em uma... em uma sociedade que dá muito valor a piadas, não é? Pensando assim (*pigarreando*), se eu fosse um índio apache... aqueles caras não precisariam de um comediante, certo? E eu estaria desempregado.

JERRY: E daí? Convenhamos, isso não faz com que eu me sinta melhor.[23]

O motorista de táxi não achou graça na piada do comediante sobre a arbitrariedade moral da fama e da fortuna. O fato de considerar que não obteve sucesso porque não teve sorte não diminui sua insatisfação. Talvez porque, em uma sociedade meritocrática, muitas pessoas pensem que o sucesso seja reflexo do que merecemos; e não é fácil dissuadi-las dessa ideia. Nas próximas páginas exploraremos a questão da justiça distributiva e veremos se ela pode ser completamente dissociada do mérito moral.

## A VIDA É INJUSTA?

Em 1980, quando Ronald Reagan concorreu à presidência, o economista Milton Friedman publicou um *best-seller* em coautoria com a mulher, Rose, intitulado *Livres para escolher* (*Free to Choose*). Era uma defesa vigorosa e explícita da economia de livre mercado e tornou-se a bíblia — ou o hino — dos anos Reagan. Ao defender os princípios do *laissez-faire* contra as objeções igualitárias, Friedman fez uma surpreendente concessão. Ele reconheceu que os indivíduos criados em famílias abastadas e que frequentaram escolas de elite têm uma vantagem injusta em relação àqueles que vêm de lares menos privilegiados. Ele também admitiu que os indivíduos que, sem nenhum mérito próprio, herdaram talento e dotes ocupam uma posição privilegiada e injusta em relação aos demais. Diferentemente de Rawls, no entanto, Friedman insiste em que não devemos tentar remediar essa injustiça. Ao contrário, devemos aprender a conviver com ela e a usufruir dos benefícios que ela proporciona.

> A vida não é justa. É tentador acreditar que o governo pode consertar aquilo que a natureza criou. Mas também é importante reconhecer que nos beneficiamos muito da injustiça que deploramos. Não é nem um pouco injusto que (...) Muhammad Ali tenha nascido com o talento que o transformou em um grande boxeador (...) É certamente injusto que Muhammad Ali seja capaz de ganhar milhões de dólares em uma só noite. Mas não teria sido ainda mais injusto para as pessoas que gostavam de vê-lo lutar se, em nome de um ideal abstrato de igualdade, Muhammad Ali não pudesse ganhar em uma luta (...) mais do que o trabalhador não qualificado da base da pirâmide recebe por uma jornada no cais do porto?[24]

Em *Uma teoria da justiça*, Rawls rejeita a recomendação de complacência da concepção de Friedman. Numa passagem emocionante, Rawls mostra uma verdade simples da qual frequentemente nos esquecemos: a maneira como as coisas são não determina a maneira como elas deveriam ser.

> Devemos repudiar a alegação de que as instituições sejam sempre falhas porque a distribuição dos talentos naturais e as contingências da circunstância social são injustas, e essa injustiça deve inevitavelmente ser transferida para as providências humanas. Eventualmente essa reflexão é usada como uma desculpa para que se ignore a injustiça, como se a recusa em aceitar a injustiça fosse o mesmo que ser incapaz de aceitar a morte. A distribuição natural não é justa nem injusta; tampouco é injusto que as pessoas nasçam em uma determinada posição na sociedade. Esses fatos são simplesmente naturais. O que é justo ou injusto é a maneira como as instituições lidam com esses fatos.[25]

Rawls propõe que lidemos com esses fatos aceitando "compartilhar nosso destino com o próximo" e "só tirando proveito das casualidades da natureza e das circunstâncias sociais quando isso proporcionar o bem de todos".[26] Quer sua teoria de justiça venha a ser aceita, quer não, ela representa a proposta mais convincente de uma sociedade equânime já produzida pela filosofia política americana.

## Notas

1. John Locke, *Second Treatise of Government* (1690), em Peter Laslett, ed., *Locke's Two Treatises of Government*, 2ª ed. (Cambridge, Cambridge University Press, 1967), seção 119.
2. John Rawls, *A Theory of Justice [Uma teoria de justiça]* (Cambridge, The Belknap Press of Harvard University Press, 1971).
3. Ver a excelente história da lei do contrato, P. S. Atiyah, *The Rise and Fall of Freedom of Contract* (Nova York, Oxford University Press, 1979); e também Charles Fried, *Contract as Promise* (Cambridge, Harvard University Press, 1981).
4. Associated Press, "Bill for Clogged Toilet: $50,000", *Boston Globe*, 13 de setembro de 1984, p. 20.
5. David Hume, *Treatise of Human Nature* (1739-40), livro III, parte II, seção 2 (Nova York, Oxford University Press, 2ª ed., 1978).
6. Ibidem, livro III, parte III, seção 5.
7. A história é relatada em Atiyah, *The Rise and Fall of Freedom of Contract*, pp. 487-88; Atiyah cita E. C. Mossner, *Life of David Hume* (Edimburgo, Kelson, 1954), p. 564.
8. Hume citado em Atiyah, *Rise and Fall*, p. 487.
9. Steve Lee Myers, "'Squeegees' Rank High on Next Police Commissioner's Priority List", *New York Times*, 4 de dezembro de 1993, pp. 23-24.
10. Rawls, *A Theory of Justice*, seção 24.
11. Ibidem, seção 12.
12. Ibidem.
13. Ibidem.
14. Ibidem.
15. Kurt Vonnegut, Jr., "Harrison Bergeron" (1961), em Vonnegut, *Welcome to the Monkey House* (Nova York, Dell Publishing, 1998), p. 7.
16. Ibidem, pp. 10-11.
17. Rawls, *A Theory of Justice*, seção 17.
18. Ibidem, seção 12.
19. Ibidem, seção 48.
20. Ibidem.
21. Rawls, *A Theory of Justice* (2ª ed., 1999), seção 17.
22. Ibidem, seção 48.
23. Woody Allen, *Stardust Memories*, United Artists, 1980.
24. Milton e Rose Friedman, *Free to Choose* (Nova York, Houghton Mifflin Harcourt, 1980), pp. 136-37.
25. Rawls, *A Theory of Justice*, seção 17.
26. Ibidem. Na edição revisada de *A Theory of Justice* (1999), Rawls retirou a frase sobre compartilhar o destino uns dos outros.

# CAPÍTULO 7 A ação afirmativa em questão

Cheryl Hopwood não nasceu em uma família abastada. Criada pela mãe, lutou muito para concluir o ensino médio e chegar à Universidade da Califórnia, em Sacramento. Mais tarde mudou-se para o Texas e tentou entrar para a Faculdade de Direito da Universidade do Texas, a melhor do estado e uma das melhores do país. Embora Hopwood tenha obtido a média de 3,8 no período escolar e mostrado um desempenho relativamente bom no exame de admissão (atingiu o 83º percentil), não conseguiu entrar para a universidade.[1]

Hopwood, que é branca, considerou-se injustiçada. Alguns dos candidatos aceitos eram negros ou descendentes de mexicanos nascidos nos Estados Unidos e suas médias escolares e de aproveitamento nos exames foram inferiores às que ela obtivera. A faculdade tinha uma política de ação afirmativa que privilegiava candidatos das minorias. De fato, todos os estudantes das minorias com conceitos e notas equivalentes aos de Hopwood haviam sido admitidos.

Hopwood levou o caso à Justiça federal, alegando ter sido vítima de discriminação. A universidade respondeu que parte da missão da faculdade de direito era aumentar a diversidade racial e étnica da carreira no Texas, incluindo não apenas os escritórios de advocacia, mas também o poder legislativo e os tribunais do estado. "A lei em uma sociedade depende em grande parte da disposição da sociedade de aceitar seu julgamento", disse Michael Sharlot, decano da Faculdade de Direito. "Será mais difícil atingir esse objetivo se não contarmos com o desempenho de membros de todos os grupos na administração da justiça."[2] No Texas, negros e descendentes de mexicanos nascidos nos Estados Unidos representam 40% da população; apesar disso, representam uma proporção muito menor no exercício da advocacia. Quando Hopwood tentou ser admitida, a Faculdade de Direito da Universidade do Texas lançou mão de uma política de ação afirmativa que tinha como objetivo destinar aproximadamente 15% das vagas a alunos provenientes das minorias.[3]

Para atingir esse objetivo, a universidade estabeleceu padrões mais baixos para a admissão de candidatos das minorias do que para os demais. Autoridades da universidade argumentaram, entretanto, que todos os estudantes das minorias admitidos eram qualificados para o trabalho e que quase todos conseguiram se formar e passar no exame da American Bar Association.* No entanto, Hopwood não se convenceu; continuou a acreditar que havia sido injustiçada e que deveria ter sido admitida.

Hopwood não foi a primeira pessoa a desafiar a ação afirmativa nos tribunais, e também não seria a última. Há mais de três décadas, as cortes vêm lutando contra as difíceis questões morais e legais propostas pela ação afirmativa. Em 1978, no caso *Bakke*, a Suprema Corte dos Estados Unidos teve dificuldades para sustentar uma diretriz de admissão de ação afirmativa da Faculdade de Medicina da Universidade da Califórnia em Davis.[4] Em 2003, uma Suprema Corte dividida determinou que o fator raça poderia ser usado como critério de admissão em um caso envolvendo a Faculdade de Direito da Universidade de Michigan.[5] Enquanto isso, eleitores da Califórnia, de Washington e de Michigan recentemente apoiaram a elaboração de leis para acabar com privilégios raciais na educação pública e no mercado de trabalho.

A questão que os tribunais enfrentam é definir se as políticas de emprego e admissão de ação afirmativa violam a garantia da Constituição dos Estados Unidos de que as leis protegerão a todos igualmente. Deixemos de lado, porém, a questão constitucional e concentremo-nos diretamente na questão moral: é injusto considerar raça e etnia fatores prioritários no mercado de trabalho e na admissão à universidade?

Para responder a essa pergunta, analisemos três razões oferecidas pelos defensores da ação afirmativa para que raça e etnia sejam levadas

*Exame que qualifica os candidatos para exercer a profissão em determinada jurisdição. Correspondente à Ordem dos Advogados do Brasil (OAB). (*N. da T.*)

em consideração: correção de distorções em testes padronizados, compensação por erros do passado e promoção da diversidade.

## CORRIGINDO AS FALHAS DOS TESTES

Um dos motivos para que se leve em conta raça e etnia é a correção de possíveis distorções nos testes padronizados. A capacidade do teste de aptidão escolar e de outros exames afins de prever o sucesso acadêmico e profissional vem sendo questionada há tempos. Em 1951, um candidato ao programa de doutorado da Faculdade de Teologia da Universidade de Boston obteve notas medíocres na prova de graduação. O jovem Martin Luther King, que viria a ser um dos maiores oradores da história americana, teve uma avaliação abaixo da média em aptidão oral.[6] Felizmente, foi admitido mesmo assim.

Alguns estudos mostram que estudantes negros e hispânicos normalmente se classificam abaixo da média obtida pelos estudantes brancos nos testes padronizados, ainda que se façam ajustes por classe econômica. No entanto, quaisquer que sejam as causas dessa discrepância no resultado das avaliações, o uso de testes padronizados para prever o sucesso acadêmico requer a interpretação das notas à luz dos antecedentes familiares, sociais, culturais e educacionais dos estudantes. Uma média de 700 pontos no exame de admissão às universidades obtida por um estudante que tenha frequentado escolas públicas no Bronx significa mais do que a mesma média obtida por um aluno formado por uma escola particular de elite no Upper East Side de Manhattan. Entretanto, a avaliação dos testes à luz dos antecedentes raciais, étnicos e econômicos dos estudantes não põe em questão a ideia de que faculdades e universidades devam admitir alunos que demonstrem melhores probabilidades de sucesso acadêmico; é simplesmente uma tentativa de encontrar a medida mais acurada da promessa acadêmica de cada aluno individualmente.

A verdadeira discussão sobre ação afirmativa trata de dois outros argumentos fundamentais — o argumento compensatório e o argumento da diversidade.

## COMPENSANDO DANOS DO PASSADO

O argumento compensatório considera a ação afirmativa uma solução para remediar as injustiças do passado. De acordo com esse argumento, alunos pertencentes às minorias devem ter preferência para compensar o histórico de discriminação que os coloca em posição de inferioridade. Esse argumento trata a admissão nas escolas e nos postos de trabalho essencialmente como um benefício para quem o recebe e procura distribuí-lo de forma a compensar as injustiças passadas e suas consequências que ainda persistem.

Entretanto, o argumento compensatório dá margem a uma grande contestação: os críticos alegam que os beneficiados não são necessariamente aqueles que sofreram, e os que acabam pagando pela compensação raramente são os responsáveis pelos erros que estão sendo corrigidos. Muitos beneficiários da ação afirmativa são estudantes das minorias de classe média, que não passaram pelas dificuldades que afligem os jovens negros e hispânicos das áreas mais pobres das cidades. Por que um estudante negro de uma região rica de Houston deveria ter preferência sobre Cheryl Hopwood, que enfrentou uma luta muito mais árdua para superar dificuldades econômicas?

Se a questão for ajudar as pessoas em desvantagem, argumentam os críticos, a ação afirmativa deveria basear-se na classe social, não na raça. E, se o critério racial tiver como objetivo compensar a injustiça histórica da escravidão e da segregação, qual seria o motivo para que se imputasse o ônus a pessoas como Hopwood, que não tiveram participação nesse processo de injustiça?

A resposta a essa objeção depende do difícil conceito de responsabilidade coletiva: Temos a responsabilidade moral de corrigir erros cometidos por uma geração anterior à nossa? Para responder a essa pergunta, precisamos entender melhor a origem das obrigações morais. Temos obrigações apenas como indivíduos ou algumas obrigações nos são impostas como membros de comunidades com identidades históricas? Já que abordaremos novamente essa questão mais adiante, vamos deixá-la de lado por algum tempo e voltemos ao argumento da diversidade.

## PROMOVENDO A DIVERSIDADE

O argumento da diversidade para a ação afirmativa não depende de concepções controversas da responsabilidade coletiva. Tampouco depende de mostrar que o estudante pertencente à minoria que tenha tido prioridade na admissão tenha sofrido pessoalmente alguma discriminação ou desvantagem. Ele trata a admissão do beneficiado não como uma recompensa, mas como um meio de atingir um objetivo socialmente mais importante.

O princípio da diversidade se justifica em nome do bem comum — o bem comum da própria faculdade e também da sociedade em geral. Primeiro, defende que um corpo estudantil com diversidade racial permite que os estudantes aprendam mais entre si do que se todos tivessem antecedentes semelhantes. Assim como um corpo discente cujos componentes pertencessem a uma só área do país limitaria o alcance das perspectivas intelectuais e culturais, o mesmo aconteceria com um corpo estudantil que refletisse homogeneidade de raça, etnia e classe social. Em segundo lugar, o argumento da diversidade considera que as minorias deveriam assumir posições de liderança na vida pública e profissional, porque isso viria ao encontro do propósito cívico da universidade e contribuiria para o bem comum.

O argumento da diversidade é utilizado com mais frequência por escolas de nível superior. Quando teve de enfrentar o caso de Hopwood, o decano da Faculdade de Direito da Universidade do Texas citou o propósito cívico da diretriz de ação afirmativa adotada pela escola. Parte da missão da faculdade de direito era ajudar a aumentar a diversidade da carreira advocatícia no Texas e permitir que negros e hispânicos ocupassem posições de liderança no governo e no sistema judiciário em geral. Nesse sentido, o programa de ação afirmativa da escola era um sucesso: "Vemos membros das minorias que se formaram na universidade assumindo cargos superiores, trabalhando em importantes escritórios de advocacia, como membros das Câmaras dos Deputados do estado do Texas e do país.* Existem minorias em importantes cargos no Texas e, em grande parte, são formandos da nossa faculdade."[7]

*Nos Estados Unidos, o nome é o mesmo nos estados e no país. No Brasil, é Assembleia Legislativa nos estados e Câmara dos Deputados no país. Nos Estados Unidos, os estados também têm Senado. No Brasil, ele é apenas federal. (*N. da E.*)

Quando o caso *Bakke* foi apresentado na Suprema Corte dos Estados Unidos, a Universidade de Harvard enviou uma súmula de arrazoados defendendo a ação afirmativa na área da educação.[8] A súmula declarava que a avaliação por meio de testes nunca tinha sido o único critério de admissão. "Se o desempenho escolar tivesse sido o único e exclusivo critério, ou mesmo o critério predominante, a Universidade de Harvard teria perdido grande parte de sua vitalidade e excelência intelectuais (...) e a qualidade da experiência educacional oferecida a todos os alunos teria sido prejudicada." Antigamente, diversidade significava "estudantes da Califórnia, de Nova York e de Massachusetts; habitantes das cidades e fazendeiros; violinistas, pintores e jogadores de futebol; biólogos, historiadores e humanistas; corretores de ações, acadêmicos e políticos em potencial". Agora, a universidade também se preocupa com a diversidade racial e étnica.

> Um jovem fazendeiro de Idaho pode trazer para Harvard algo que um estudante de Boston não tem como oferecer. Da mesma forma, um estudante negro com frequência traz um aporte que um branco não pode oferecer. A qualidade da experiência educacional de todos os alunos da Universidade de Harvard depende, em parte, dessa diversidade de antecedentes e expectativas que os estudantes trazem consigo.[9]

Críticos do argumento da diversidade apresentam dois tipos de objeção — uma de ordem prática e uma ideológica. A objeção prática questiona a eficiência das diretrizes de ação afirmativa. Ela argumenta que o uso do favorecimento racial não tornará uma sociedade mais diversificada ou reduzirá os preconceitos e as desigualdades, mas afetará a autoestima dos estudantes de grupos minoritários, aumentará a conscientização racial em todos os lados, intensificará as tensões raciais e provocará indignação entre os grupos étnicos brancos que acham que também eles deveriam merecer oportunidades. A objeção prática não diz que a ação afirmativa é injusta, mas sim que é provável que ela não atinja seus objetivos e resulte em mais problemas do que benefícios.

## AS PREFERÊNCIAS RACIAIS VIOLAM OS DIREITOS?

A objeção ideológica parte do princípio de que, por mais que ter uma sala de aula mais diversificada ou uma sociedade mais equânime tenham seu valor, e por mais que as diretrizes da ação afirmativa consigam atingi-lo, utilizar a raça ou a etnia como fator para admissões é injusto. O motivo: isso viola os direitos de candidatos como Cheryl Hopwood, que, por razões além de seu controle, foi preterida na competição.

Para um utilitarista, essa objeção não seria muito importante. A questão da ação afirmativa dependeria simplesmente da avaliação dos benefícios educacionais e cívicos proporcionados em relação ao desapontamento que ela causa a Hopwood e a outros candidatos à margem que saem perdendo. No entanto, muitos partidários da ação afirmativa não são utilitaristas; são liberais partidários de Kant ou de Rawls, que acham que nem mesmo os objetivos mais desejáveis devem sobrepor-se aos direitos individuais. Para eles, se considerar a raça critério de admissão viola os direitos de Hopwood, então fazer isso é injusto.

Ronald Dworkin, um filósofo dos direitos dos cidadãos, aborda essa objeção contra-argumentando que o uso da raça como critério nas diretrizes de ação afirmativa não viola nenhum direito individual.[10] Que direitos foram negados a Hopwood? Talvez ela acredite que as pessoas tenham o direito de não ser julgadas segundo fatores, como a raça, que estejam além de seu controle. Mas a maioria dos critérios tradicionais para a admissão à universidade envolve fatores que os indivíduos não podem controlar. Não tenho culpa por ter nascido em Massachusetts em vez de em Idaho, ou por ser um péssimo jogador de futebol, ou por não saber cantar. Tampouco é minha culpa se não sou capaz de ter um bom desempenho no exame de admissão.

Talvez o direito em questão seja o de ser avaliado pura e simplesmente segundo os critérios acadêmicos — e não por ser um bom jogador de futebol, ou por ser de Idaho, ou por ser voluntário em algum posto de distribuição de sopa para os pobres. De acordo com esse ponto de vista, se minha pontuação, minhas notas nos testes ou quaisquer outras medidas de avaliação acadêmica me colocarem no selecionado grupo de candidatos, então mereço ser admitido. Em outras palavras, mereço ser avaliado apenas segundo meu mérito acadêmico.

No entanto, como Dworkin observa, esse direito não existe. Pode ser que algumas universidades admitam os alunos com base somente nas qualificações acadêmicas, mas a maioria não o faz. As universidades definem suas missões de várias formas. Dworkin argumenta que nenhum candidato tem o direito de exigir que a universidade defina sua missão e planeje sua política de admissão de forma a valorizar um determinado conjunto de qualidades acima de todas as outras — sejam elas a aptidão acadêmica, a aptidão atlética ou qualquer outra. Uma vez que a universidade defina sua missão e estabeleça seus padrões de admissão, uma pessoa tem o direito à legítima expectativa de ser admitido na medida em que preencha esses padrões melhor do que outros candidatos. Aqueles que conseguem colocar-se no grupo de candidatos mais bem classificados — considerando a potencialidade acadêmica, a diversidade étnica ou geográfica, o talento atlético, as atividades extracurriculares, o serviço comunitário e outros — têm direito a ser admitidos; seria injusto excluí-los. Mas ninguém tem o direito de ser avaliado segundo qualquer conjunto particular de critérios que não os da universidade.[11]

Eis um argumento profundo, embora contestado, no cerne da discussão da diversidade para a ação afirmativa: a admissão não é uma honraria destinada a premiar o mérito ou a virtude superiores. Nem o aluno com as mais altas notas nos testes nem aquele que vem de uma minoria merecem moralmente ser admitidos por esses motivos. A admissão é aceitável na medida em que contribui para o propósito social ao qual a universidade serve, e não porque recompense o aluno por seu mérito ou sua virtude, considerados de forma independente. Na concepção de Dworkin, a justiça nas admissões não é uma questão de premiar o mérito ou a virtude; só poderemos saber qual será a maneira justa de distribuir as vagas das turmas de calouros uma vez que a universidade defina sua missão. A missão estabelece os méritos relevantes, e não o contrário. A noção de Dworkin sobre justiça na admissão à universidade corre paralelamente à noção de justiça de Rawls na distribuição de renda: não é uma questão de mérito moral.

## A SEGREGAÇÃO RACIAL E AS COTAS ANTISSEMITAS

Será que as faculdades e universidades são livres para definir suas missões como bem lhes aprouver e quaisquer políticas de admissão que se ajustem à missão estabelecida são justas? Se for assim, o que dizer dos *campi* racialmente segregados no sul dos Estados Unidos até pouco tempo? Foi o caso da Faculdade de Direito da Universidade do Texas, que se viu no centro de um problema constitucional há algumas décadas. Em 1946, quando a escola era segregada, foi negada a admissão a Heman Marion Sweatt sob a alegação de que a universidade não admitia negros. O problema tornou-se um marco para a Suprema Corte dos Estados Unidos, com o caso *Sweatt vs. Painter* (1950), resultando em um golpe contra a segregação racial no ensino superior.

Mas, se o único teste de equidade em uma política de admissão for sua adequação à missão da faculdade, então o que havia de errado com o argumento que a Faculdade de Direito do Texas apresentou na ocasião? Sua missão era preparar advogados para os escritórios de advocacia do Texas. E, já que os escritórios do Texas não empregavam negros, alegou a faculdade, ela não estaria cumprindo sua missão se os admitisse.

Pode-se argumentar que a Faculdade de Direito da Universidade do Texas, como uma instituição pública, sofre maior coerção na escolha de sua missão do que as universidades particulares. É verdade que os maiores desafios constitucionais à ação afirmativa no ensino superior envolveram universidades públicas — a Universidade da Califórnia em Davis (no caso *Bakke*), a Universidade do Texas (*Hopwood*) e a Universidade de Michigan (*Grutter*). Entretanto, já que estamos tentando definir o que é justiça ou injustiça no uso da raça como critério — e não sua legalidade —, a distinção entre universidades públicas e privadas não é tão importante.

Instituições privadas, bem como públicas, podem ser acusadas de injustiça. Lembremo-nos dos protestos contra a discriminação racial nas lanchonetes do sul dos Estados Unidos na época de segregação. Os balcões das lanchonetes eram propriedade privada, mas a discriminação racial praticada pelas lanchonetes era igualmente injusta. (De fato, a Lei dos Direitos Civis de 1964 tornou ilegal tal discriminação.)

Ou consideremos as cotas antissemitas empregadas, formal ou informalmente, por algumas universidades da Ivy League* nas décadas de 1920 e 1930. E essas cotas eram moralmente defensáveis pelo simples fato de que as universidades eram privadas, e não públicas? Em 1922, o presidente de Harvard, A. Lawrence Lowell, propôs a criação de um limite de 12% para a admissão de judeus, alegando que isso reduziria o antissemitismo. "O sentimento antissemita entre os alunos está crescendo", disse, "e esse crescimento é proporcional ao aumento do número de judeus."[12] Na década de 1930, o diretor de admissões da Universidade de Dartmouth escreveu a um aluno que se queixara do número cada vez maior de judeus no *campus*. "Agradeço seus comentários sobre o problema com os judeus", explicou. "Ficarei arrasado se ultrapassarmos 5% ou 6% na turma de 1938." Em 1945, o presidente de Dartmouth justificou a limitação às matrículas de judeus invocando a missão da faculdade: "Dartmouth é uma universidade cristã fundada para a cristianização de seus alunos."[13]

Se as universidades, como presume o princípio da diversidade para a ação afirmativa, puderem estabelecer quaisquer critérios de admissão que promovam a sua missão como elas a definem, será possível condenar a exclusão racista e as restrições antissemitas? Existe uma distinção ideológica entre o uso da raça para excluir as pessoas no sul segregacionista e o uso da raça para incluir pessoas na ação afirmativa atual? A resposta mais óbvia é que, nos tempos da segregação, a Faculdade de Direito da Universidade do Texas usou o critério da raça como um símbolo de inferioridade, enquanto o favorecimento racial de hoje não insulta nem estigmatiza ninguém. Hopwood considerou sua rejeição injusta, mas ela não pode alegar que isso tenha sido uma expressão de ódio ou desprezo.

Esta é a resposta de Dworkin: a exclusão racial da era segregacionista baseava-se na "ideia desprezível de que uma raça pode ser inerentemente mais digna do que outra", enquanto a ação afirmativa não expressa tal preconceito. Ela afirma simplesmente que, dada a importância de

*Grupo de oito universidades privadas de maior prestígio do nordeste dos Estados Unidos. (*N. da T.*)

promover a diversidade nas principais carreiras, ser negro ou hispânico "pode ser uma característica socialmente útil".[14]

Candidatos preteridos como Hopwood podem não considerar essa distinção satisfatória, mas ela realmente demonstra certa força moral. A faculdade de direito não afirma que Hopwood seja inferior ou que a minoria dos alunos admitidos em seu detrimento mereça o privilégio que ela não mereceu. Ela diz apenas que a diversidade racial e étnica em sala de aula e nos tribunais serve aos propósitos educacionais da faculdade de direito. E, embora a realização de tais propósitos viole de certa forma os direitos dos perdedores, os candidatos preteridos não podem alegar legitimamente que foram tratados de forma injusta.

## AÇÃO AFIRMATIVA PARA OS BRANCOS?

Eis um teste para o argumento da diversidade: Ele pode, algumas vezes, justificar preferências raciais em favor dos brancos? Analisemos o caso de Starrett City. Esse condomínio com 20 mil moradores no Brooklyn, em Nova York, é o maior projeto habitacional de classe média subsidiado pelo governo dos Estados Unidos. Foi inaugurado em meados da década de 1970 para ser uma comunidade de integração racial. Para atingir esse objetivo, foram usados "controles de ocupação" que tentavam equilibrar a composição étnica e racial da comunidade, limitando a população negra e hispânica a cerca de 40% do total de moradores. Em suma, era utilizado um sistema de cotas. As cotas não se baseavam no preconceito ou no desprezo, mas em uma teoria de "pontos de desestabilização" resultante da observação dos problemas raciais na experiência urbana. Os organizadores do projeto tentaram evitar pontos de desestabilização que haviam desencadeado "fuga de brancos" em outras vizinhanças, prejudicando a integração. Ao manter o equilíbrio racial e étnico, esperava-se criar uma comunidade estável e racialmente diversificada.[15]

A ideia funcionou. A comunidade tornou-se altamente desejável e muitas famílias quiseram se mudar para lá, o que obrigou Starrett City a criar uma lista de espera. Devido, em parte, ao sistema de cotas, que destinava menos unidades aos negros do que aos brancos, famílias negras precisavam esperar mais do que as brancas. Em meados da década de 1980, uma família de brancos esperava de três a quatro meses por um apartamento, enquanto uma família de negros precisava esperar até dois anos.

Eis novamente um sistema de cotas que favorecia os candidatos brancos — um sistema que não se baseava no preconceito racial, mas no objetivo de manter uma comunidade integrada. Alguns candidatos negros consideraram injusta a política baseada na questão racial e abriram um processo jurídico alegando discriminação. A NAACP (Associação Nacional para o Progresso da População Negra), que, em outros contextos, defendia a ação afirmativa, os representou. Finalmente foi feito um acordo permitindo que Starrett City mantivesse seu sistema de cotas, porém obrigando o Estado a facilitar o acesso das minorias a outros projetos habitacionais.

O sistema de Starrett City, fundamentado no critério da raça, era uma forma injusta de distribuição das unidades habitacionais? Não se aceitarmos o princípio da diversidade para a ação afirmativa. A diversidade racial e étnica não desempenha o mesmo papel em projetos habitacionais e nas salas de aula das faculdades, pois os bens em questão não são os mesmos. No entanto, do ponto de vista da equidade, os dois casos são igualmente válidos ou inválidos. Se a diversidade servir ao bem comum e se ninguém for discriminado com base no ódio ou no desprezo, as preferências raciais não estarão violando nenhum direito. Por que não? Porque, de acordo com a concepção de Rawls do mérito moral, ninguém tem o direito de ser beneficiado em um projeto habitacional ou incluído em uma turma de calouros de acordo com seus méritos, definidos de forma independente. O que é considerado mérito só pode ser determinado quando a autoridade habitacional ou a diretoria da faculdade definem sua missão.

## A JUSTIÇA PODE SER DISSOCIADA DO MÉRITO MORAL?

A não aceitação do mérito moral como base da justiça distributiva é moralmente atraente, mas também inquietante. É atraente porque abala a concepção presunçosa, muito aceita em sociedades meritocráticas, de que o sucesso é a coroação da virtude, de que os ricos são ricos porque são mais merecedores do que os pobres. Como Rawls nos lembra, "ninguém merece ter maior capacidade natural ou ocupar um ponto de partida privilegiado na sociedade". Tampouco é mérito nosso o fato de vivermos em uma sociedade que por acaso valorize nossas qualidades particulares. Isso é fruto da nossa sorte, e não da nossa virtude.

O que causa inquietação quando se dissocia a justiça do mérito moral é mais difícil de explicar. Existe uma crença generalizada de que os empregos e as oportunidades são recompensas para aqueles que os merecem, talvez ainda mais nos Estados Unidos do que em outras sociedades. Os políticos sempre divulgam a ideia de que os indivíduos que "trabalham duro e seguem as regras" merecem progredir e incentivam aqueles que realizam o sonho americano a considerar seu sucesso uma consequência da sua própria virtude. Essa ideia é, na melhor das hipóteses, um pouco confusa. Sua persistência cria um obstáculo à solidariedade social; quanto mais considerarmos nossas conquistas frutos do mérito próprio, menos responsabilidade sentiremos em relação aos que ficam para trás.

Pode ser que essa crença generalizada — de que o sucesso deva ser visto como um prêmio pela virtude — seja simplesmente um erro, um mito que deveríamos procurar derrubar. A concepção de Rawls da arbitrariedade moral da riqueza questiona veementemente essa crença. Ainda assim, talvez não seja possível, política ou filosoficamente, dissociar argumentos de justiça das discussões sobre o mérito tão decisivamente quanto sugerem Rawls e Dworkin. Deixem-me tentar explicar por quê.

Primeiro, a justiça tem, muitas vezes, um aspecto honorífico. As discussões sobre a justiça distributiva não tratam apenas de quem deve merecer o quê, mas também de que qualidades são merecedoras de honrarias e prêmios. Em segundo lugar, a ideia de que o mérito só existe a partir do momento em que as instituições sociais definem sua missão está sujeita a uma complicação: as instituições sociais que figuram mais frequentemente nos debates sobre justiça — escolas, universidades, ocupações, profissões, órgãos públicos — não podem definir sua missão livremente como bem quiserem. Essas instituições são definidas, pelo menos em parte, pelos benefícios característicos que proporcionam. Embora caibam discussões sobre qual deve ser, em determinado momento, a missão de uma faculdade de direito ou um exército ou uma orquestra, isso não significa que qualquer missão seja válida. Alguns benefícios adaptam-se a determinadas instituições sociais, e ignorá-los na distribuição dos papéis seria um tipo de corrupção.

Podemos ver como a justiça se confunde com a honra ao relembrar o caso de Hopwood. Suponhamos que Dworkin esteja certo quando diz que o mérito moral nada tem a ver com quem deva ser admitido. Eis a carta de recusa que a faculdade de direito deveria ter enviado a Hopwood:[16]

> *Prezada Srta. Hopwood,*
>
> *Lamentamos informar-lhe que seu pedido de admissão foi recusado. Por favor, entenda que não tivemos a intenção de ofendê-la. Não a estamos menosprezando. Na verdade, nem mesmo a consideramos menos merecedora do que aqueles que foram aceitos.*
>
> *Não temos culpa se a sociedade da sua época não precisa das qualidades que a senhorita tem a oferecer. Aqueles que foram admitidos em seu lugar não são mais merecedores de uma vaga, tampouco devem ser louvados em razão dos fatores que levaram a sua admissão. Nós apenas os estamos usando — e usando a senhorita — como instrumentos de um propósito social mais abrangente.*
>
> *Imaginamos que a senhorita vá ficar decepcionada com essa notícia, mas não superestime seu desapontamento por imaginar que tal recusa seja reflexo, de alguma forma, de seu valor moral intrínseco. A senhorita tem nosso apreço, pois entendemos que é muito desagradável saber que não possuímos as características de que a sociedade precisa no momento de nossa inscrição. Desejamos mais sorte na próxima vez.*
>
> *Atenciosamente...*

E eis a carta de aceitação, destituída de qualquer implicação honorífica, que uma faculdade de direito filosoficamente honesta deveria enviar aos candidatos aceitos:

> *Prezado candidato aceito,*
>
> *Temos o prazer de informar-lhe que seu pedido de admissão foi aceito. Por acaso o senhor possui as características de que a sociedade necessita no momento, de modo que decidimos explorar o que o senhor tem a oferecer à sociedade e admiti-lo em nosso curso de direito.*
>
> *O senhor está de parabéns, não porque merece o crédito por possuir as qualidades que levaram a sua admissão — o senhor não o merece —, mas apenas porque o vencedor de uma loteria deve ser parabenizado. O senhor teve a sorte de ter as características certas no momento certo. Se optar por aceitar nossa oferta, poderá por fim usufruir dos benefícios resultantes do fato de ser usado dessa maneira. Esse, sim, deve ser um motivo para comemoração.*
>
> *O senhor, ou melhor, seus pais podem ficar tentados a comemorar essa admissão como um fato que reflete positivamente, se não seus dotes naturais, pelo menos os esforços que o senhor conscientemente empreendeu para cultivar suas aptidões. Mas a ideia de que o senhor seja merecedor do caráter superior necessário para tal, visto que esse caráter depende de várias circunstâncias afortunadas cujos créditos o senhor não pode reivindicar, é igualmente problemática. A noção de mérito não cabe aqui.*
>
> *Não obstante, esperamos vê-lo na faculdade no próximo outono.*
>
> *Atenciosamente...*

Cartas assim podem amenizar o sofrimento dos que tiveram as candidaturas recusadas e frear o excesso de confiança dos que foram admitidos. Então, por que as faculdades continuam a enviar (e os candidatos a aguardar) cartas repletas de retórica de felicitações e elogios? Talvez porque as faculdades não consigam prescindir inteiramente da ideia de que seu papel não é apenas promover certos fins, mas também louvar e premiar determinadas virtudes.

## POR QUE NÃO LEILOAR AS VAGAS NAS UNIVERSIDADES?

Isso nos leva à segunda pergunta: As faculdades e universidades podem definir suas missões como bem lhes aprouver? Deixemos por enquanto de lado as preferências étnicas e raciais e consideremos outra controvérsia da ação afirmativa — as discussões sobre a instituição das "preferências hereditárias". Muitas faculdades dão preferência aos filhos de ex-alunos. Uma das razões para isso é a consolidação do espírito comunitário e escolar ao longo do tempo. Outra razão é a esperança de que os pais dos alunos, por gratidão, deem generoso apoio financeiro à sua *alma mater*.

Abstraindo a questão financeira, consideremos o que as universidades chamam de "admissões em prol de seu desenvolvimento" — ou seja, candidatos que, embora não sejam filhos de ex-alunos, tenham pais abastados que possam fazer doações consideráveis à faculdade. Muitas universidades admitem tais alunos ainda que suas notas e seus conceitos não sejam tão altos quanto os exigidos para admissão. Levando essa ideia ao extremo, imaginemos que uma universidade resolva leiloar 10% das vagas para as turmas do primeiro ano.

Esse sistema de admissão seria justo? Se você considerar que *mérito* é simplesmente a capacidade de contribuir, de uma forma ou de outra, para a missão da universidade, a resposta pode ser sim. Quaisquer que sejam suas missões, as universidades precisam de abrangentes fundos para realizá-las.

Pela abrangente definição de mérito de Dworkin, é meritório um aluno admitido em uma faculdade por meio da doação de 10 milhões de dólares para a nova biblioteca do *campus*. Sua admissão contribui para o bem da universidade como um todo. Alunos cujas candidaturas tenham sido preteridas em favor dos filhos de filantropos podem alegar que foram tratados injustamente. Mas a resposta de Dworkin a Hopwood aplica-se também a eles. Tudo que a equidade pressupõe é que ninguém seja rejeitado por preconceito ou descaso e que os candidatos sejam julgados por critérios coerentes com a missão que a universidade adotou. Nesse caso, os requisitos foram cumpridos. Os alunos não admitidos não são vítimas de preconceito; simplesmente tiveram azar por não terem pais que se dispusessem a doar uma nova biblioteca ou que pudessem fazê-lo.

Esse argumento, no entanto, é muito fraco. Ainda parece injusto que famílias abastadas possam comprar para seus filhos o ingresso em uma universidade da Ivy League. Mas no que consiste a injustiça? Não pode ser no fato de que candidatos de famílias pobres ou de classe média sejam prejudicados por motivos além de seu controle. Como mostra Dworkin, muitos fatores além de nosso controle são legitimamente utilizados na admissão.

Talvez o que cause desconforto quanto à hipótese do leilão tenha menos a ver com a oportunidade dos candidatos do que com a integridade da universidade. A venda de vagas para quem der o lance mais alto é mais adequada a um show de rock ou a um evento esportivo do que a uma instituição educacional. A maneira justa de permitir o acesso a um bem pode ter alguma coisa a ver com a natureza desse bem ou com seu propósito. A discussão sobre a ação afirmativa reflete noções conflitantes sobre a função de uma faculdade: Até que ponto as instituições devem buscar a excelência acadêmica, até que ponto devem buscar os valores cívicos e como tais propósitos devem ser equilibrados? Ainda que a educação superior também tenha o propósito de preparar os alunos para o sucesso profissional, seu objetivo primordial não é comercial. Portanto, vender educação como se ela não passasse de um bem de consumo é um tipo de corrupção.

Qual será, então, o propósito da universidade? Harvard não é um supermercado — tampouco uma loja de departamentos de luxo. Seu objetivo não é arrecadar mais dinheiro, mas servir ao bem comum por meio do ensino e da pesquisa. É verdade que ensino e pesquisas são dispendiosos, e que as universidades se esforçam muito para angariar fundos. Mas quando o objetivo de faturar mais dinheiro chega a ponto de governar a admissão a seus cursos, a universidade já se afastou muito das virtudes escolares e cívicas que devem ser seu objetivo primordial.

A noção de que justiça na distribuição de vagas em uma universidade tem alguma coisa a ver com as virtudes que as universidades realmente buscam obter explica por que vender vagas é injusto. Também explica por que é difícil separar as questões de justiça e direitos das questões de honra e virtude. As universidades conferem diplomas de mérito para premiar aqueles que demonstram as virtudes que elas existem para promover. Mas, de certa forma, todo diploma conferido por uma universidade é um diploma por mérito.

Relacionar debates sobre justiça a discussões sobre honra, virtude e o significado dos bens pode parecer uma boa receita para a eterna divergência. As pessoas têm concepções diferentes de honra e virtude. A missão que devem ter as instituições sociais — sejam universidades, corporações, exército, profissões ou a comunidade política em geral — é contestável e conflituosa. Assim, é tentador procurar uma base para a justiça e para os direitos que mantenha distância dessas controvérsias.

Grande parte da filosofia política moderna tenta fazer precisamente isso. Como vimos, as filosofias de Kant e de Rawls são audaciosas tentativas de encontrar um fundamento para a justiça e para os direitos que seja neutro em relação às diferentes concepções do que venha a ser uma vida boa. É hora de ver se os projetos de ambos serão bem-sucedidos.

## Notas

1. As informações sobre o caso Hopwood são apresentadas em *Cheryl J. Hopwood v. State of Texas*, Corte de Apelação dos Estados Unidos, Fifth Circuit, 78 F. 3d 932 (1996), e em Richard Bernstein, "Racial Discrimination or Righting Past Wrongs?", *New York Times*, 13 de julho de 1994, p. B8. A opinião da corte distrital mostrou, em uma nota de rodapé, que a pontuação de Hopwood no exame de admissão, na posição 83, a colocou "bem abaixo da média do exame de admissão para não minorias na turma de 1992". Ver *Cheryl J. Hopwood v. State of Texas*, Corte Distrital dos Estados Unidos, Western District of Texas, 861 R. Sup. 551 (1994), em 43.
2. Michael Sharlot, citado em Sam Walker, "Texas Hunts for Ways to Foster Diversity", *Christian Science Monitor*, 12 de junho de 1997, p. 4.
3. Bernstein, "Racial Discrimination or Righting Past Wrongs?"
4. *Regents of University of California v. Bakke*, 438 US 265 (1978).
5. *Grutter v. Bollinger*, 539 US 306 (2003).

6. Ethan Bronner, "Colleges Look for Answers to Racial Gaps in Testing", *New York Times*, 8 de novembro de 1997, pp. A1, A12.
7. Michael Sharlot, então decano da Faculdade de Direito da Universidade do Texas, citado em Bernstein, "Racial Discrimination or Righting Past Wrongs?".
8. *Regents of University of California v. Bakke*, 438 US 265 (1978), apêndice da opinião do juiz Powell, pp. 321-24.
9. Ibidem, 323.
10. Ronald Dworkin, "Why Bakke Has No Case", *New York Review of Books*, vol. 24, 10 de novembro de 1977.
11. Ibidem.
12. Citação de Lowell de "Lowell Tells Jews Limit at Colleges Might Help Them", *New York Times*, 17 de junho de 1922, p. 3.
13. Dartmouth cita William A. Honan, "Dartmouth Reveals Anti-Semitic Past", *New York Times*, 11 de novembro de 1997, p. A16.
14. Dworkin, "Why Bakke Has No Case".
15. Jefferson Morley, excelente relato das cotas de Starrett City, "Double Reverse Discrimination", *The New Republic*, 9 de julho de 1984, pp. 14-18; ver também Frank J. Prial, "Starrett City: 20,000 Tenants, Few Complaints", *New York Times*, 19 de dezembro de 1984.
16. Essas cartas hipotéticas foram adaptadas de Michael J. Sandel, *Liberalism and the Limits of Justice* (Cambridge, Cambridge University Press, 2ª ed., 1998).

# CAPÍTULO 8 Quem merece o quê / **Aristóteles**

Callie Smartt, aluna do primeiro ano do ensino médio, era popular na escola e participava da torcida organizada da Andrews High School, no oeste do Texas. O fato de ter paralisia cerebral e usar uma cadeira de rodas não diminuía o entusiasmo que inspirava nos jogadores e fãs de futebol americano, com sua presença sempre animada à beira do campo nos jogos do time de juniores da escola. No final da temporada, no entanto, Callie foi expulsa da torcida organizada.[1]

Pressionada por outras meninas da torcida e pelos pais dessas jovens, a diretoria da escola disse a Callie que se ela quisesse participar no ano seguinte teria de treinar como todas as demais e se submeter à rigorosa rotina de exercícios físicos, incluindo *splits* e acrobacias. O pai da líder da torcida comandou o movimento contra a permanência de Callie, alegando preocupação com a segurança dela. Mas a mãe de Callie achou que tudo era fruto da inveja dos aplausos que Callie sempre recebia.

A história de Callie levanta duas questões. Primeiramente, uma questão de equidade. Ela deveria ter de fazer ginástica para participar da torcida organizada ou esse requisito seria injusto considerando sua deficiência? Uma forma de se responder a essa pergunta seria invocar o princípio da não discriminação: desde que desempenhasse bem seu papel, Callie não deveria ser excluída da torcida apenas por não ter, embora não fosse culpa sua, capacidade física para desenvolver os movimentos acrobáticos.

O princípio da não discriminação, no entanto, não ajuda muito, porque foge da questão no âmago da controvérsia: O que é necessário para um bom desempenho em uma torcida organizada? Aqueles que são contra a permanência de Callie alegam que para ser uma boa líder de torcida a pessoa deve saber fazer acrobacias e *splits*. Afinal, é dessa forma que as meninas costumam levantar a torcida. Os defensores de Callie diriam que isso confunde o propósito da torcida organizada com uma das maneiras de desempenhar a função. O verdadeiro objetivo da torcida é promover o espírito escolar e animar os fãs. E, quando Callie grita de um lado para o outro nas laterais do campo em sua cadeira de rodas, agitando seus pompons e distribuindo sorrisos, está desempenhando muito bem o papel que lhe cabe — o papel de levantar o público. Então, para definir as qualificações necessárias, precisamos decidir o que é essencial para uma torcida organizada e o que é meramente incidental.

A segunda questão levantada pelo caso de Callie é a indignação. Que tipo de sentimento pode ter motivado o pai da líder da torcida? Por que ele se incomodava tanto com a presença de Callie na equipe? Não pode ser por temor de que Callie ocupe o lugar de sua filha, porque sua filha já faz parte do grupo. Tampouco pode ser simplesmente por temer que Callie possa ofuscar sua filha nas acrobacias, o que não é o caso, evidentemente.

Meu palpite é o seguinte: talvez sua indignação seja o reflexo da impressão de que Callie possa estar recebendo uma honra que não merece, e assim estar desmerecendo o orgulho que ele tem das conquistas da filha. Se ser parte de uma torcida organizada é algo que se pode fazer em uma cadeira de rodas, o mérito das pessoas que se destacam nas acrobacias e nos *splits* estaria sendo, de certa forma, depreciado.

Se Callie está apta a participar da torcida organizada porque tem, apesar da deficiência, as qualidades adequadas ao desempenho da função, sua permanência realmente significa uma certa ameaça ao mérito das demais participantes. Sua aptidão para as acrobacias já não parece tão essencial para a excelência da função, parece ser apenas uma das maneiras, entre outras, de animar a multidão. Ainda que tenha sido egoísta, o pai da líder da torcida abordou a questão com propriedade. Uma prática social que antes tinha um propósito definido e que delegava honras definidas a quem a desempenhava bem era agora, graças a Callie, redefinida. Ela demonstrou que há mais de um requisito para ser uma líder de torcida.

Notemos a ligação entre a primeira questão, a da equidade, e a segunda, a da glória e do ressentimento. Para determinar os critérios para a participação na torcida organizada dentro de um princípio de justiça, precisamos determinar sua natureza e seu propósito. Do contrário, não conseguiremos saber que qualidades lhe são essenciais. Entretanto, determinar a essência da torcida organizada pode ser controverso, porque nos enreda em discussões sobre quais qualidades são merecedoras das honrarias. O que deve ser considerado propósito da torcida organizada depende, em parte, das qualidades que achamos que devem ser reconhecidas e recompensadas.

Como esse episódio mostra, as práticas sociais, no caso, não têm apenas um propósito instrumental (incentivar a equipe), mas também um propósito honorífico ou exemplar (celebrar determinadas excelências e virtudes). Ao escolher seu grupo de animadoras de torcida, a escola não apenas promove o espírito escolar, mas também determina as qualidades que espera que seus alunos admirem e tentem imitar. Isso explica por que a disputa foi tão intensa. E explica também, por outro lado, algo intrigante — como as meninas que já faziam parte da equipe (e seus pais) podiam achar que tinham um interesse pessoal no debate sobre o caso de Callie. Esses pais queriam que a torcida organizada prestigiasse as virtudes tradicionais de uma líder de torcida, que suas filhas possuíam.

## JUSTIÇA, *TÉLOS* E HONRA

Vista dessa forma, a discussão sobre as líderes de torcida no oeste do Texas leva-nos diretamente à teoria de justiça de Aristóteles. As duas concepções centrais da filosofia política de Aristóteles estão presentes no caso de Callie:

1. A justiça é teleológica. Para definir os direitos, é preciso saber qual é o *télos* (palavra grega que significa propósito, finalidade ou objetivo) da prática social em questão.
2. A justiça é honorífica. Compreender o *télos* de uma prática — ou discutir sobre ele — significa, pelo menos em parte, compreender ou discutir as virtudes que ela deve honrar e recompensar.

A chave para compreender a ética e a política de Aristóteles é a definição da força dessas duas considerações e a relação existente entre elas.

Teorias modernas de justiça tentam separar as questões de equidade e direitos das discussões sobre honra, virtude e mérito moral. Elas buscam princípios de justiça que sejam neutros, para que as pessoas possam escolher e buscar seus objetivos por conta própria. Aristóteles (384-322 a.C.) não acha que a justiça possa ser neutra dessa maneira. Ele acredita que as discussões sobre justiça sejam, inevitavelmente, debates sobre a honra, a virtude e a natureza de uma vida boa.

Entender por que Aristóteles acredita que justiça e vida boa devem estar ligadas nos ajudará a entender o que está em jogo no esforço para dissociá-las.

Para Aristóteles, justiça significa dar às pessoas o que elas merecem, dando a cada um o que lhe é devido. Mas o que uma pessoa merece? Quais são as justificativas relevantes para o mérito? Isso depende do que está sendo distribuído. A justiça envolve dois fatores: "as coisas e as pessoas a quem elas são destinadas". E geralmente dizemos que "pessoas iguais devem receber coisas também iguais".[2]

No entanto, surge aí uma questão difícil: Iguais em que sentido? Isso depende do que está sendo distribuído — e das virtudes relevantes em cada caso.

Imaginemos que estamos distribuindo flautas. Quem deve ficar com as melhores? A resposta de Aristóteles: os melhores flautistas.

A justiça discrimina de acordo com o mérito, de acordo com a excelência relevante. E, no caso das flautas, o mérito relevante é a aptidão para tocar bem. Seria injusto basear a discriminação em qualquer outro fator, como riqueza, berço, beleza física ou sorte (como na loteria).

> Berço e beleza podem ser bens mais valiosos do que a habilidade de tocar flauta e aqueles que os possuem podem, postos na balança, pesar mais do que o flautista nessas qualidades do que o peso que teria a capacidade dele de tocar; mas o fato é que *ele* é quem deve receber as melhores flautas.[3]

Há um aspecto interessante na comparação das excelências de naturezas muito diferentes. Pode até mesmo parecer um disparate perguntar: "Eu sou mais bonito do que ela é uma boa jogadora de hóquei?" Ou: "Babe Ruth era um jogador de beisebol melhor do que Shakespeare era escritor?" Perguntas como essas só devem ter sentido em jogos de salão. O que Aristóteles quer dizer é que, ao distribuir flautas, não devemos buscar os mais ricos, ou mais bonitos, nem mesmo a melhor pessoa de todas. Devemos procurar o melhor flautista.

Essa ideia é totalmente rotineira. Muitas orquestras testam os músicos que vão contratar fazendo com que toquem atrás de uma cortina para que a qualidade da música possa ser avaliada sem distorções ou perturbações. A razão de Aristóteles já não é tão familiar. O motivo mais óbvio para que se deem as melhores flautas aos melhores flautistas é que isso produzirá a melhor música, proporcionando a nós, ouvintes, maior prazer. Mas essa não é a razão de Aristóteles. Ele acha que as melhores flautas devem ser dadas aos melhores flautistas porque é para *isso* que elas existem — ser bem tocadas.

O objetivo das flautas é produzir excelente música. Aqueles capazes de melhor cumprir esse propósito devem receber os melhores instrumentos.

Mas também é verdade que dar os melhores instrumentos aos melhores músicos terá o efeito agradável de produzir a melhor música, o que todos apreciarão — produzindo a maior felicidade para o maior número de pessoas. No entanto, é importante notar que a razão de Aristóteles ultrapassa essa consideração utilitarista.

Seu modo de raciocinar a partir do propósito de um bem para a devida alocação desse bem é um exemplo do raciocínio teleológico. (*Teleológico* vem da palavra grega *telos*, que significa propósito, fim ou objetivo.) Aristóteles argumenta que, para determinar a justa distribuição de um bem, temos que procurar o *télos*, ou propósito, do bem que está sendo distribuído.

## O PENSAMENTO TELEOLÓGICO: QUADRAS DE TÊNIS E O URSINHO POOH

O raciocínio teleológico pode parecer uma forma estranha de pensar sobre justiça, mas é de certa forma plausível. Suponhamos que você seja o responsável por destinar as melhores quadras de tênis em um *campus* universitário. Talvez você dê prioridade às pessoas que possam pagar mais por elas. Ou pode priorizar as autoridades — o presidente da universidade, digamos, ou cientistas vencedores do prêmio Nobel. No entanto, suponhamos que dois renomados cientistas estejam jogando uma partida de tênis com certa indiferença, mal lançando a bola sobre a rede, e a equipe da universidade apareça e queira usar a quadra. Você não diria que os cientistas deveriam ir para uma quadra inferior para que os jogadores universitários pudessem usar a melhor quadra? E seu argumento não seria que os melhores atletas podem fazer melhor uso das melhores quadras, em vez de desperdiçá-las com jogadores medíocres?

Ou suponhamos que um violino Stradivarius esteja sendo leiloado e que um rico colecionador faça uma oferta mais alta do que a de Itzhak Perlman. O colecionador pretende expor o violino em sua sala de visitas. Não consideraríamos isso um desperdício, ou mesmo uma injustiça — não por considerarmos o leilão injusto, mas porque o resultado não é o mais adequado? Por trás dessa reação pode estar o raciocínio (teleológico) de que um Stradivarius merece ser tocado, não exposto para ser admirado.

No mundo antigo, o raciocínio teleológico era mais comum do que nos dias atuais. Platão e Aristóteles acreditavam que o fogo aumentava porque estava tentando alcançar o céu, seu lar natural, e que as pedras caíam porque queriam ficar mais perto da terra, onde era seu lugar. Acreditava-se que a natureza mantinha uma ordem natural significativa. Para compreender a natureza e o lugar que ocupamos nela, era preciso entender seu propósito e seu significado essencial.

Com o advento da ciência moderna, a natureza deixou de ser vista como uma ordem significativa. Ao contrário, passou a ser compreendida mecanicamente, pelas leis da física. Explicar os fenômenos naturais em termos de seus propósitos, seus significados e suas finalidades passou a ser considerado algo ingênuo e antropomórfico. Apesar dessas mudanças, ainda somos tentados a ver o mundo como algo dotado de uma ordem teleológica, como um todo com um determinado propósito. Essa noção ainda subsiste, especialmente nas crianças, que devem ser ensinadas a não ver o mundo dessa maneira. Percebi isso quando meus filhos ainda eram muito pequenos e li para eles o livro *O ursinho Pooh*, de A. A. Milne. A história mostra uma visão infantil da natureza, encantada e animada pelo significado e pelo propósito das coisas.

No início da história o ursinho Pooh está andando pela floresta e se depara com um grande carvalho. Do alto da árvore, "vem um zumbido alto".

> O ursinho Pooh senta-se ao pé da árvore, coloca a cabeça entre as patas e começa a pensar.
>
> Primeiro pensa: "Esse zumbido significa alguma coisa. Não existiria um zumbido assim, tão insistente, sem um significado qualquer. Se há um zumbido, alguém está zumbindo, e a única razão pela qual alguém zumbe, que *eu* saiba, é porque é uma abelha."
>
> Ele pensa por mais um bom tempo e diz: "A única razão para ser uma abelha, que *eu* saiba, é fazer mel."
>
> E então ele se levanta e diz: "E a única razão para fazer mel é para que *eu* possa comê-lo." Então, começa a subir na árvore.[4]

O raciocínio infantil de Pooh sobre as abelhas é um bom exemplo do raciocínio teleológico. Quando nos tornamos adultos, a maioria de nós deixa de lado essa maneira de ver o mundo natural, considerando-a encantadora porém ultrapassada. E, ao rejeitarmos o raciocínio teleológico na ciência, também somos levados a rejeitá-lo na política e na moral. Mas não é fácil abandonar o raciocínio teleológico em relação às instituições sociais e às práticas políticas. Atualmente, nenhum cientista lê os trabalhos de Aristóteles sobre biologia ou física e os leva a sério. Mas quem estuda ética e política continua a ler e a ponderar sobre a filosofia moral e política de Aristóteles.

## QUAL É O *TÉLOS* DE UMA UNIVERSIDADE?

A discussão sobre a ação afirmativa pode ser repensada a partir do exemplo das flautas de Aristóteles. Começamos por procurar os critérios justos de distribuição: Quem tem o direito a ser admitido em uma universidade? Ao abordar essa questão, perguntamo-nos (pelo menos, implicitamente): "Qual é o propósito, ou o *télos*, de uma universidade?"

Como acontece com frequência, o *télos* não é óbvio, mas contestável. Alguns dizem que as universidades existem para promover a excelência acadêmica, e que a promessa acadêmica deveria ser o único critério de admissão. Outros dizem que elas também existem para atender a determinados propósitos cívicos e que a capacidade de ser um líder em uma sociedade diversificada, por exemplo, deveria fazer parte dos critérios de admissão. Definir o *télos* de uma universidade parece essencial para que se determinem os critérios de admissão adequados. Isso traz à tona o aspecto teleológico da justiça nas admissões às universidades.

Intimamente relacionada à discussão sobre o propósito de uma universidade há uma questão de mérito moral: Que virtudes ou excelências as universidades efetivamente valorizam e recompensam? Aqueles que acham que as universidades existem para celebrar e recompensar apenas a excelência acadêmica provavelmente rejeitarão a ação afirmativa; por outro lado, os que acreditam que as universidades também existem para promover determinados ideais cívicos talvez abracem essa ideia.

O fato de os debates sobre universidades — e torcidas organizadas e flautas — procederem naturalmente dessa forma confirma a concepção de Aristóteles: as discussões sobre justiça e direitos com frequência são discussões sobre o propósito, ou *télos*, de uma instituição social, o que, por sua vez, reflete noções conflitantes a respeito das virtudes que a instituição deveria valorizar e recompensar.

O que podemos fazer quando as pessoas discordam do *télos*, ou propósito, da atividade em questão? É possível discutir o *télos* de uma instituição social, ou o propósito de uma universidade é simplesmente, digamos, aquilo que foi determinado pela autoridade competente ou pelo conselho acadêmico?

Aristóteles acredita que o propósito das instituições sociais possa ser discutido. Sua natureza essencial não é estabelecida definitivamente, tampouco é apenas uma questão de opinião. (Se o propósito da Universidade de Harvard fosse simplesmente determinado pela intenção de seus fundadores, sua função fundamental ainda seria o treinamento de ministros congregacionalistas.)

Como podemos, então, discutir o propósito de uma prática social diante de uma divergência? E como as noções de honra e virtude colocam-se nessa questão? Aristóteles dá sua resposta mais categórica para essas perguntas em sua análise da política.

## QUAL É O PROPÓSITO DA POLÍTICA?

Quando analisamos a justiça distributiva atualmente, preocupamo-nos principalmente com a distribuição de renda, riqueza e oportunidades. Para Aristóteles, a justiça distributiva não se referia essencialmente a dinheiro, mas a cargos e honrarias. Quem deveria ter o direito de governar? Como a autoridade política deveria ser distribuída?

À primeira vista, a resposta parece óbvia — equanimemente, claro. Um indivíduo, um voto. Qualquer outra alternativa seria discriminatória. Mas Aristóteles adverte que todas as teorias de justiça distributiva discriminam. A questão é: Quais discriminações são justas? E a resposta depende do propósito da atividade em questão.

Assim, antes que possamos definir a distribuição dos direitos e da autoridade política, devemos questionar o propósito, ou *télos*, da política. Precisamos perguntar: "Para que *serve* a associação política?"

Pode parecer impossível responder a essa pergunta. Comunidades políticas distintas preocupam-se com questões também distintas. Uma coisa é discutir o propósito de uma flauta ou de uma universidade. Não obstante haver margem para discussão, os propósitos são mais ou menos circunscritos. O propósito de uma flauta tem a ver com a música que ela produz; o propósito de uma universidade tem a ver com a educação. Mas será que podemos realmente determinar o propósito ou o objetivo de uma atividade política seguindo o mesmo critério?

Atualmente não pensamos na política como algo que tenha uma finalidade particular e independente, mas como algo aberto às diversas finalidades que os cidadãos venham a adotar. Não é por esse motivo que realizamos eleições — para que as pessoas possam escolher, em um determinado momento, os propósitos e as finalidades que queiram atingir coletivamente? Atribuir por antecipação qualquer propósito ou finalidade à comunidade política seria privar o cidadão do direito de decidir por si mesmo. Haveria também o risco de impor valores que nem todos compartilham. Nossa relutância em atribuir à política um determinado *télos* ou finalidade mostra uma preocupação com a liberdade individual. Vemos a política como um procedimento que permite às pessoas escolher suas finalidades por conta própria.

Aristóteles pensa de maneira diferente. Para ele, o propósito da política não é criar uma estrutura de direitos neutra em relação às finalidades. É formar bons cidadãos e cultivar o bom caráter.

> Qualquer *pólis* que mereça ser assim chamada deve dedicar-se ao propósito de promover a bondade. Caso contrário, uma associação política reduzir-se-á a uma mera aliança (...) Caso contrário, também, a lei será transformada em um mero pacto (...) "uma garantia dos direitos dos homens contra seus semelhantes" — em vez de ser, como deveria, uma regra da vida para tornar seus membros bons e justos.[5]

Aristóteles critica aqueles que considera os dois principais postulantes da autoridade política — os oligarcas e os democratas. Cada um tem sua reivindicação, porém uma reivindicação apenas parcial. Os oligarcas alegam que eles, os abastados, deveriam comandar. Os democratas argumentam que o nascimento livre deve ser o único critério da cidadania e da autoridade política. Mas ambos os grupos exageram em suas reivindicações, porque em ambos os casos o propósito da comunidade política é mal interpretado.

Os oligarcas estão errados porque a comunidade política não envolve apenas proteção da propriedade ou promoção da prosperidade econômica. Se fosse esse o caso, quem tivesse propriedades teria direito à maior parte da autoridade política. Por sua vez, os democratas estão errados porque a comunidade política não serve apenas para dar à maioria o direito de decidir. Por *democratas*, Aristóteles compreende o que denominamos majoritários. Ele repudia a noção de que o propósito da política seja satisfazer as preferências da maioria.

Ambos negligenciam a maior finalidade da associação política, que, para Aristóteles, é cultivar a virtude dos cidadãos. O objetivo do Estado não é "proporcionar uma aliança para a defesa mútua (...) ou facilitar o intercâmbio econômico e promover as relações econômicas".[6] Para Aristóteles, política tem um significado mais elevado. É aprender a viver uma vida boa. O propósito da política é nada menos do que permitir que as pessoas desenvolvam suas capacidades e virtudes humanas peculiares — para deliberar sobre o bem comum, desenvolver um julgamento prático, participar da autodeterminação do grupo, cuidar do destino da comunidade como um todo.

Aristóteles reconhece a utilidade de outras formas menos elevadas de associação, como pactos de defesa e acordos de livre comércio. Mas insiste em afirmar que associações desse tipo não levam às verdadeiras comunidades políticas. Por que não? Porque suas finalidades são limitadas. Organizações como a Otan, o Nafta e a OMC* só se preocupam com a segurança ou o intercâmbio econômico; não pressupõem um modo de vida em comum que molde o caráter dos participantes. E pode-se dizer o mesmo de uma cidade ou estado que só se preocupe com a segurança e com o comércio, mostrando-se indiferente à moral e à educação cívica de seus membros. "Se as partes mantiverem, depois de se associar, o mesmo espírito que demonstravam quando separadas", escreve Aristóteles, essa associação não pode ser realmente considerada uma *pólis*, ou uma comunidade política.[7]

"Uma *pólis* não é uma associação visando à permanência em um local comum ou algo que tenha como objetivo evitar a injustiça mútua ou facilitar o intercâmbio." Ainda que tais condições sejam necessárias para que exista uma *pólis*, elas não são suficientes. "A finalidade e o propósito de uma *pólis* é uma vida boa, e as instituições da vida social são meios de atingir essa finalidade."[8]

Se a comunidade política existe para promover uma vida boa, quais são as implicações para a distribuição de cargos e honrarias? Tal como acontece com as flautas, acontece na política: Aristóteles parte do princípio do bem para determinar a maneira adequada de distribuí-lo. "Aqueles que mais contribuem para uma associação desse gênero" são os que se destacam na virtude cívica, os que melhor deliberam sobre o bem comum. Aqueles que demonstram a maior excelência cívica — não os mais abastados, ou os mais numerosos, ou os mais bonitos — são os que merecem a maior parte do reconhecimento e da influência política.[9]

*Organização do Tratado do Atlântico Norte, Acordo Norte-Americano de Livre Comércio e Organização Mundial do Comércio, respectivamente. (*N. da E.*)

Já que a finalidade da política é a vida boa, os cargos e as honrarias mais importantes deveriam ser dados a pessoas que, como Péricles, se destacam na virtude cívica e na capacidade de identificar o bem comum. Aqueles que têm bens devem ter voz ativa. As considerações da maioria devem ser levadas em conta. Mas a a maior influência deve ser daqueles com as qualidades de caráter e julgamento para decidir se, quando e como se deve ir para a guerra contra Esparta.

O motivo pelo qual pessoas como Péricles (e Abraham Lincoln) devem ocupar os mais altos cargos e receber as maiores honrarias não é simplesmente porque implantarão políticas sábias, tornando melhor a vida de todos. Trata-se também do fato de que a comunidade política existe, pelo menos em parte, para honrar e recompensar a virtude cívica. Reconhecer publicamente o mérito daqueles que demonstram excelência cívica serve ao papel educativo de uma boa cidade. Mais uma vez vemos como os aspectos teleológico e honorífico da justiça caminham juntos.

## VOCÊ PODE SER UMA BOA PESSOA SEM PARTICIPAR DA POLÍTICA?

Se Aristóteles estiver certo ao considerar que o objetivo da política é a vida boa, será fácil concluir que aqueles que demonstram maior virtude cívica serão merecedores dos mais altos cargos e honrarias. Mas ele está certo em dizer que a política existe para promover a vida boa? Na melhor das hipóteses, essa é uma alegação controversa. Nos dias atuais, geralmente vemos a política como um mal necessário, e não como uma característica essencial da vida boa. Quando pensamos em política, pensamos em concessões mútuas, fingimento, interesses, corrupção. Até mesmo os usos idealísticos da política — como um instrumento de justiça social, como uma forma de transformar o mundo em um lugar melhor — a caracterizam como um meio de atingir uma finalidade, uma profissão como qualquer outra, e não um aspecto essencial do bem humano.

Por que então Aristóteles crê que participar da política é, de certa forma, essencial para alcançar uma vida boa? Por que não podemos viver perfeitamente bem e de forma virtuosa sem política?

A resposta está em nossa natureza. Só realizaremos plenamente nossa natureza como seres humanos se vivermos em uma *pólis* e participarmos da política. Aristóteles nos considera seres "criados para participar da associação política, em grau mais alto do que as abelhas ou outros animais gregários". A razão que ele dá é a seguinte: a natureza não faz nada em vão, e os seres humanos, diferentemente dos outros animais, possuem a faculdade da linguagem. Outros animais podem produzir sons, e sons podem indicar prazer ou dor. Mas a linguagem, capacidade essencialmente humana, não registra apenas prazer e dor. Ela também expressa o que é justo ou injusto, distingue o certo do errado. Não captamos tais coisas silenciosamente para depois lhes atribuir palavras; a linguagem é o meio pelo qual discernimos e deliberamos sobre o bem.[10]

Apenas por meio da associação política, diz Aristóteles, podemos exercitar a faculdade humana essencial da linguagem, porque somente em uma *pólis* deliberamos com os demais sobre justiça e injustiça e sobre a natureza da vida boa. "Vemos assim que a *pólis* existe por natureza e antecede o indivíduo", escreve ele no Livro 1 de *A política*.[11] "Antecede", nesse caso, refere-se à função ou ao objetivo, e não a algo cronologicamente anterior. Os indivíduos, as famílias e os clãs já existiam antes das cidades; mas somente na *pólis* podemos realizar nossa natureza. Não somos autossuficientes quando estamos isolados, porque não podemos desenvolver nossa capacidade de linguagem e de deliberação moral.

> O homem isolado — incapaz de compartilhar os benefícios da associação política, ou que não precisa compartilhá-los por já ser autossuficiente — não é parte da *pólis* e deve, portanto, ser uma besta ou um deus.[12]

Portanto, só realizamos nossa natureza quando usamos nossa faculdade da linguagem, o que requer, por sua vez, que deliberemos com nossos semelhantes sobre o certo e o errado, o bem e o mal, a justiça e a injustiça.

Então por que, pode-se perguntar, só podemos exercitar essa capacidade de linguagem e deliberação na política? Por que não podemos fazê-lo em família, nos clãs ou nas agremiações? Para responder a essa pergunta, precisamos analisar o conceito de virtude e vida boa que Aristóteles apresenta em *Ética a Nicômaco*. Embora essa obra seja primordialmente um estudo da filosofia moral, ela mostra a ligação entre virtude e cidadania.

A vida moral tem a felicidade como objetivo, mas Aristóteles não concebe a *felicidade* como o fazem os utilitaristas — maximizando o peso do prazer sobre a dor. O indivíduo virtuoso é aquele que sente prazer e dor com as coisas certas. Se alguém sente prazer em assistir a lutas de cães, por exemplo, consideramos isso um vício a ser superado, e não uma verdadeira fonte de felicidade. A excelência moral não consiste em agregar prazeres e sofrimentos, mas em alinhá-los para que possamos usufruir das coisas nobres e sofrer com as coisas reles. A felicidade não é um estado de espírito, mas uma maneira de ser, "uma atividade da alma em sintonia com a virtude".[13]

Mas por que é preciso viver em uma *pólis* para que a vida seja virtuosa? Por que não podemos aprender sólidos princípios morais em casa, ou em uma aula de filosofia, ou lendo um livro sobre ética — para então aplicá-los quando necessário? Aristóteles diz que não nos tornamos virtuosos dessa maneira. "A virtude moral resulta do hábito." É o tipo de coisa que aprendemos com a prática. "As virtudes que alcançamos ao exercitá-las, tal como acontece em relação às artes."[14]

## APRENDENDO COM A PRÁTICA

Nesse sentido, tornar-se virtuoso é como aprender a tocar flauta. Ninguém aprende a tocar um instrumento lendo um livro ou assistindo a aulas. É preciso praticar. Também ajuda ouvir músicos competentes e observar como eles tocam. Ninguém se torna um violinista sem tocar violino. O mesmo acontece com relação à virtude moral: "Tornamo-nos justos ao praticar ações justas, comedidos ao praticar ações comedidas, corajosos ao praticar ações corajosas."[15]

Algo similar acontece com outras práticas e habilidades, como cozinhar. Publicam-se muitos livros de culinária, mas ninguém se torna um grande *chef* apenas por meio da leitura. É preciso cozinhar muito. Contar piadas é outro exemplo. Ninguém se torna um comediante lendo livros de humor e colecionando historinhas engraçadas. Tampouco pura e simplesmente aprendendo os princípios da comédia. É preciso praticar — o ritmo, o tempo, os gestos e o tom — e assistir a Jack Benny, Johnny Carson, Eddie Murphy ou Robin Williams.

Se a virtude moral é algo que aprendemos com a prática, devemos, de alguma forma, desenvolver primeiramente os hábitos corretos. Para Aristóteles, este é o princípio primordial da lei — cultivar hábitos que façam de nós indivíduos de bom caráter. "Os legisladores tornam os cidadãos bons ao incutir-lhes bons hábitos, e é isso que todo legislador deseja; aqueles que não o fazem não atingem seu objetivo, e é aí que uma boa Constituição difere de uma ruim." A educação moral está menos relacionada com a promulgação de leis do que com a formação de hábitos e a construção do caráter. "Não faz pouca diferença (...) se cultivarmos hábitos de um tipo ou de outro desde muito jovens; faz muita diferença, ou melhor, faz *toda* a diferença."[16]

O fato de valorizar a importância do hábito não significa que Aristóteles considere a virtude moral uma forma de comportamento padronizado. O hábito é o primeiro passo na educação moral. Mas, se tudo correr bem, o hábito por fim é incorporado e passamos a entender o que ele significa. A especialista em etiqueta Judith Martin, conhecida como "Miss Manners" (srta. Boas Maneiras), lamentou certa vez a perda do hábito de escrever cartas de agradecimento. Atualmente tendemos a acreditar que os sentimentos substituem as boas maneiras, observou ela; desde que você se sinta grato, não precisa preocupar-se com essas formalidades. Miss Manners discorda: "Eu acho, muito pelo contrário, que é mais seguro esperar que o bom comportamento encoraje os sentimentos virtuosos; que se você escrever muitas cartas de agradecimento tenderá a sentir um pouco mais de gratidão."[17]

É dessa forma que Aristóteles concebe a virtude moral. Ao praticar o comportamento virtuoso estamos propensos a agir dentro dos preceitos de virtude.

É comum acreditar que agir de acordo com a moral significa agir de acordo com um preceito ou uma regra. Mas Aristóteles acha que falta aí uma característica importante da virtude moral. Você pode conhecer a regra correta e, ainda assim, não saber como ou quando deve aplicá-la.

A educação moral nos ensina a discernir as características específicas das situações que requerem essa ou aquela regra.

> As questões relativas à conduta e às dúvidas sobre o que seja bom para nós não têm regras fixas, não mais do que as questões de saúde (...) Os próprios agentes devem considerar em cada caso o que é apropriado na ocasião, tal como acontece na prática da medicina ou na arte da navegação.[18]

A única afirmação genérica que pode ser feita em relação à virtude moral, diz Aristóteles, é que ela é um meio entre os extremos. No entanto, ele se apressa em admitir que tal generalização não nos leva muito longe, porque não é fácil distinguir o meio em qualquer situação. A questão é fazer a coisa certa "para a pessoa certa, na dimensão certa, no momento certo, pelo motivo certo e da maneira certa".[19]

Isso quer dizer que o hábito, ainda que seja essencial, não pode ser tudo na virtude moral. Novas situações sempre surgem, e precisamos saber qual é o hábito adequado a cada circunstância. A virtude moral, portanto, requer julgamento, um tipo de conhecimento que Aristóteles denomina "sabedoria prática". Diferentemente do conhecimento científico, que trata das "coisas universais e necessárias",[20] a sabedoria prática trata da maneira como se deve agir. Ela deve "reconhecer as particularidades, porque é prática e prática tem a ver com as particularidades".[21] Aristóteles define a sabedoria prática como "um estado racional e verdadeiro de capacidade de agir em relação ao bem humano".[22]

A sabedoria prática é uma virtude moral com implicações políticas. Os indivíduos com sabedoria prática são capazes de deliberar corretamente sobre o que é bom, não apenas para si mesmos, mas também para seus concidadãos e para os seres humanos em geral. Deliberar não significa filosofar, porque lida com as coisas mutáveis e particulares. É algo orientado para a ação aqui e agora. Mas é mais do que um cálculo. Procura identificar o mais alto bem humano atingível em cada circunstância.[23]

## POLÍTICA E VIDA BOA

Podemos ver agora com mais clareza por que, para Aristóteles, a política não é mais um ofício entre outros, mas uma atividade essencial para a vida boa. Primeiramente, as leis da *pólis* incutem bons hábitos, formam o bom caráter e nos colocam no caminho da virtude cívica. Em segundo lugar, a vida do cidadão nos permite exercitar capacidades de deliberação e sabedoria prática que, de outra forma, ficariam adormecidas. Isso não é o tipo de coisa que podemos fazer em casa. Podemos nos sentar em um canto e meditar sobre que tipo de diretriz adotaríamos se tivéssemos de decidir. Mas isso não é o mesmo que participar de uma ação significativa e assumir a responsabilidade pelo destino da comunidade como um todo. Só nos tornamos eficientes para deliberar quando entramos em campo, avaliando as alternativas, discutindo nosso argumento, governando e sendo governados — em suma, praticando a cidadania.

A ideia de cidadania de Aristóteles é mais abrangente e exigente do que a nossa. Para ele, a política não é a economia praticada por outros meios. Ela tem um propósito mais elevado do que a maximização da utilidade ou o estabelecimento de regras justas para que se alcancem os interesses individuais. Ela é uma expressão de nossa natureza, uma oportunidade para expandirmos nossas faculdades humanas, um aspecto essencial da vida boa.

### *A defesa da escravidão por Aristóteles*

Nem todos estavam incluídos no conceito de cidadania adotado por Aristóteles. As mulheres eram inelegíveis, assim como os escravos. De acordo com Aristóteles, suas naturezas não os faziam adequados à cidadania. Atualmente consideramos essa exclusão uma injustiça óbvia. Vale lembrar que essas injustiças vigoraram por mais de 2 mil anos depois de Aristóteles. Nos Estados Unidos, a escravidão só foi abolida em 1865, e as mulheres só conquistaram o direito ao voto em 1920. Ainda assim, a persistência histórica dessas injustiças não redime Aristóteles do fato de as aceitar.

No caso da escravidão, Aristóteles não apenas a aceitava como também a justificava filosoficamente. Vale a pena examinar sua defesa da escravidão para ver como ela esclarece sua teoria política como um todo. Algumas pessoas veem na defesa de Aristóteles da escravidão uma falha no pensamento teleológico como tal; outras a veem como uma aplicação equivocada de tal pensamento, anuviada pelos preconceitos de sua época. Não acho que a defesa de Aristóteles da escravidão contenha uma falha que condene sua teoria política como um todo. Mas é importante vermos a força desse argumento tão extremo.

Para Aristóteles, a justiça é uma questão de adequação. Atribuir direitos é buscar o *télos* de instituições sociais e ajustar as pessoas aos papéis que lhes cabem, aos papéis que lhes permitem realizar sua natureza. Dar aos indivíduos seus direitos significa dar-lhes os ofícios e as honrarias que merecem e os papéis na sociedade que se adaptem a sua natureza.

As teorias políticas modernas não aceitam muito bem a noção de adequação. Teorias liberais de justiça, de Kant a Rawls, temem que as concepções teleológicas entrem em conflito com a noção de justiça. Para elas, a justiça não é questão de adequação, mas de escolha. Atribuir direitos não é ajustar as pessoas a papéis adequados à sua natureza; é deixar que elas escolham sozinhas os próprios papéis.

Desse ponto de vista, as noções de *télos* e adequação são suspeitas, até mesmo perigosas. Quem poderá estabelecer o papel que me é adequado ou apropriado à minha natureza? Se eu não for livre para escolher meu papel social por conta própria, poderei ser forçado a aceitar um papel contra minha vontade. Portanto, a noção de adequação pode facilmente transformar-se em escravidão, se aqueles que detêm o poder concluírem que um determinado grupo seja, de alguma forma, adequado a um papel subalterno.

Temendo que isso aconteça, a teoria política liberal argumenta que os papéis sociais devem ser frutos de escolha, e não de adequação. Em vez de designar às pessoas os papéis que imaginamos adequados à sua natureza, deveríamos permitir que elas escolhessem por conta própria seus papéis. A escravidão é errada, desse ponto de vista, porque coage os indivíduos a desempenhar papéis que eles não escolheram. A solução é rejeitar a ética do *télos* e da adequação em favor da ética da escolha e do consentimento.

No entanto, essa é uma conclusão precipitada. A defesa de Aristóteles da escravidão não vai de encontro ao pensamento teleológico. Ao contrário, a própria teoria de justiça de Aristóteles dá margem a críticas à sua concepção de escravidão. Na realidade, sua noção de justiça como adequação é moralmente mais exigente e tem uma postura potencialmente mais crítica quanto à distribuição do trabalho do que as teorias fundamentadas na escolha e no consentimento. Para ver como, examinemos o argumento de Aristóteles.

Para que a escravidão seja justa, segundo Aristóteles, é preciso preencher dois requisitos: ela deve ser necessária e natural. A escravidão é necessária, diz Aristóteles, porque alguém precisa cuidar das tarefas domésticas enquanto os cidadãos dedicam seu tempo a reuniões para deliberar sobre o bem comum. A *pólis* requer uma divisão de tarefas. A não ser que inventemos máquinas que possam fazer o trabalho braçal, algumas pessoas deverão atender às necessidades da vida para que outras possam dedicar-se à participação na política.

Assim, Aristóteles conclui que a escravidão é necessária. Mas a necessidade não basta. Para que a escravidão seja justa, é preciso que determinadas pessoas se adaptem, por sua natureza, a desempenhar esse papel.[24] Aristóteles pergunta, então, se existem "pessoas para as quais a escravidão é a melhor e mais justa condição, ou se acontece justamente o oposto, e toda escravidão é contrária à natureza".[25] A menos que existam pessoas assim, a necessidade política e econômica de escravos não basta para justificar a escravidão.

Aristóteles conclui que existem pessoas assim. Algumas pessoas nascem para ser escravas. Elas diferem das demais tal como o corpo difere da alma. Tais pessoas "são escravas por natureza e é melhor para elas (...) que sejam comandadas por um mestre".[26]

"Um homem é então um escravo por natureza se ele for capaz de se tornar (e essa é a razão pela qual ele de fato se torna) propriedade de outro e se ele conseguir identificar o raciocínio de outra pessoa, embora ele próprio seja destituído de raciocínio.[27]

"Da mesma forma que alguns homens são livres por natureza, outros são escravos por natureza, e para estes o estado de escravidão é benéfico e justo."[28]

Aristóteles parece perceber que há algo questionável nessa argumentação, porque ele se apressa em explicá-la: "Mas é fácil entender que aqueles que têm opinião oposta também estão de alguma forma certos."[29] Analisando a escravidão como ela se apresentava na Atenas de sua época, Aristóteles teve de admitir que os críticos tinham razão. Muitos escravos encontravam-se em tais condições por uma razão puramente contingente: eram pessoas livres que haviam sido feitas prisioneiras de guerra. O fato de serem escravos nada tinha a ver com sua adequação para desempenhar esse papel. Para eles, a escravidão não era natural, mas resultado do azar. Pelos próprios critérios de Aristóteles, sua escravidão era injusta: "Nem todos os que são realmente escravos, ou homens realmente livres são escravos naturais ou homens livres naturais."[30]

Como saber quem se adapta à condição de escravo?, Aristóteles pergunta. A princípio, deve-se ver quem, se é que existe alguém, prospera como escravo e quem é forçado a isso e tenta fugir. A necessidade do uso da força é um bom indício de que o escravo em questão não é adequado ao papel.[31] Para Aristóteles, a coerção é um sinal de injustiça, não porque o consentimento legitime todos os papéis, mas porque a necessidade do uso da força sugere uma inadequação natural. Aqueles que assumem papéis consistentes com sua natureza não precisam ser forçados a isso.

Para a teoria política liberal, a escravidão é injusta porque é coercitiva. Para as teorias teleológicas, a escravidão é injusta porque contraria nossa natureza; a coerção é uma característica da injustiça, não sua origem. É perfeitamente possível explicar, dentro da ética do *télos* e da adequação, a injustiça da escravidão, e Aristóteles de certa forma (embora não de todo) segue esse caminho.

A ética do *télos* e da adequação, na verdade, estabelece um padrão moral mais exigente para a justiça do trabalho do que a ética liberal da escolha e do consentimento.[32] Consideremos uma função repetitiva e perigosa, como trabalhar por várias horas na linha de montagem de uma fábrica de processamento de aves. Esse tipo de trabalho é justo ou injusto?

Para os libertários, a resposta dependeria da livre escolha dos trabalhadores em troca do salário: se houver livre escolha, o trabalho será justo. Para Rawls, a negociação só seria justa se a livre troca se desse em condições justas. Para Aristóteles, nem mesmo o consentimento sob condições justas é suficiente. Para que o trabalho seja justo, deve estar em conformidade com a natureza dos trabalhadores que o desempenham. Alguns trabalhos não passam nesse teste. São perigosos, repetitivos e arriscados demais para se adequar à natureza dos trabalhadores que os executam. Em casos assim, a justiça requer que o trabalho seja reorganizado para adequar-se à nossa natureza. Caso contrário, será um trabalho tão injusto quanto a escravidão.

## O CARRINHO DE GOLFE DE CASEY MARTIN

Casey Martin era um jogador de golfe profissional que tinha um problema na perna. Devido a problemas circulatórios, andar nos campos era muito doloroso para Martin e representava um sério risco de hemorragia e fratura. Apesar da deficiência, Martin sempre se destacou no esporte. Ele jogou na equipe de Stanford na época da faculdade, depois tornou-se profissional.

Martin pediu permissão à PGA (Associação Profissional de Golfe) para usar um carrinho durante os campeonatos. A PGA negou-lhe o pedido, citando o regulamento que proibia carrinhos em campeonatos profissionais. Martin levou o caso à justiça. Ele argumentou que a Lei dos Americanos com Deficiências (1990) exigia acomodações razoáveis para pessoas com deficiências, desde que a mudança não "alterasse fundamentalmente a natureza" da atividade.[33]

Alguns dos maiores nomes do golfe depuseram no caso. Arnold Palmer, Jack Nicklaus e Ken Venturi apoiaram a proibição aos carrinhos. Eles argumentaram que a fadiga é um fator importante em um campeonato de golfe e que usar o carrinho em vez de andar daria uma vantagem injusta a Martin.

O caso foi levado à Suprema Corte dos Estados Unidos, cujos juízes se viram diante de uma questão que parecia ter pouca importância e que se situava ao mesmo tempo aquém de sua dignidade e além de sua perícia: "Uma pessoa que se desloca em um carrinho de golfe de buraco em buraco é *realmente* um jogador de golfe?"[34]

Na verdade, o caso levantou uma questão de justiça nos moldes aristotélicos clássicos: para decidir se Martin tinha direito a usar o carrinho, a corte precisou determinar a natureza essencial da atividade em questão. Andar pelo campo é essencial à prática do golfe ou meramente incidental? Se, segundo a alegação da PGA, andar era um aspecto essencial do esporte, deixar Martin usar um carrinho seria "alterar fundamentalmente a natureza" do jogo. Para resolver a questão dos direitos, a corte precisou determinar o *télos*, ou a natureza essencial, do esporte.

A corte decidiu por 7 votos a 2 que Martin tinha direito a usar um carrinho de golfe. O juiz John Paul Stevens, em nome da maioria, analisou a história do golfe e concluiu que o uso de carrinhos não interferia no caráter fundamental do jogo. "Desde o início, a essência do esporte é o arremesso da bola — usar os tacos para levar a bola a partir da marcação até um buraco a uma determinada distância com o mínimo possível de tacadas."[35] Quanto à alegação de que andar testa a resistência física dos jogadores, Stevens citou depoimentos de um professor de fisiologia que calculou que apenas cerca de quinhentas calorias eram queimadas na caminhada pelos 18 buracos, "nutricionalmente menos do que um Big Mac".[36] Como o golfe é "um esporte de baixa intensidade, a fadiga do jogo é primordialmente um fenômeno psicológico, em que o estresse e a motivação são os ingredientes-chave".[37] A corte concluiu que permitir que Martin usasse um carrinho para compensar sua deficiência não alteraria os fundamentos do jogo ou o colocaria em uma posição injusta de vantagem.

O juiz Antonin Scalia discordou. Em uma divergência inflamada, ele repudiou a ideia de que a corte pudesse determinar a natureza essencial do golfe. Seu argumento não foi apenas que juízes não têm autoridade ou competência para decidir a questão. Ele desafiou a premissa aristotélica enfatizando a opinião da corte — de que é possível raciocinar sobre o *télos* ou a natureza essencial de um jogo:

> Dizer que alguma coisa é "essencial" é dizer de forma geral que ela é necessária para atingir determinado objetivo. Mas uma vez que a própria natureza do jogo não tem outro objetivo além de divertir (isso é o que distingue os jogos das atividades produtivas), é praticamente impossível afirmar que qualquer regra arbitrária de um jogo seja "essencial".[38]

Já que as regras do golfe "são (como em todos os esportes) totalmente arbitrárias", escreveu Scalia, não há fundamento para fazer uma avaliação crítica das regras estabelecidas pela PGA. Se os torcedores não gostarem, "podem retirar seu apoio". Mas ninguém pode dizer que essa ou aquela regra seja irrelevante para as aptidões que o golfe pretende testar.

O argumento de Scalia é questionável em vários pontos. Primeiramente, ele deprecia os esportes. Nenhum torcedor de verdade falaria de esportes dessa forma — como se fossem governados por regras inteiramente arbitrárias, sem um objetivo real. Se as pessoas realmente acreditassem que as regras de seu esporte favorito fossem arbitrárias, em vez de elaboradas para incentivar e celebrar determinadas aptidões e talentos dignos de admiração, dificilmente elas se importariam com o desfecho do jogo. O esporte passaria a ser um espetáculo ou uma fonte de divertimento, em vez de um objeto de admiração.

Em segundo lugar, é perfeitamente possível discutir os méritos das diferentes regras, avaliando se elas melhoram ou pioram o jogo. Essas discussões ocorrem o tempo todo — em programas de rádio ou entre as autoridades que regulamentam os jogos. Consideremos o debate sobre a escolha do reabatedor em um jogo de beisebol. Algumas pessoas acham que melhora o jogo, pois permite que os melhores rebatedores batam, evitando os lances ruins dos arremessadores mais fracos. Outros dizem que o jogo é prejudicado, pois se dá mais ênfase ao ato de rebater, em detrimento de elementos de estratégia complexos. Cada posição baseia-se em uma determinada concepção do que há de melhor no beisebol: Quais aptidões são testadas, quais talentos e virtudes ele valoriza e recompensa? A discussão sobre a regra do rebatedor é, enfim, um debate sobre o *télos* do beisebol — da mesma forma que o debate sobre a ação afirmativa é um debate sobre o propósito da universidade.

Por fim, ao negar que o golfe tem um *télos*, Scalia ignora o aspecto honorífico da disputa. Qual era, afinal, o real sentido da saga do carrinho de golfe, que se estendeu por quatro anos? Aparentemente, era uma discussão sobre equidade. A PGA e figuras importantes do golfe argumentaram que permitir que Martin usasse o carrinho seria dar-lhe uma vantagem injusta; Martin contra-argumentou que, em vista de sua deficiência, o carrinho não lhe proporcionaria nada além do nivelamento com os demais jogadores em campo.

Se a equidade fosse a única coisa em questão, porém, haveria uma solução fácil e óbvia: permitir que todos os jogadores de golfe se deslocassem em carrinhos nos campeonatos. Se todos pudessem fazer isso, a objeção à equidade não existiria mais. Mas essa solução seria um anátema para o golfe profissional, ainda menos plausível do que abrir uma exceção para Casey Martin. Por quê? Porque a discussão tratava menos de equidade do que de honra e reconhecimento — especificamente o desejo da PGA e dos melhores jogadores de que seu esporte fosse reconhecido e respeitado em um evento esportivo.

Permitam-me abordar a questão da forma mais delicada possível: golfistas são um pouco sensíveis quanto às condições de seu esporte. Ele não envolve corridas nem saltos, e a bola fica parada. Ninguém tem dúvidas quanto à habilidade exigida pelo golfe. Mas a honraria e o reconhecimento dados aos grandes golfistas dependem do fato de seu esporte ser visto como uma competição que demanda preparo atlético. Se o jogo no qual eles se sobressaem puder ser desempenhado dirigindo um carrinho, seu reconhecimento como atletas será questionado ou minimizado. Isso pode explicar a veemência com a qual alguns profissionais do golfe recusaram o pedido de Casey Martin. Tom Kite, veterano havia 25 anos da PGA Tour, declarou em um texto publicado no *New York Times*:

> Parece-me que aqueles que apoiam o direito de Casey Martin de usar um carrinho ignoram o fato de que estamos falando de um esporte competitivo (...) Estamos falando de um evento atlético. E quem quer que seja que não considera o golfe um esporte atlético simplesmente nunca assistiu a um jogo ou participou de um.[39]

A despeito de quem tenha razão sobre a natureza essencial do golfe, o caso de Casey Martin, levado à justiça federal, ilustra claramente a teoria de justiça de Aristóteles. Discussões sobre justiça e direitos são, muitas vezes, inevitavelmente, discussões sobre o propósito das instituições sociais, sobre os bens por elas destinados e sobre as virtudes que elas valorizam e recompensam. Apesar das nossas tentativas de manter a neutralidade da lei em tais questões, talvez não seja possível determinar o que é justo sem discutir a natureza da vida boa.

## Notas

1. A história de Callie Smartt foi relatada em Sue Anne Pressley, "A 'Safety' Blitz", *Washington Post*, 12 de novembro de 1996, pp. A1, A8. A análise que apresento aqui se remete a Michael J. Sandel, "Honor and Resentment", *The New Republic*, 23 de dezembro de 1996, p. 27; republicada em Michael J. Sandel, *Public Philosophy: Essays on Morality in Politics* (Cambridge, Harvard University Press, 2005), pp. 97-100.
2. Aristóteles, *The Politics* (*A política*), edição e tradução para o inglês de Ernest Barker (Nova York, Oxford University Press, 1946), livro III, cap. xii [1282b].
3. Ibidem.
4. A. A. Milne, *Winnie-the-Pooh* (1926; Nova York, Dutton Children's Books, 1988), pp. 5-6.
5. Aristóteles, *The Politics*, livro III, cap. ix [1280b].
6. Ibidem [1280a].
7. Ibidem [1280b].
8. Ibidem.
9. Ibidem [1281a]; livro III, cap. xii [1282b].
10. Ibidem, livro I, cap. ii [1253a].
11. Ibidem.
12. Ibidem.
13. Aristóteles, *Nicomachean Ethics* (*Ética a Nicômaco*), tradução para o inglês de David Ross (Nova York, Oxford University Press, 1925), livro II, cap. 3 [1104b].
14. Ibidem, livro II, cap. 1 [1103a].
15. Ibidem [1103a-1103b].
16. Ibidem [1003b].

17. Judith Martin, "The Pursuit of Politeness", *The New Republic*, 6 de agosto de 1984, p. 29.
18. Aristóteles, *Nicomachean Ethics*, livro II, cap. 2 [1104a].
19. Ibidem, livro II, cap. 9 [1109a].
20. Ibidem, livro VI, cap. 6 [1140b].
21. Ibidem, livro VI, cap. 7 [1141b].
22. Ibidem, livro VI, cap. 5 [1140b].
23. Ibidem, livro VI, cap. 7 [1141b].
24. Agradeço aqui à esclarecedora discussão em Bernard Williams, *Shame and Necessity* (Berkeley, University of California Press, 1993), pp. 103-29.
25. Aristóteles, *The Politics*, livro I, cap. v [1254a].
26. Ibidem [1254b].
27. Ibidem [1254b].
28. Ibidem [1255a].
29. Ibidem, livro I, cap. vi [1254b].
30. Ibidem [1255b].
31. Ibidem, livro I, cap. iii [1253b].
32. Para uma esclarecedora discussão sobre esse assunto, ver Russell Muirhead, *Just Work* (Cambridge, Harvard University Press, 2004).
33. *PGA Tour v. Martin*, 532 US 661 (2001).
34. Ibidem, protesto do juiz Scalia, em 700.
35. Ibidem, opinião do juiz Stevens, em 682.
36. Ibidem, em 687.
37. Ibidem.
38. Ibidem, protesto do juiz Scalia, em 701.
39. Tom Kite, "Keep the PGA on Foot", *New York Times*, 2 de fevereiro de 1998.

# CAPÍTULO 9 O que devemos uns aos outros? / **Dilemas de lealdade**

Pedir desculpas nunca é fácil. Mas desculpar-se em público, perante a nação, pode ser ainda mais difícil. As últimas décadas trouxeram uma enxurrada de questões polêmicas sobre desculpas públicas por injustiças históricas.

## DESCULPAS E INDENIZAÇÕES

Grande parte dos muitos pedidos de perdão refere-se a erros históricos cometidos durante a Segunda Guerra Mundial. A Alemanha pagou o equivalente a bilhões de dólares em indenizações pelos danos causados pelo Holocausto, sob a forma de indenizações aos sobreviventes e ao Estado de Israel.[1] Ao longo dos anos, líderes políticos alemães fizeram pedidos públicos de desculpas, assumindo a responsabilidade pelo passado nazista em diversos graus. Em discurso ao *Bundestag* [Parlamento] em 1951, o chanceler alemão Konrad Adenauer alegou que "a enorme maioria do povo alemão abomina os crimes cometidos contra os judeus e não participou deles". No entanto, reconheceu que "crimes indesculpáveis foram cometidos em nome do povo alemão, o que exigia indenizações morais e materiais".[2] Em 2000, o presidente alemão Johannes Rau desculpou-se pelo Holocausto em um discurso para o *Knesset* [Parlamento] israelense, pedindo "perdão pelo que os alemães haviam feito".[3]

O Japão foi mais relutante em pedir desculpas pelas atrocidades cometidas durante a guerra. Nas décadas de 1930 e 1940, dezenas de milhares de coreanas e de outras mulheres e meninas asiáticas foram levadas à força para bordéis, sofrendo abusos sexuais de soldados japoneses.[4]

A partir de 1990, o Japão passou a sofrer uma pressão internacional cada vez maior para que se desculpasse formalmente e compensasse as "mulheres para alívio", como elas eram chamadas. Na década de 1990, foi criado um fundo privado para pagamento às vítimas, e os líderes japoneses se desculparam de forma discreta.[5] No entanto, ainda em 2007, o primeiro-ministro japonês Shinzo Abe insistia que os militares de seu país não tinham sido responsáveis por abusar sexualmente das mulheres. O Congresso dos Estados Unidos respondeu aprovando uma resolução que instava o governo do Japão a reconhecer e a se desculpar formalmente pelo papel de seus militares na escravização das mulheres para alívio de seus homens.[6]

Outras controvérsias sobre desculpas se referem às injustiças históricas contra os povos indígenas. Recentemente, na Austrália, discutiu-se acaloradamente sobre a responsabilidade do governo em relação à população aborígine. Entre a década de 1910 e o início da de 1970, crianças aborígines mestiças foram arbitrariamente afastadas das mães e colocadas em lares adotivos brancos ou em assentamentos. (Na maioria dos casos, eram filhos de mães aborígines e pais brancos.) O objetivo era integrar as crianças à sociedade branca e acelerar o desaparecimento da cultura aborígine.[7] Os sequestros com a conivência do governo são mostrados no filme *Rabbit-Proof Fence* (*A vedação*, 2002), que conta a história de três garotas que, em 1931, fogem de um assentamento e se lançam em uma viagem de quase 2 mil quilômetros de volta para as mães.

Em 1997, uma comissão australiana de direitos humanos documentou as crueldades impostas à "geração roubada" de aborígines e recomendou um dia nacional anual de pedidos de desculpas.[8] John Howard, primeiro-ministro na ocasião, opôs-se a esse pedido de perdão oficial. A questão transformou-se em um caso contencioso na política da Austrália. Em 2008, o recém-eleito primeiro-ministro Kevin Rudd fez um pedido oficial de desculpas ao povo aborígine. Embora não tenha oferecido indenizações individuais, prometeu medidas para amenizar as desvantagens sociais e econômicas da população indígena australiana.[9]

Nos Estados Unidos, as discussões sobre os pedidos públicos de desculpas e indenizações também ganharam proeminência nas últimas décadas. Em 1988, o presidente Ronald Reagan transformou em lei um pedido oficial de perdão aos nipo-americanos por seu confinamento em campos de prisioneiros na Costa Oeste durante a Segunda Guerra Mundial.[10]* Além do pedido de desculpas, a lei indenizou com 20 mil dólares cada sobrevivente desses campos, criando também fundos para divulgar a cultura e a história dos nipo-americanos. Em 1993, o Congresso pediu perdão por um erro histórico ainda mais antigo — a derrubada, um século antes, do reino independente do Havaí.[11]

Talvez a maior questão sobre perdão nos Estados Unidos envolva a herança da escravidão. A promessa da Guerra Civil de "16 hectares e uma mula" aos escravos negros libertados nunca foi cumprida. Na década de 1990, o movimento de reparação aos negros recebeu nova atenção.[12] A partir de 1989, o deputado John Conyers passou a propor, todos os anos, uma lei que criasse uma comissão para avaliar as indenizações para os negros.[13] Embora a ideia tenha tido o apoio de muitas organizações de negros e de grupos de direitos civis, a aceitação do grande público não foi muito boa.[14] As pesquisas mostram que a maioria dos negros é favorável às indenizações, enquanto apenas 4% dos brancos as aprovam.[15]

Embora o movimento de indenização possa ter cessado, tem havido uma onda de pedidos oficiais de desculpas nos últimos anos. Em 2007 a Virgínia, que havia sido o maior estado escravagista, foi o primeiro a pedir perdão pela escravidão.[16] Vários outros estados, incluindo Alabama, Maryland, Carolina do Norte, Nova Jersey e Flórida, fizeram o mesmo.[17] E em 2008 a Câmara dos Deputados aprovou a resolução para um pedido oficial de desculpas aos negros pela escravidão e pela era Jim Crow de segregação racial que se estendeu até meados do século XX.[18]

As nações deveriam pedir perdão por erros históricos? Para responder a essa pergunta, devemos avaliar algumas questões complicadas sobre a responsabilidade coletiva e as reivindicações da comunidade.

As principais justificativas para que se façam pedidos públicos de desculpas são honrar a memória dos que sofreram injustiças pelas mãos

*O filme *Bem-vindos ao paraíso* (*Come See the Paradise*), de Alan Parker (1990), dá uma boa mostra desse acontecimento. (*N. da E.*)

(ou em nome) da comunidade política, reconhecer os efeitos em longo prazo da injustiça com as vítimas e seus descendentes e reparar os erros cometidos por aqueles que infligiram a injustiça ou nada fizeram para evitá-la. Como gestos públicos, os pedidos de desculpas podem ajudar a cicatrizar as feridas do passado e criar uma base para a reconciliação moral e política. Indenizações e outras modalidades de compensação financeira podem ser justificadas da mesma forma, como expressões tangíveis de perdão e reparação. Podem também ajudar a aliviar os efeitos da injustiça nas vítimas e em seus herdeiros.

Se essas considerações são suficientemente fortes para justificar um pedido de desculpas, depende das circunstâncias. Em alguns casos, as tentativas de produzir pedidos de perdão públicos ou indenizações podem ocasionar mais malefícios do que benefícios — ao reacender antigas animosidades, acirrar inimizades históricas, impor a ideia de que as pessoas sejam vítimas ou gerar ressentimentos. Aqueles que se opõem aos pedidos públicos de desculpas frequentemente alegam essas preocupações. Saber se, após todas as considerações, é mais provável que um pedido de desculpas ou uma indenização cure ou aprofunde as feridas de uma comunidade política é uma questão complexa de julgamento político. A resposta vai variar conforme o caso.

## DEVEMOS PAGAR PELOS PECADOS DE NOSSOS PREDECESSORES?

Eu gostaria, porém, de me concentrar em outro argumento muitas vezes utilizado por aqueles que se opõem a pedidos de desculpas por injustiças históricas — um argumento moral que não depende das contingências da situação. É o argumento de que as pessoas da geração atual não deveriam — na verdade, não poderiam — desculpar-se pelos erros cometidos pelas gerações anteriores.[19] Pedir perdão por uma injustiça é, afinal, assumir alguma responsabilidade por ela. E uma pessoa não pode pedir desculpas por algo que não fez. Ou seja, como você pode pedir perdão por algo que foi feito antes de você nascer?

John Howard, primeiro-ministro australiano, usou esse argumento para rejeitar o pedido oficial de desculpas aos aborígines. "Não acredito que a geração atual de australianos deva pedir perdão formalmente ou assumir a responsabilidade pelos atos de gerações anteriores."[20]

Argumento semelhante foi usado no debate nos Estados Unidos relativo às indenizações pela escravidão. Henry Hyde, deputado republicano, criticou a ideia de indenizações com base neste argumento: "Nunca tive um escravo. Nunca oprimi ninguém. Não vejo por que deveria pagar por alguém que fez isso [possuiu escravos] muitos anos antes de eu nascer."[21] Walter E. Williams, economista negro contrário às indenizações, expressou um ponto de vista semelhante: "Estaria tudo certo se o governo ganhasse o dinheiro de Papai Noel. Mas o governo teria de tirar o dinheiro dos cidadãos, e nenhum cidadão ainda vivo foi responsável pela escravidão."[22]

Cobrar impostos dos cidadãos de hoje para indenizar por erros passados pode dar origem a um problema especial. No entanto, essa mesma questão surge nos debates sobre desculpas que não implicam compensação financeira.

Quando se trata de pedir perdão, o que conta é a ideia. E a ideia em questão é o reconhecimento da responsabilidade. Todos deploram as injustiças. Mas apenas alguém que esteja de alguma forma implicado na injustiça pode pedir desculpas por ela. Os críticos do pedido de desculpas compreendem corretamente as implicações morais. E repudiam a ideia de que a atual geração possa ser moralmente responsabilizada pelos pecados de seus antepassados.

Quando a Câmara de Deputados do estado de Nova Jersey discutiu a questão da retratação em 2008, um congressista republicano perguntou: "Existe algum cidadão vivo atualmente que seja culpado pela escravidão e que, portanto, deva se desculpar pela ofensa cometida?" A resposta óbvia, pensou ele, era "nenhum": "Os atuais habitantes de Nova Jersey, até mesmo aqueles que podem retraçar sua linhagem ancestral até (...) donos de escravos, não são coletivamente culpados ou responsáveis pelos acontecimentos injustos dos quais não participaram pessoalmente."[23]

Quando a Câmara dos Deputados se preparava para votar um pedido de desculpas pela escravidão e pela segregação, um crítico republicano da medida comparou-a a um pedido de desculpas pelos atos realizados por seu "trisavô".[24]

## INDIVIDUALISMO MORAL

Não é fácil deixar de lado a objeção moral ao pedido oficial de desculpas. Ela se baseia na noção de que somos responsáveis apenas por nossos atos, e não pelos atos dos outros ou por acontecimentos além de nosso controle. Não podemos responder pelos pecados de nossos pais, nossos avós ou, no caso, nossos compatriotas.

Mas essa é uma forma negativa de ver a questão. A objeção moral ao pedido oficial de desculpas tem grande peso porque se baseia em uma ideia moral interessante e convincente. Pode chamá-la de ideia do "individualismo moral". A doutrina do individualismo moral não presume que o indivíduo seja egoísta. Na verdade, é uma declaração sobre o que significa ser livre. Para o individualista moral, ser livre é submeter-se apenas às obrigações assumidas voluntariamente; seja o que for que se deva a alguém, deve-se em virtude de algum ato de consentimento — uma escolha, uma promessa ou um acordo que se tenha feito, seja ele tácito ou explícito.

A concepção de que nossas responsabilidades limitam-se àquelas que deliberadamente assumimos é libertadora. Ela presume que somos, como agentes morais, seres livres e independentes, livres das limitações de restrições morais preestabelecidas e capazes de definir sozinhos nossos objetivos. A origem das únicas obrigações morais a que devemos obedecer é a livre escolha de cada indivíduo, e não o hábito, a tradição ou a condição que herdamos.

Podemos ver como essa visão de liberdade deixa pouca margem para a responsabilidade coletiva ou para o dever de arcar com as consequências morais das injustiças históricas perpetradas por nossos predecessores. Seria diferente se eu tivesse prometido ao meu avô pagar suas dívidas ou pedir perdão por seus erros. Meu dever de assumir a responsabilidade pelas retratações seria uma obrigação fundamentada no consentimento, e não uma obrigação originada de uma identidade coletiva que se perpetua através de gerações. Na ausência de tal promessa, o individualista moral não concebe a responsabilidade de reparar os pecados de seus predecessores. Afinal, os pecados foram deles, não nossos.

Se o ponto de vista do individualismo moral estiver correto, os críticos do pedido oficial de desculpas têm certa razão: não nos cabe arcar com as consequências morais dos erros de nossos predecessores. No entanto, essa questão envolve muito mais do que pedidos de desculpas e responsabilidade coletiva. A concepção individualista de liberdade aparece em várias das teorias de justiça correntes entre os políticos contemporâneos. Se essa concepção de liberdade estiver equivocada, como acredito que esteja, então precisamos repensar alguns dos aspectos fundamentais de nossa vida pública.

Como vimos, as noções de consentimento e livre escolha são abrangentes, não apenas na política contemporânea, mas também nas teorias modernas de justiça. Voltemo-nos um pouco para o passado para ver como várias noções de escolha e consentimento influenciam nossas suposições atuais.

Uma das primeiras versões da livre escolha do indivíduo chega-nos do passado por intermédio de John Locke. Ele argumentou que o governo legítimo deve basear-se no consentimento. Por quê? Porque somos seres livres e independentes e não estamos sujeitos à autoridade paternalista ou ao direito divino dos reis. Visto que "todos somos, por natureza, livres, iguais e independentes, ninguém pode ser excluído dessa situação e submetido ao poder político de outros sem que tenha dado seu consentimento".[25]

Um século mais tarde, Immanuel Kant apresentou uma versão mais consistente da livre escolha do indivíduo. Contrariando os filósofos utilitaristas e empiristas, Kant argumentou que devemos nos considerar mais do que um simples amontoado de preferências e desejos. Ser livre é ser autônomo, e ser autônomo é ser governado por uma lei que outorgamos a nós mesmos. A autonomia kantiana exige mais do que o consentimento.

Quando determino a lei moral, não estou simplesmente seguindo meus desejos ou minhas lealdades contingentes. Em vez disso, deixo de lado meus desejos e minhas ligações particulares e tomo decisões com base na pura razão prática.

No século XX, John Rawls adaptou a concepção de Kant do "eu" autônomo e inspirou-se nela quando elaborou sua teoria de justiça. Como Kant, Rawls observou que as escolhas que fazemos com frequência refletem contingências moralmente arbitrárias. A decisão de trabalhar em um lugar onde os empregados são submetidos a um duro regime de trabalho por um salário de fome, por exemplo, pode ser reflexo de uma necessidade econômica premente, e não de livre escolha. Portanto, se quisermos que a sociedade seja resultado de um acordo voluntário, não podemos fundamentá-la no simples consentimento; ao contrário, devemos nos perguntar com quais princípios de justiça concordaríamos, a despeito de nossos interesses ou vantagens particulares, e tomar nossas decisões sob um "véu de ignorância", sem saber quem delas se beneficiaria.

A noção de Kant da vontade autônoma e a noção de Rawls de uma decisão hipotética sob um véu de ignorância têm algo em comum: ambas concebem o agente moral independente de seus objetivos e suas ligações particulares. Quando determinamos a lei moral (Kant) ou os princípios de justiça (Rawls), nós o fazemos sem referência aos papéis e às identidades que nos situam no mundo e nos tornam os indivíduos que somos.

Se, ao pensar em justiça, tivermos de abstrair nossas identidades particulares, será difícil defender a ideia de que os alemães de hoje têm a obrigação de indenizar as vítimas do Holocausto ou que os americanos da nossa geração devem retratar-se pela injustiça da escravidão e da segregação. Por quê? Porque, ao abstrair minha identidade de cidadão alemão ou americano e pensar em mim mesmo como um ser livre e independente, não há fundamento para afirmar que minha obrigação de reparar essas injustiças históricas seja maior do que a de qualquer outra pessoa.

Conceber as pessoas como seres livres e independentes não afeta apenas as questões de responsabilidade coletiva através das gerações. Existe também uma implicação muito mais abrangente: conceber o agente moral dessa forma afeta a maneira como raciocinamos sobre justiça de modo mais geral. A noção de que somos seres livres e independentes reforça a ideia de que os princípios de justiça que definem nossos direitos não devem ser fundamentados em nenhuma concepção moral ou religiosa específica; ao contrário, eles devem tentar ser neutros em relação às diferentes noções do que possa ser uma vida boa.

## O GOVERNO DEVE SER MORALMENTE NEUTRO?

A ideia de que o governo deve tentar manter-se neutro quanto ao significado de uma vida boa diverge de antigas concepções de política. Para Aristóteles, o objetivo da política não é apenas facilitar o intercâmbio econômico e cuidar da defesa comum; a política também deve cultivar o bom caráter e formar bons cidadãos. Discussões sobre justiça são, portanto, inevitavelmente, discussões sobre a vida boa. "Antes de podermos [discutir sobre] a natureza de uma Constituição ideal", escreveu Aristóteles, "é preciso que determinemos primeiramente a natureza do modo de vida mais desejável. Enquanto isso não for esclarecido, a natureza da Constituição ideal também permanecerá obscura."[26]

Atualmente, a maioria das pessoas considera estranha, ou mesmo perigosa, a noção de que a política deve cultivar virtudes. Quem pode definir a virtude? E se as pessoas não chegarem a um consenso? Se a lei procura promover determinados ideais morais e religiosos, isso não estará abrindo caminho para a intolerância e para a coerção? Quando pensamos em Estados que tentam promover a virtude, não pensamos primeiramente na *pólis* de Atenas; pensamos no fundamentalismo religioso, passado e presente — em apedrejamento por adultério, no uso obrigatório de burcas, nos julgamentos das feiticeiras de Salem e assim por diante.

Para Kant e Rawls, as teorias de justiça que se baseiam em uma determinada concepção da vida boa, sejam elas religiosas ou seculares, entram em conflito com a liberdade. Ao impor a alguns indivíduos os valores de outros, essas teorias deixam de respeitar as pessoas como seres livres e independentes, capazes de decidir quais serão seus objetivos e suas finalidades. Assim, a liberdade de escolha e o Estado neutro caminham de mãos dadas: é justamente porque somos seres livres e independentes que precisamos de uma estrutura de direitos que seja neutra quanto às finalidades, que se recuse a tomar partido em controvérsias morais e religiosas, que deixe os cidadãos livres para escolher os próprios valores.

Algumas pessoas poderão argumentar que nenhuma teoria de justiça e direitos pode ser moralmente neutra. Até certo ponto, isso é obviamente verdade. Kant e Rawls não defendem o relativismo moral. A ideia de que as pessoas devem ser livres para escolher os próprios objetivos na vida já é, por si, um poderoso conceito moral. Mas não determina como devemos viver nossa vida: requer apenas que, quaisquer que sejam seus objetivos, o indivíduo aja de modo a respeitar os direitos das demais pessoas de fazer o mesmo. O atrativo de uma estrutura neutra está exatamente na recusa a determinar qualquer preferência em relação à melhor maneira de viver ou à concepção do bem.

Kant e Rawls não negam que estejam pressupondo alguns ideais morais. Sua contenda é com as teorias de justiça que fundamentam os direitos em alguma concepção do bem. O utilitarismo é uma dessas teorias. Ele considera o bem a maximização do prazer ou do bem-estar e procura o sistema de direitos mais adequado à sua realização. Aristóteles apresenta uma teoria muito diferente do bem. Ela não trata da maximização do prazer, mas de como realizar nossa natureza e desenvolver nossas capacidades humanas. O raciocínio de Aristóteles é teleológico, porque parte de uma determinada concepção do bem humano.

Esse é o tipo de raciocínio que Kant e Rawls repudiam. Eles argumentam que o que é correto tem primazia sobre o que é bom. Os princípios que especificam nossos deveres e direitos não devem basear-se em nenhuma concepção particular do que seja a vida boa. Kant cita "a confusão dos filósofos em relação ao princípio supremo da moral". Os filósofos antigos cometeram o erro de "basear suas investigações éticas inteiramente na definição do conceito do bem maior", para então tentar fazer com que esse bem seja "o fundamento determinante da lei moral".[27] De acordo com Kant, no entanto, essa é uma maneira invertida de pensar que também entra em conflito com a liberdade. Se quisermos nos considerar seres autônomos, primeiramente precisamos determinar a lei moral. Só então, depois que chegarmos ao princípio que define nossos deveres e direitos, poderemos nos perguntar que concepções do bem são compatíveis com ele.

Rawls tem opinião semelhante no que se refere aos princípios de justiça: "As liberdades da cidadania igualitária não serão sólidas se forem fundamentadas em princípios teleológicos."[28] É fácil ver como fundamentá-los em cálculos utilitaristas deixa os direitos vulneráveis. Se a única razão para que minha liberdade religiosa seja respeitada for a felicidade geral, o que acontecerá se um dia a maioria repudiar minha religião e resolver bani-la?

Mas as teorias utilitaristas de justiça não são os únicos alvos de Rawls e Kant. Se o que é certo tiver precedência sobre o que é bom, a concepção de justiça de Aristóteles também estará equivocada. Para Aristóteles, raciocinar sobre justiça é raciocinar a partir do *télos* ou da natureza do bem em questão. Para conceber uma ordem política justa, devemos raciocinar a partir da natureza da vida boa. Não poderemos elaborar uma Constituição justa até que tenhamos concebido a melhor forma de viver. Rawls discorda: "A estrutura lógica das doutrinas teleológicas é radicalmente equivocada: desde o início elas relacionam o direito e o bem de forma errada. Não devemos tentar moldar nossas vidas visando, de antemão, ao bem como algo definido de maneira independente."[29]

## JUSTIÇA E LIBERDADE

O que está em questão nesse debate é mais do que a pergunta abstrata sobre como devemos raciocinar a respeito de justiça. O debate sobre a prioridade do que é certo sobre o que é bom é, em última análise, um debate sobre o significado da liberdade humana. Kant e Rawls rejeitam a teleologia de Aristóteles porque ela parece não nos dar margem para escolher, por nós mesmos, o que é bom. É fácil ver como a teoria de

Aristóteles dá margem a esse temor. Ele vê a justiça como uma adequação entre as pessoas e as finalidades ou bens apropriados a sua natureza. Mas tendemos a ver a justiça como uma questão de escolha, e não de adequação.

A teoria de Rawls da prioridade do que é certo sobre o que é bom reflete sua convicção de que uma "pessoa moral é um sujeito com objetivos que ele próprio escolheu".[30] Como agentes morais, não somos definidos por nossos objetivos, mas por nossa capacidade de escolha. "Não são nossos objetivos que revelam, em princípio, nossa natureza", mas a estrutura dos direitos que escolheríamos se pudéssemos abstrair nossos objetivos. "Pois o eu, a pessoa, antecede os objetivos que declara; até mesmo um objetivo dominante deve ser escolhido entre diversas possibilidades (...) Devemos, portanto, inverter a relação proposta pelas doutrinas teleológicas entre o que é correto e o que é bom e considerar o que é correto prioritário."[31]

A noção de que a justiça deve manter-se neutra em relação às concepções da vida boa reflete um conceito das pessoas como seres dotados de livre escolha e sem amarras morais preexistentes. Essas ideias, tomadas em conjunto, caracterizam o pensamento político liberal moderno. "Liberal", no caso, não significa o oposto de "conservador", como esses termos são usados nos debates políticos americanos. Na verdade, uma das características definidoras da política americana é o fato de que os ideais do Estado neutro e da livre escolha do indivíduo permeiam todo o espectro político. Grande parte das discussões acerca do papel do governo e do mercado é um debate sobre como fazer para que os indivíduos possam perseguir, por si sós, os próprios objetivos.

Os liberais igualitários são a favor das liberdades civis e dos direitos sociais e econômicos básicos — direitos ao sistema de saúde, à educação, ao mercado de trabalho, à garantia de renda e outros. Eles argumentam que, para que os indivíduos possam perseguir os próprios objetivos, é necessário que o governo garanta as condições materiais para uma verdadeira escolha livre. Desde os tempos do *New Deal*, os partidários do Estado de bem-estar social nos Estados Unidos valorizam menos a solidariedade social e a obrigação comum do que os direitos individuais e a liberdade de escolha. Quando Franklin D. Roosevelt criou a Social Security em 1935, ele não a concebeu como uma obrigação mútua entre os cidadãos. Ele a concebeu como um sistema privado de seguros, com base em "contribuições" por meio da folha de pagamentos, em vez de impostos sobre a renda em geral.[32] E quando, em 1944, estabeleceu as bases para o Estado de bem-estar social americano, ele o denominou "declaração dos direitos econômicos". Em lugar de propor o Estado de bem-estar social como uma política comunal, Roosevelt argumentou que tais direitos eram essenciais para "a verdadeira liberdade individual", acrescentando que "homens necessitados não são homens livres".[33]

Por sua vez, os libertários (em geral chamados "conservadores" na política americana, pelo menos no que diz respeito a questões econômicas) também defendem um Estado neutro que respeite a escolha individual. (O filósofo libertário Robert Nozick afirma que o governo deve ser "escrupulosamente (...) neutro em relação aos cidadãos".)[34] No entanto, discordam dos liberais igualitários quanto às políticas necessárias para a concretização desses ideais. Como críticos *laissez-faire* do Estado de bem-estar social, os libertários defendem os livres mercados e argumentam que as pessoas têm o direito de ficar com o dinheiro recebido por meio de seu trabalho. "Como um indivíduo pode ser verdadeiramente livre", perguntou Barry Goldwater, um conservador libertário e candidato republicano à presidência dos Estados Unidos em 1964, "se não puder dispor dos frutos de seu trabalho e, ao contrário, esses frutos forem considerados uma parte do consórcio comum da renda pública?"[35] Para os libertários, um Estado neutro pressupõe liberdades civis e um regime criterioso de direitos à propriedade privada. O Estado de bem-estar social, argumentam, não permite que os indivíduos escolham os próprios objetivos, mas coage alguns em benefício de outros.

Sejam elas igualitárias sejam libertárias, as teorias de justiça que defendem a neutralidade têm um grande apelo. Elas mostram que é possível evitar que a política e a lei acabem por se enredar nas controvérsias morais e religiosas muito frequentes nas sociedades pluralistas. E expressam uma inovadora concepção da liberdade humana que nos transforma em autores das únicas obrigações morais que nos restringem.

Ainda que atraente, no entanto, essa concepção de liberdade é falha. Assim como a aspiração de encontrar princípios de justiça que se mantenham neutros em relação às diferentes concepções da vida boa.

Essa é, pelo menos, a conclusão à qual eu cheguei. Depois de debater comigo mesmo os argumentos filosóficos que apresentei a vocês, e tendo observado como esses argumentos são postos em prática na vida pública, não acredito que a liberdade de escolha — mesmo a liberdade de escolha em condições justas — seja uma base adequada para uma sociedade justa. Além disso, a tentativa de encontrar princípios de justiça neutros parece-me um equívoco. Nem sempre é possível definir nossos direitos e deveres sem se aprofundar em alguns questionamentos morais; e mesmo quando isso é possível, pode não ser desejável. Tentarei agora explicar por quê.

## AS REIVINDICAÇÕES COMUNITÁRIAS

O ponto fraco da concepção liberal de liberdade tem a ver exatamente com o que a torna atraente. Se nos considerarmos seres livres e independentes, sem as amarras morais de valores que não escolhemos, não terão sentido para nós as muitas obrigações morais e políticas que normalmente aceitamos e até mesmo valorizamos. Incluem-se aí as obrigações de solidariedade e lealdade, de memória histórica e crença religiosa — reivindicações morais oriundas das comunidades e tradições que constroem nossa identidade. A não ser que nos vejamos como pessoas com um legado, sujeitas a ditames morais que não escolhemos, por nós, será difícil entender esses aspectos de nossa experiência moral e política.

Na década de 1980, dez anos depois que *Uma teoria de justiça* de Rawls deu ao liberalismo americano sua mais completa expressão filosófica, vários críticos (e eu fui um deles) contestaram o ideal do "eu" desimpedido, livre para escolher segundo os argumentos que acabo de expor. Esses críticos rejeitaram a prioridade do que é certo sobre o que é bom e argumentaram que não podemos raciocinar sobre justiça deixando de lado aquilo que almejamos e a que estamos ligados. Essas pessoas ficaram conhecidas como críticos "comunitários" do liberalismo contemporâneo.

A maioria desses críticos não ficou satisfeita com a rotulação, porque ela parecia sugerir a visão relativista de que a justiça é simplesmente o que uma determinada comunidade define que ela deve ser. Essa preocupação, entretanto, levanta uma questão importante: os ônus da vida em comunidade podem ser opressivos. A proposta liberal surgiu como um antídoto às teorias políticas que consignavam os indivíduos a determinados destinos definidos por sua casta ou classe, cargo ou graduação, costumes, tradição ou condição herdada. Então, como é possível aceitar o peso moral da comunidade e ainda ter como objetivo a liberdade humana? Se a concepção voluntarista do indivíduo não se sustenta — se todas as nossas obrigações não são produto de nossa vontade —, como poderemos, então, nos sentir inseridos na sociedade e ainda assim livres?

## SERES QUE CONTAM HISTÓRIAS

Alasdair MacIntyre tem uma resposta interessante a essa pergunta. Em seu livro *After Virtue* (*Depois da virtude*, 1981) ele conta como nós, na qualidade de agentes morais, atingimos nossos propósitos e objetivos. Como alternativa à concepção voluntarista do indivíduo, MacIntyre desenvolve uma concepção narrativa. Seres humanos são seres que contam histórias. Vivemos nossa vida como uma jornada narrativa. "Só posso responder à pergunta 'o que devo fazer?' se antes puder responder a outra pergunta: 'De que história ou histórias faço parte?'"[36]

Todas as narrativas vividas, observa MacIntyre, têm uma certa característica teleológica. Isso não significa que tenham um propósito determinado ou um objetivo estabelecido por alguma autoridade externa. A teleologia e a imprevisibilidade coexistem. "Como personagens de uma narrativa ficcional, não sabemos o que acontecerá em seguida, mas não obstante nossa vida tem uma determinada forma que se projeta em direção ao nosso futuro."[37]

Viver a vida é representar um papel em uma jornada narrativa que aspira a uma certa unidade ou coerência. Quando me vejo diante de vários caminhos a seguir e devo escolher um deles, tento descobrir qual dará mais sentido à minha vida como um todo e a tudo aquilo que é importante para mim. A deliberação moral tem mais a ver com a interpretação da história da minha vida do que com o exercício da minha vontade. Ela envolve escolha, mas a escolha resulta da interpretação; ela não é um ato soberano de vontade. A qualquer momento, outras pessoas podem ver mais claramente do que eu qual caminho, entre os que se me apresentam, é mais condizente com minha trajetória de vida; pensando bem, posso dizer que meu amigo me conhece melhor do que eu mesmo. A "interpretação narrativa" da maneira como tomamos nossas decisões morais tem a vantagem de permitir essa possibilidade.

Ela também mostra como a deliberação moral envolve reflexões que abrangem um escopo maior de histórias do qual a minha é parte. Como diz MacIntyre, "jamais poderei buscar o bem ou praticar a virtude apenas como indivíduo".[38] Só entenderei a narrativa de minha vida se puder vê-la como parte das histórias das quais faço parte. Para MacIntyre (assim como para Aristóteles), o aspecto narrativo, ou teleológico, da reflexão moral está ligado à condição de membro pertencente ao grupo do qual faço parte.

> Todos abordamos nossas circunstâncias como portadores de uma determinada identidade social. Sou filho ou filha de alguém, primo ou tio de alguém; sou cidadão dessa ou daquela cidade, membro de uma agremiação ou parte de uma categoria profissional; pertenço a esse clã, àquela tribo, a determinada nação. Portanto, o que for bom para mim deve ser bom para alguém que pertence a essas classes. Como tal, herdei de minha família, minha cidade, minha tribo, minha nação uma série de deveres, tradições, expectativas e obrigações legítimas. Essas condições constituem o que me foi dado na vida, meu ponto de partida moral. Isso é, em parte, o que confere à minha vida sua especificidade moral.[39]

MacIntyre admite que a explicação narrativa de nossas decisões morais está em conflito com o individualismo moderno. "Do ponto de vista do individualismo, sou o que eu mesmo escolhi ser." Na visão individualista, a reflexão moral requer que eu deixe de lado ou que abstraia minhas identidades e heranças sociais: "Não posso ser responsabilizado por aquilo que meu país faz ou fez, a menos que eu assuma essa responsabilidade implícita ou explicitamente. Tal individualismo é demonstrado pelos americanos modernos que negam qualquer responsabilidade pelas consequências da escravidão dos negros americanos, alegando 'que nunca tiveram escravos'."[40] (Deve-se notar que MacIntyre escreveu esse texto quase duas décadas antes das declarações do deputado Henry Hyde, mostrando-se contrário às indenizações.)

MacIntyre cita ainda o exemplo "do jovem alemão que acredita que o fato de ter nascido depois de 1945 significa que o que os nazistas fizeram aos judeus não tem relevância moral para seu relacionamento com seus contemporâneos judeus". MacIntyre considera que esse argumento não tem densidade moral. Ele presume erroneamente que "o 'eu' possa ser dissociado de seus papéis e status sociais e históricos".[41]

> O contraste com a visão narrativa do "eu" é claro. Pois minha história de vida estará sempre entretecida na história das comunidades das quais advém minha identidade. Nasci com um passado; tentar romper com esse passado, de forma individualista, é deturpar meus relacionamentos atuais.[42]

A concepção narrativa do indivíduo de MacIntyre representa um nítido contraste com a concepção voluntarista do indivíduo como um ser livre para escolher e livre de ônus. Como escolher entre essas duas concepções? Poderíamos nos perguntar qual delas capta melhor a experiência da deliberação moral, mas essa é uma questão difícil de responder no âmbito abstrato. Outra forma de avaliar os dois pontos de vista é perguntar qual deles oferece a narrativa mais convincente da obrigação moral e política. Estamos atados por laços morais que não escolhemos e que não estão associados a um contrato social?

## OBRIGAÇÕES QUE TRANSCENDEM O CONSENTIMENTO

A resposta de Rawls seria "não". Na concepção liberal, as obrigações só surgem de duas maneiras — como deveres naturais que temos em relação aos seres humanos como tais e como obrigações voluntárias nas quais incorremos por meio do consentimento.[43] Os deveres naturais são universais. Nós os devemos aos indivíduos como indivíduos, como seres racionais. Aí incluem-se o dever de tratar as pessoas com respeito, o de fazer justiça, o de evitar a crueldade e assim por diante. Já que eles surgem da vontade autônoma (Kant) ou do contrato social hipotético (Rawls), não há necessidade de um ato de consentimento. Ninguém diria que alguém tem o dever de não matar apenas por ter prometido não fazê-lo.

Diferentemente dos deveres naturais, as obrigações voluntárias são particulares, e não universais, e surgem do consentimento. Se concordei em pintar sua casa (em troca de pagamento ou, digamos, para retribuir um favor), tenho a obrigação de cumprir o prometido. Mas não tenho obrigação de pintar a casa de outras pessoas. De acordo com a concepção liberal, devemos respeitar a dignidade de todos os indivíduos, mas, além disso, só devemos aquilo que concordamos em dever. A justiça liberal exige que respeitemos os direitos das pessoas (como estabelecidos na estrutura neutra), e não que promovamos seu bem. O dever de nos preocupar com o bem dos demais indivíduos dependerá dos acordos que tivermos feito, e com quem os fizemos.

Uma importante consequência dessa concepção é que "não existe obrigação política, no rigor do termo, para os cidadãos em geral". Ainda que aqueles que se candidatem voluntariamente incorram em uma obrigação política (ou seja, de servir ao país caso sejam eleitos), isso não se aplica ao cidadão comum. Como escreve Rawls, "as responsabilidades políticas do cidadão comum não são claramente definidas".[44] Portanto, se a concepção liberal de obrigação estiver certa, o cidadão comum não tem nenhuma obrigação especial para com seus compatriotas além do dever universal e natural de não cometer injustiças.

Do ponto de vista da concepção narrativa do indivíduo, a descrição liberal da obrigação é muito frágil. Ela não leva em conta as responsabilidades especiais que temos para com nossos compatriotas. E mais: ela não considera os deveres de lealdade e de responsabilidades cuja força moral consiste, em parte, no fato de que viver de acordo com eles é parte inseparável de nos concebermos como os indivíduos únicos que somos — como membros de uma família, ou nação, ou povo, como parte de sua história, como cidadãos dessa república. No relato narrativo, essas identidades não são contingências que devemos deixar de lado quando deliberamos sobre moral e justiça; elas são parte de quem somos e, portanto, são parte de nossas responsabilidades morais.

Assim, uma maneira de decidir entre a concepção voluntarista e a concepção narrativa do indivíduo é perguntar se existe uma terceira categoria de obrigações — sejam obrigações de solidariedade ou sociedade — que não podem ser explicadas em termos contratuais. Diferentemente dos deveres naturais, as obrigações de solidariedade são particulares, e não universais; elas envolvem responsabilidades morais que devemos ter não apenas com os seres racionais, mas com aqueles com quem compartilhamos uma determinada história. No entanto, diferentemente das obrigações voluntárias, elas não dependem de um ato de consentimento. Seu valor moral fundamenta-se, ao contrário, no aspecto localizado da reflexão moral, no reconhecimento do fato de que minha história de vida está implicada na história dos demais indivíduos.

TRÊS CATEGORIAS DE RESPONSABILIDADE MORAL

1. Deveres naturais: universais; não requerem consentimento
2. Obrigações voluntárias: particulares; requerem consentimento
3. Obrigações de solidariedade: particulares; não requerem consentimento

## A SOLIDARIEDADE E A CONDIÇÃO DE MEMBRO DE UM GRUPO

Eis alguns exemplos de obrigações de solidariedade ou de vida em sociedade. Vejamos se você acha que eles têm algum peso moral e, se tiverem, se sua força moral pode ser estabelecida em termos contratuais.

*Obrigações familiares*

O exemplo mais simples é a obrigação especial que os membros da família têm entre si. Suponhamos que duas crianças estejam se afogando, e você só tenha tempo para salvar uma. Uma é seu filho e a outra é filha de um estranho. Seria errado salvar seu filho? Ou seria melhor decidir no cara ou coroa? A maioria das pessoas diria que não seria errado salvar o próprio filho e acharia estranho considerar mais justo decidir jogando a moeda. Por trás dessa reação está a noção de que os pais têm responsabilidades especiais em relação aos filhos. Algumas pessoas dizem que essa responsabilidade é fruto do consentimento. Ao optar por ter filhos, os pais voluntariamente aceitam a responsabilidade de cuidar deles com atenção especial.

Deixando de lado a questão do consentimento, analisemos a responsabilidade dos filhos em relação aos pais. Suponhamos que duas pessoas idosas precisem de cuidados; uma é minha mãe e a outra é a mãe de um estranho. A maior parte das pessoas concordaria que, embora fosse admirável se eu pudesse cuidar de ambas, tenho uma responsabilidade especial em relação à minha mãe. Nesse caso, o argumento do consentimento não justifica meu dever. Eu não escolhi meus pais; nem sequer escolhi ter pais.

Poderíamos argumentar que a responsabilidade moral de cuidar de minha mãe advém do fato de ela ter cuidado de mim quando eu era jovem. Como ela me criou e cuidou de mim, tenho a obrigação de retribuir-lhe o benefício. Ao aceitar os benefícios que ela me proporcionou, implicitamente consenti em retribuir quando ela precisasse. Algumas pessoas podem considerar esse cálculo de consentimento e reciprocidade muito frio em se tratando de obrigações familiares. Mas suponhamos que você concorde com ele. O que diria então sobre uma pessoa cujos pais foram negligentes ou indiferentes? Você diria que a qualidade do tratamento dispensado à criança determina o grau de responsabilidade do filho ou da filha de ajudar os pais quando for preciso? Na medida em que os filhos são obrigados a ajudar até mesmo os maus pais, o argumento moral pode transcender a ética liberal de reciprocidade e consentimento.

*A resistência francesa*

Passemos da família para as obrigações em relação à comunidade. Durante a Segunda Guerra Mundial, membros da resistência francesa fizeram bombardeios aéreos sobre a França ocupada pelos nazistas. Embora tentassem atingir as fábricas e outros alvos militares, nem sempre conseguiram evitar a morte de civis. Um dia o piloto de um bombardeiro recebe ordens para atacar sua cidade natal. (A história pode ser apócrifa, mas levanta uma questão moral interessante.) Ele pede para ser dispensado da missão. Ele sabe que bombardear sua cidade é tão necessário para o objetivo de libertar a França quanto a missão que executou na véspera e sabe também que, se não o fizer, alguém o fará. Mas explica sua recusa com base no fato de que ele não pode atacar e quiçá matar a própria gente, seus companheiros. Ainda que a causa fosse justa, ele acha que realizar esse bombardeio, para ele, seria um erro moral.

O que você acha da atitude do piloto? Você a admira ou a considera um tipo de fraqueza? Deixemos de lado a questão mais profunda sobre quantas mortes de civis seriam justificáveis em nome da libertação da França. O piloto não estava questionando a necessidade da missão ou o número de vidas que seriam perdidas. O que ele queria dizer é que ele não poderia ser o responsável por tirar essas vidas em particular. Seria a relutância do piloto um excesso de escrúpulos ou o reflexo de algo moralmente importante? Se admiramos o piloto, deve ser porque vemos em sua atitude o reconhecimento da identidade que ele carrega consigo como membro daquela cidade e admiramos o caráter que ele demonstra com sua decisão.

*Resgatando judeus etíopes*

No início da década de 1980, a fome na Etiópia fez com que cerca de 400 mil pessoas fugissem para o vizinho Sudão, onde passaram a padecer em campos de refugiados. Em 1984, o governo de Israel empreendeu uma missão aérea secreta denominada Operação Moisés destinada a resgatar judeo-etíopes, conhecidos como *falashas*, e levá-los para Israel.[45] Cerca de

7 mil judeo-etíopes haviam sido resgatados quando o plano foi suspenso por pressão dos governos árabes para que o Sudão não cooperasse com Israel na evacuação. Shimon Peres, então primeiro-ministro israelense, disse: "Não descansaremos enquanto todos os nossos irmãos e irmãs da Etiópia não estiverem a salvo em casa."[46] Em 1991, quando a guerra civil e a fome ameaçavam os judeo-etíopes remanescentes, Israel protagonizou uma operação aérea de resgate ainda maior, levando 14 mil *falashas* para Israel.[47]

Israel agiu certo ao resgatar os judeus etíopes? É difícil considerar que a operação não tenha sido heroica. Os *falashas* estavam desesperados e queriam ir para Israel. E Israel, Estado judeu fundado depois do Holocausto, foi criado para ser a pátria dos judeus. Mas suponhamos que alguém lançasse o seguinte desafio: centenas de milhares de refugiados etíopes estavam passando fome. E se, considerando-se os recursos limitados, Israel só pudesse resgatar uma pequena parte deles, por que não escolher por meio de sorteio os 7 mil etíopes a serem salvos? Por que o resgate aéreo que privilegiou os judeus da Etiópia, em vez dos etíopes em geral, não foi considerado um ato de injustiça discriminatória?

Se você acatar as obrigações de solidariedade e pertinência, a resposta será óbvia: Israel tinha uma responsabilidade especial de resgatar os judeo-etíopes que ia além de seu dever (e o de todas as nações) de ajudar refugiados em geral. Toda nação tem o dever de respeitar os direitos humanos, o que significa dar ajuda, de acordo com sua capacidade, aos seres humanos em qualquer lugar onde eles estejam passando fome, sendo perseguidos ou desalojados de seus lares. Esse é um dever universal justificável, na concepção kantiana, como um dever que temos de indivíduo para indivíduo, como seres humanos (categoria 1). A questão que tentamos resolver é se as nações têm mais responsabilidades especiais de proteger seu povo. Ao se referir aos judeo-etíopes como "nossos irmãos e irmãs", o primeiro-ministro israelense invocou uma metáfora familiar de solidariedade. A não ser que aceitemos essa concepção, sofreremos duras pressões para explicar por que Israel não deveria ter feito um sorteio para o resgate aéreo. Seria difícil também defender tal ação em nome do patriotismo.

## O PATRIOTISMO É UMA VIRTUDE?

O patriotismo é um sentimento moral muito contestado. Muitos veem o amor à pátria como uma virtude inquestionável, outros acreditam que ele dá origem à obediência cega, ao chauvinismo e à guerra. Nossa pergunta é mais específica: Os cidadãos têm obrigações para com seus compatriotas que vão além dos deveres que têm para com os demais indivíduos do mundo? E se as tiverem, será que essas obrigações existem tendo como base apenas o consentimento?

Jean-Jacques Rousseau, fervoroso defensor do patriotismo, argumenta que ligações e identidades com a comunidade são parte necessária de nossa humanidade universal.

> Parece-me que o sentimento de humanidade se evapora e se dilui quando é estendido a todos os cidadãos do mundo, e que não podemos ser afetados pelas calamidades na Tartária ou no Japão da mesma forma como o somos quando elas acontecem na Europa. É preciso que o interesse e a comiseração sejam de alguma forma limitados e restritos para que sejam efetivos.

O patriotismo, diz ele, é um princípio limitador que torna mais fortes os sentimentos entre os compatriotas. "É um fator positivo que o sentimento de humanidade para com os compatriotas ganhe nova força pelo hábito que os cidadãos desenvolvem de ver uns aos outros por meio do interesse comum que os une."[48] Mas, se os compatriotas são ligados pela lealdade e pela vida em comum, isso significa que eles devem fazer mais uns pelos outros do que por estrangeiros.

> Queremos que o indivíduo seja virtuoso? Comecemos, então, por fazer com que ele ame seu país. Mas como ele poderá amá-lo se seu país não significar, para ele, algo além do que significa para os estrangeiros, proporcionando-lhe apenas aquilo que não pode negar a mais ninguém?[49]

Os países de fato proporcionam mais benefícios a seus cidadãos do que a estrangeiros. Cidadãos americanos, por exemplo, têm direito a muitos tipos de provisões públicas — educação, seguro-desemprego, treinamento profissional, seguro social, atendimento médico e de bem-estar social, programa de alimentos, entre outros — que os estrangeiros não têm. Na verdade, aqueles que são contra uma política de imigração mais flexível receiam que os novos cidadãos usufruam dos programas sociais pelos quais os contribuintes são obrigados a pagar. Mas isso levanta a seguinte questão: Por que os contribuintes americanos têm mais responsabilidades para com os necessitados de seu país do que para com os necessitados do restante do mundo?

Algumas pessoas reprovam quaisquer formas de assistência pública e gostariam de reavaliar o Estado de bem-estar social. Outras acham que deveríamos ser mais generosos e dar mais ajuda aos países em desenvolvimento. Quase todas reconhecem, porém, a distinção entre bem-estar social e ajuda externa. E a maioria concorda que temos uma responsabilidade especial no atendimento das necessidades de nossos concidadãos que não se estende a todas as pessoas do mundo. Será que essa distinção é moralmente defensável ou não passa de mero favorecimento, de preconceito em relação aos nossos iguais? Qual é o verdadeiro significado moral das fronteiras nacionais? Em termos de necessidade absoluta, os bilhões de pobres em todo o mundo que vivem com menos de um dólar por dia são mais necessitados do que os pobres americanos.

Laredo, no Texas, e Juarez, no México, são duas cidades contíguas separadas pelo rio Grande. Uma criança nascida em Laredo tem direito a todos os benefícios sociais e econômicos do Estado de bem-estar social americano, incluindo o direito a trabalhar em qualquer lugar dos Estados Unidos quando tiver idade para isso. Uma criança nascida no outro lado do rio não tem nenhum desses direitos. Não tem o direito sequer de cruzar o rio. Devido a circunstâncias além do seu controle, as duas crianças terão perspectivas de vida muito diferentes, simplesmente em virtude do local onde nasceram.

A desigualdade entre as nações complica a situação da comunidade nacional. Se a renda de todos os países fosse equânime e se todos os indivíduos fossem cidadãos de qualquer país, a obrigação de cuidar do próprio povo não seria um problema — pelo menos não no que diz respeito à justiça. Mas, em um mundo com enormes disparidades entre países ricos e pobres, as reivindicações da comunidade entram em conflito com as reivindicações de igualdade. A questão da imigração reflete bem essa tensão.

*Patrulhamento de fronteiras*

A reforma da política de imigração é um campo minado. Um dos únicos aspectos dessa política que tem grande apoio popular é a segurança da fronteira dos Estados Unidos com o México para controlar o fluxo ilegal de imigrantes. A polícia texana criou recentemente um novo tipo de patrulhamento de fronteira usando a internet. Foram instaladas câmeras de vídeo em lugares comumente utilizados para a entrada ilegal no país e as imagens ao vivo são divulgadas em um website. Os cidadãos que quiserem colaborar com a vigilância on-line da fronteira podem transformar-se em "xerifes virtuais do Texas". Se virem alguém tentando cruzar a fronteira, basta enviar um aviso ao gabinete do xerife, que tomará as providências, às vezes com o auxílio da Patrulha de Fronteira dos Estados Unidos.

Quando tomei conhecimento desse website por meio da Rádio Pública Nacional, tentei imaginar o que poderia motivar uma pessoa a ficar vigiando em frente ao monitor de seu computador. Deve ser uma tarefa muito monótona, com longos períodos de inatividade e sem remuneração. O repórter entrevistou um motorista de caminhão do sul do Texas, uma dentre as dezenas de milhares de pessoas que já se haviam conectado ao website. Depois de um longo dia de trabalho, o motorista "vai para casa, senta seus quase dois metros de altura e mais de cem quilos em frente ao computador, abre uma latinha de Red Bull (...) e começa a proteger seu país". Por que ele faz isso?, perguntou o repórter. "Eu me sinto bem", disse o motorista, "como se estivesse colaborando com o cumprimento da lei e com meu país."[50]

Talvez essa seja uma estranha expressão de patriotismo, mas levanta uma questão no âmago do debate sobre imigração: Baseadas em quê as nações têm o direito de impedir que estrangeiros se juntem a seus cidadãos?

O melhor argumento para limitar a imigração tem a ver com a proteção do grupo. De acordo com Michael Walzer, a capacidade de controlar as condições da sociedade, de estabelecer os termos de admissão e exclusão, está "no âmago da independência do grupo". Caso contrário, "não poderiam existir *comunidades definidas*, historicamente estáveis, associações ativas de homens e mulheres com algum comprometimento mútuo especial e um determinado sentido de vida comum".[51]

Para os países ricos, no entanto, as leis que restringem a imigração também ajudam a proteger os privilégios. Muitos americanos temem que permitir que um grande número de mexicanos imigre nos Estados Unidos imponha um ônus significativo aos serviços sociais e que acabe por reduzir o bem-estar econômico dos cidadãos de seu país. Não está comprovado que esse temor seja justificável. Mas suponhamos, a título de discussão, que a imigração livre empobrecesse o padrão de vida dos americanos. Isso seria suficiente para restringir a imigração? Só se considerarmos que as pessoas nascidas na margem rica do rio Grande sejam merecedoras de um destino melhor. Já que o acaso do local de nascimento não justifica o merecimento do direito, no entanto, é difícil conceber como a restrição à imigração pode ser justificada em nome da preservação da riqueza.

Um argumento mais forte para que se limite a imigração é a proteção do emprego e do nível salarial do trabalhador americano menos capacitado, mais vulnerável ao influxo dos imigrantes que aceitam trabalhar por salários menores. Mas esse argumento nos leva de volta à questão que estamos tentando resolver: Por que deveríamos proteger nossos trabalhadores mais vulneráveis quando isso significa que estaríamos negando oportunidades no mercado de trabalho às pessoas do México, que são ainda mais pobres?

Do ponto de vista da ajuda aos menos afortunados, poder-se-ia defender a imigração livre. Ainda assim, até as pessoas com maior tendência ao igualitarismo hesitariam em apoiar essa ideia.[52] Existe algum fundamento moral para tal relutância? Sim, mas somente se aceitarmos que temos uma obrigação especial de manter o bem-estar de nossos compatriotas em virtude da vida comum e da história que compartilhamos.

E isso depende de aceitarmos a concepção narrativa da condição de ser humano, de acordo com a qual nossa identidade como agentes morais está ligada à comunidade da qual fazemos parte. De acordo com Walzer,

> somente se o sentimento patriótico tiver alguma base moral, se a coesão do grupo contribuir para obrigações e acepções comuns, é que as autoridades governamentais terão algum motivo para se preocupar especificamente com o bem-estar de seu próprio povo (...) e com o sucesso de sua própria cultura e de sua própria política.[53]

### *O* Buy American* *é injusto?*

Não é apenas por meio da imigração que os americanos podem perder seus empregos para os estrangeiros. Nos dias atuais, capital e bens atravessam as fronteiras nacionais com mais facilidade do que as pessoas. Esse fato também suscita questões sobre o aspecto moral do patriotismo. Consideremos o conhecido slogan *Buy American*. É mais patriótico comprar um Ford do que um Toyota? Como automóveis e outros produtos manufaturados vêm sendo cada vez mais produzidos por meio de cadeias globais de suprimentos de componentes, é cada vez mais difícil saber exatamente o que deve ser considerado um automóvel de fabricação americana. Mas suponhamos que seja possível identificar os bens que criam empregos para os cidadãos dos Estados Unidos. Seria esse um bom motivo para dar-lhes preferência? Por que deveríamos ter maior interesse em criar empregos para os trabalhadores americanos do que para os trabalhadores do Japão, da Índia ou da China?

No início de 2009, o Congresso dos Estados Unidos aprovou e o presidente Obama sancionou um pacote de estímulo econômico no valor de 787 bilhões de dólares. A lei exigia que obras públicas com recursos financeiros do governo — estradas, pontes, escolas e prédios públicos — utilizassem aço e ferro produzidos nos Estados Unidos. “É razoável,

*Política de estímulo econômico para incentivar a compra de produtos fabricados nos Estados Unidos. (*N. da T.*)

sempre que possível, que tentemos estimular nossa economia em vez de estimular a economia de outros países", explicou o senador Byron Dorgan (Democrata, Dakota do Norte), defensor da política *Buy American*.[54] Pessoas contrárias a essa política temiam que ela gerasse uma retaliação contra os produtos americanos por parte dos demais países, aumentando a retração econômica, com reflexos no mercado de trabalho americano.[55] Mas ninguém questionou o fato de que o propósito do pacote fosse o estímulo à criação de empregos nos Estados Unidos em vez de no exterior. Essa premissa ficou nítida em um termo que os economistas passaram a usar para descrever o risco que o país correria se o governo começasse a gastar e a investir no exterior: *leakage* (vazamento). Uma reportagem de capa na revista *Business Week* citava a questão do vazamento: "Quanto do gigantesco estímulo fiscal de Obama vai vazar para o exterior, criando empregos na China, na Alemanha ou no México, em vez de nos Estados Unidos?"[56]

Em tempos de crise generalizada no mercado de trabalho, é compreensível que os legisladores americanos deem prioridade à proteção dos empregos no país. Mas a ideia do vazamento nos remete ao status moral do patriotismo. Considerando-se apenas a necessidade, é difícil defender a ajuda aos desempregados nos Estados Unidos em detrimento dos desempregados na China. Mas poucos questionariam a ideia de que os americanos têm uma obrigação especial de ajudar seus compatriotas a enfrentar os tempos difíceis.

É difícil justificar tal obrigação em termos de consentimento. Nunca me comprometi a ajudar os metalúrgicos de Indiana ou os agricultores da Califórnia. Algumas pessoas poderiam dizer que existe uma concordância implícita; porque usufruo do complexo esquema de interdependência representado pela economia de um país, tenho o dever de reciprocidade para com os demais participantes dessa economia — ainda que jamais os tenha conhecido e tampouco tenha realizado qualquer tipo de negócio ou prestado qualquer tipo de serviço à maioria deles. No entanto, há outra questão. Se traçarmos o caminho percorrido pelas trocas econômicas no mundo contemporâneo, provavelmente descobriremos que dependemos tanto das pessoas que vivem no outro lado do mundo quanto das que vivem em nosso país.

Assim, se acreditamos que o patriotismo tem um fundamento moral, se acreditamos ter responsabilidades especiais para com o bem-estar de nossos compatriotas, devemos então aceitar a terceira categoria de obrigações — as obrigações de solidariedade ou da condição de membros de uma sociedade que não podem ser reduzidas a um ato de consentimento.

### A SOLIDARIEDADE É UMA FORMA DE PARCIALIDADE EM FAVOR DO GRUPO AO QUAL PERTENCEMOS?

Evidentemente, nem todos concordam que temos obrigações especiais para com nossa família, nossos camaradas ou compatriotas. Alguns argumentam que essas supostas obrigações de solidariedade não passam de exemplos de egoísmo coletivo, uma parcialidade que acaba por favorecer o grupo ou a sociedade a que pertencemos. Esses críticos admitem que normalmente nos preocupamos mais com nossa família, nossos amigos e nossos companheiros do que com as demais pessoas. No entanto, questionam eles, essa preocupação excessiva com os nossos não seria uma tendência de isolamento que deveríamos tentar superar, em vez de valorizar em nome do patriotismo ou da fraternidade?

Não. Não necessariamente. As obrigações de solidariedade e sociedade apontam em duas direções, de dentro para fora e de fora para dentro. Posso ter para com meus companheiros algumas responsabilidades especiais relativas às comunidades às quais pertenço. Mas posso ter outras tantas para com aqueles com os quais minha comunidade tem uma história de dívida moral, como a relação dos alemães com os judeus ou dos brancos americanos com os negros. Desculpas e indenizações coletivas por injustiças históricas são bons exemplos de como a solidariedade pode criar responsabilidades morais para com comunidades além das nossas. Reparar os erros passados de nosso país é uma forma de afirmar nossa lealdade a ele.

Às vezes a solidariedade pode dar-nos um motivo especial para criticar nosso povo ou os atos de nosso governo. O patriotismo pode gerar dissensão. Tomemos como exemplo dois fatores diferentes que levaram as pessoas a repudiar a Guerra do Vietnã e a protestar contra ela. Um foi a crença de que a guerra era injusta; o outro alegava que a guerra era indigna e contrariava os valores da nação americana. O primeiro motivo pode ser usado por aqueles que se opunham à guerra, não importa quem sejam ou onde vivam. Mas o segundo motivo só pode ser sentido e expressado pelos cidadãos do país responsável pela guerra. Um sueco poderia opor-se à Guerra do Vietnã e considerá-la injusta, mas somente um americano poderia envergonhar-se dela.

Orgulho e vergonha são sentimentos morais que pressupõem uma identidade comum. Americanos em viagem ao exterior podem ficar envergonhados ao ver alguma demonstração de falta de educação por parte de turistas de seu país, ainda que não os conheçam pessoalmente. Não americanos podem desaprovar o mesmo comportamento, porém não têm motivos para se envergonhar dele.

A capacidade de sentir orgulho e vergonha pelos atos de membros de nossa família e de nossos concidadãos tem a ver com a responsabilidade coletiva. Ambos requerem que nos vejamos como pessoas inseridas em um grupo — presas a vínculos morais que não escolhemos e implicadas nas narrativas que moldam nossa identidade como agentes morais.

Dada a íntima relação entre uma ética de orgulho e vergonha e uma ética de responsabilidade coletiva, é surpreendente ver políticos conservadores repudiarem o pedido coletivo de desculpas com base em argumentos individualistas (como fizeram Henry Hyde, John Howard e outros já mencionados). Insistir no fato de que somos, como indivíduos, responsáveis apenas pelas escolhas que fazemos e pelos atos que praticamos torna difícil ter orgulho da história e das tradições de nosso país. Qualquer pessoa, em qualquer lugar, pode admirar a Declaração de Independência, a Constituição, o Discurso de Gettysburg de Lincoln, os heróis homenageados no Cemitério Nacional de Arlington e assim por diante. Mas o orgulho patriótico requer uma ligação mais duradoura com uma comunidade.

O fato de pertencer a um determinado grupo nos torna, de certa forma, responsáveis. Não podemos ter orgulho de nosso país e de seu passado se não estivermos dispostos a assumir a responsabilidade de trazer sua história até os dias atuais, liberando-nos da dívida moral que possa vir com ela.

## A FIDELIDADE AO GRUPO PODE SOBREPOR-SE A PRINCÍPIOS MORAIS UNIVERSAIS?

Na maioria dos casos que vimos, os deveres de solidariedade parecem complementar os deveres naturais ou os direitos humanos, em vez de competir com eles. Assim, pode-se dizer que esses casos reiteram um princípio bem a gosto dos filósofos liberais: desde que não violemos os direitos dos outros, podemos cumprir o dever generalizado de ajudar os outros por meio da ajuda aos que estão mais próximos de nós — como parentes ou compatriotas. Nada há de errado no fato de um pai salvar o próprio filho em lugar de outra criança, desde que não prejudique essa outra criança para salvar o filho. Da mesma forma, nada há de errado no fato de um país rico estabelecer um Estado de bem-estar social mais generoso para seus cidadãos, desde que os direitos humanos de todos os demais sejam preservados. As obrigações de solidariedade só se tornam censuráveis se nos levarem a violar um dever natural.

Se a concepção narrativa do indivíduo estiver certa, no entanto, as obrigações de solidariedade podem ser mais exigentes do que sugere a concepção liberal — a ponto mesmo de competir com os deveres naturais para com qualquer ser humano.

### *Robert E. Lee*

Vejamos o caso de Robert E. Lee, general que comandou o exército Confederado. Antes da Guerra Civil, Lee era oficial do exército da União. Ele era contra a secessão — que, na verdade, considerava uma traição. Quando a guerra eclodiu, o presidente Lincoln pediu a Lee que comandasse as forças da União. Lee se recusou. Ele chegou à conclusão de que sua obrigação para com o estado da Virgínia tinha maior peso moral do que seu dever de lealdade à União e sua conhecida oposição à escravidão. Ele explicou sua decisão em carta aos filhos:

> A despeito de toda a devoção que dedico à União, não fui capaz de me conciliar com a ideia de levantar a mão contra meus parentes, meus filhos, meu lar (...) Se a União for dissolvida e o governo cair, deverei retornar a meu estado natal e compartilhar os sofrimentos de meu povo. A não ser em sua defesa, jamais voltarei a desembainhar minha espada.[57]

Tal como o piloto da resistência francesa, Lee não conseguiu desempenhar um papel que o obrigaria a infligir danos a seus parentes, a seus filhos, a seu lar. Mas sua lealdade foi ainda mais longe, chegando a ponto de comandar seu povo em prol de uma causa à qual ele se opunha.

Visto que a causa da Confederação implicava não apenas a secessão, mas também a escravidão, não é fácil defender a escolha de Lee. No entanto, é difícil não admirar a lealdade que deu origem a esse dilema. Mas por que deveríamos admirar a lealdade a uma causa injusta? Podemos até questionar se a fidelidade ao grupo, nessas circunstâncias, deveria ter algum valor moral. Por que, poderíamos perguntar, a lealdade é uma virtude e não apenas um sentimento, uma sensação, uma carga emocional que ofusca nosso julgamento moral e faz com que tenhamos mais dificuldade de fazer a coisa certa?

Eis por quê: a menos que consideremos a lealdade seriamente, uma reivindicação de valor moral, não podemos considerar o dilema de Lee um dilema moral. Se a lealdade for um sentimento sem nenhum valor moral genuíno, então a dificuldade de Lee é apenas um conflito entre a moralidade, de um lado, e um mero sentimento ou favoritismo do outro. No entanto, se concebermos as coisas dessa maneira, estaremos interpretando mal a questão moral.[58]

Uma leitura meramente psicológica do dilema de Lee desconsidera o fato de que não apenas simpatizamos com pessoas como ele, mas também as admiramos, não necessariamente pelas decisões que tomam, mas pela qualidade de caráter que sua deliberação demonstra. O que admiramos é a disposição que têm de compreender e aceitar as circunstâncias da vida como um ser reflexivo — resultado da história que determina sua vida, porém ciente de suas particularidades e, portanto, aberto a argumentos contraditórios e a horizontes mais amplos. Ter caráter é ter consciência das exigências (por vezes conflitantes) que a vida nos impõe.

### *O dever de fidelidade entre irmãos I: Os irmãos Bulger*

Um teste mais recente do peso moral da lealdade envolve duas histórias de irmãos: a primeira é a de William e James ("Whitey") Bulger. William e Whitey cresceram juntos em uma família de nove filhos em um conjunto habitacional de South Boston. William era um aluno exemplar que gostava de literatura clássica e se formou em direito no Boston College. Seu irmão mais velho, Whitey, abandonou a escola no ensino médio e foi para as ruas cometer estelionato e outros crimes.

Ambos se projetaram em seus respectivos mundos. William entrou para a política, tornou-se presidente do Senado do estado de Massachusetts (1978-1996) e ocupou por sete anos a presidência da Universidade de Massachusetts. Whitey cumpriu pena em uma prisão federal por assalto a banco, tornando-se depois o líder da impiedosa gangue Winter Hill, uma quadrilha de crime organizado que controlava extorsões, tráfico de drogas e outras atividades ilegais em Boston. Acusado de 19 assassinatos, Whitey fugiu em 1995 para não ser preso. Ele ainda está foragido e consta da lista dos "dez mais procurados" do FBI.[59]

Embora William tenha falado por telefone com o irmão fugitivo, ele alegou desconhecer seu paradeiro e se recusou a ajudar as autoridades a encontrá-lo. Quando William depôs perante uma corte de justiça em 2001, um promotor federal pressionou-o, sem sucesso, a dar informações sobre o irmão.

"Só para deixar bem claro, o senhor deve mais lealdade a seu irmão do que ao povo do estado de Massachusetts?"

"Eu não vejo o caso dessa forma", replicou William. "Mas de fato devo lealdade a meu irmão e me preocupo com ele... Espero não ter de ajudar ninguém contra ele... E não tenho a obrigação de ajudar quem quer que seja a encontrá-lo."[60]

Os fregueses das tabernas de South Boston demonstraram admiração pela lealdade de William. "Eu não o culpo por não denunciar o irmão", declarou um morador ao *Boston Globe*. "Irmãos são irmãos. Você vai delatar alguém da própria família?"[61] Editores e repórteres de jornais foram mais críticos. "Em vez de seguir o caminho da decência", escreveu um colunista, "ele preferiu a lei das ruas."[62] Pressionado pela opinião pública por se recusar a ajudar nas buscas ao irmão, William renunciou à presidência da Universidade de Massachusetts em 2003, embora não tenha sido acusado de obstruir as investigações.[63]

Na maioria dos casos, a coisa certa a fazer é cooperar para que um suspeito de assassinato seja levado à justiça. A lealdade à família pode ser mais forte do que esse dever? William Bulger aparentemente achava que sim. No entanto, alguns anos antes, outra figura de destaque com um irmão delinquente agiu de forma diferente.

### *O dever de fidelidade entre irmãos II: O Unabomber*

Por mais de 17 anos, as autoridades tentaram encontrar o terrorista responsável por uma série de bombas artesanais que mataram três pessoas e feriram outras 23. Como seus alvos incluíam cientistas e outras pessoas do meio universitário, o misterioso fabricante de bombas ficou conhecido como Unabomber. Para explicar seus motivos, o Unabomber divulgou na internet um manifesto de 35 mil palavras atacando a tecnologia e prometendo parar com as bombas se tanto o *New York Times* quanto o *Washington Post* publicassem o manifesto, o que foi feito.[64]

Quando leu o manifesto, David Kaczynski, um trabalhador de 46 anos de Schenectady, Nova York, achou-o estranhamente familiar. Ele continha frases e opiniões que lhe pareciam as mesmas de seu irmão mais velho, Ted, de 55 anos, um matemático ex-aluno de Harvard que se transformara em ermitão. Ted menosprezava a sociedade industrial moderna e vivia em uma cabana nas montanhas no estado de Montana. David não tinha contato com ele havia dez anos.[65]

Depois de passar por muitos momentos de aflição, em 1996 David informou o FBI de sua suspeita de que o Unabomber fosse seu irmão.

Agentes federais invadiram a cabana de Ted e o prenderam. Embora David tivesse motivos para acreditar que os promotores não fossem pedir a pena de morte, eles o fizeram. A ideia de ser o responsável pela morte do irmão passou a atormentá-lo. No final, os promotores permitiram que Ted assumisse a culpa em troca da pena de prisão perpétua sem direito a liberdade condicional.[66]

Ted recusou-se a reconhecer o irmão no tribunal e, em um livro que escreveu na prisão, chamou-o de "o outro Judas Iscariotes".[67] David tentou reconstruir sua vida, indelevelmente marcada pelo episódio. Depois de trabalhar para livrar o irmão da pena de morte, ele se tornou porta-voz de um grupo que combatia a pena capital. "Os irmãos devem se proteger", disse, diante de uma plateia, ao falar sobre seu dilema, "e nesse caso eu talvez estivesse enviando meu irmão para a morte."[68] Ele aceitou a recompensa de 1 milhão de dólares oferecida pelo Departamento de Justiça por ter ajudado a capturar o Unabomber, mas deu a maior parte do dinheiro às famílias dos que foram mortos ou feridos pelo irmão. E pediu desculpas, em nome de sua família, pelos crimes cometidos por Ted.[69]

O que podemos apreender ao analisar a maneira como William Bulger e David Kaczynski agiram em relação aos irmãos? Para William, a lealdade à família superou o dever de conduzir um criminoso à justiça; com David aconteceu o contrário. Talvez o fato de o irmão em questão continuar a ser uma ameaça tenha feito alguma diferença moral. Isso parece ter tido grande peso na decisão de David: "Talvez seja justo dizer que me senti na obrigação de denunciá-lo. A ideia de que mais alguém corria o risco de morrer e que eu podia evitar isso — eu não podia viver com esse peso na consciência."[70]

Seja como for que julguemos as escolhas que eles fizeram, é difícil interpretar suas histórias sem chegar à seguinte conclusão: os dilemas enfrentados por eles só são dilemas morais se reconhecermos que os apelos de lealdade e solidariedade podem pesar na balança contra outros apelos morais, incluindo o dever de entregar criminosos à justiça. Se todas as nossas obrigações se fundamentarem no consentimento, ou nos deveres universais que temos para com as outras pessoas, será difícil levar em conta a situação familiar.

## A JUSTIÇA E A VIDA BOA

Acabamos de analisar uma gama de exemplos que tinham como objetivo questionar a concepção contratualista de que somos os autores das únicas obrigações morais às quais estamos sujeitos: pedidos públicos de desculpas e indenizações; responsabilidade coletiva por injustiças históricas; as responsabilidades especiais que têm entre si os membros de uma família e os compatriotas; solidariedade para com nossos companheiros; lealdade à cidade, à comunidade ou ao país; patriotismo; orgulho e vergonha da própria nação ou do próprio povo; lealdade fraternal e filial. Os argumentos de solidariedade vistos nesses exemplos são características comuns de nossas experiências morais e políticas. Seria difícil viver ou entender nossas vidas sem eles. Mas é igualmente difícil explicá-los na linguagem do individualismo moral. Eles não se enquadram na ética do consentimento. E isso é, em parte, o que confere a esses argumentos sua força moral. Eles se valem dos nossos ônus. Refletem nossa natureza de seres que contam histórias e que se enquadram nelas.

Poderíamos indagar o que tudo isso tem a ver com justiça. Para responder a essa pergunta, voltemos às questões que nos colocaram nesse caminho. Estávamos tentando descobrir se todos os nossos deveres e obrigações derivam de um ato de vontade ou de escolha. Argumentei que não; podemos ter obrigações de solidariedade ou sociedade por razões que não têm relação com uma escolha — razões ligadas às histórias por meio das quais interpretamos nossa vida e aos grupos aos quais pertencemos.

O que exatamente está em questão nessa discussão que envolve, de um lado, a concepção narrativa da ação moral e, do outro, aquela que enfatiza a vontade e o consentimento? Um dos pontos em questão é como concebemos a liberdade humana. Se refletirmos sobre os exemplos cujo propósito é ilustrar as obrigações de solidariedade e sociedade, podemos não concordar com eles. Como pensam muitos de meus alunos, podemos não gostar ou não aceitar a ideia de que estamos submetidos a laços morais que não resultam de nossas escolhas. O repúdio a essa ideia pode levar-nos a rejeitar os apelos do patriotismo, da solidariedade, da responsabilidade coletiva e assim por diante. Ou a reformulá-los como algo que resulta de alguma forma de consentimento. É tentador rejeitar ou reformular esses apelos porque, ao fazer isso, eles se tornam coerentes com uma ideia familiar de liberdade. Essa ideia é a de que não estamos atados a nenhum laço moral que não tenhamos escolhido; ser livre é ser o autor das únicas obrigações que nos compelem.

Estou tentando sugerir, por meio desses e de outros exemplos que vimos neste livro, que essa concepção de liberdade é equivocada. Mas a liberdade não é a única coisa em questão aqui. Está em questão também nossa concepção da justiça.

Recordemos as duas maneiras de conceber a justiça que analisamos. Para Kant e Rawls, o certo tem primazia sobre o bom. Os princípios de justiça que definem nossos deveres e direitos devem ser neutros no que tange às diferentes concepções do que seja uma vida boa. Para chegar à lei moral, argumenta Kant, devemos abstrair nossos interesses e objetivos contingentes. Para deliberar sobre justiça, sustenta Rawls, devemos deixar de lado nossos objetivos, nossos apegos e nossas concepções particulares do que seja bom. É assim que devemos conceber a justiça, vendo através de um véu de ignorância, isto é, sem saber a quem nossas decisões afetam.

Essa forma de conceber a justiça está em desacordo com o pensamento de Aristóteles. Ele não acredita que os princípios de justiça possam ou devam manter a neutralidade com respeito à vida boa. Ao contrário, ele sustenta que um dos propósitos de uma Constituição justa é formar bons cidadãos e cultivar o bom caráter. Ele não acha que se possa deliberar sobre justiça sem deliberar sobre o significado dos bens — cargos, honrarias, direitos e oportunidades — proporcionados pela sociedade.

Uma das razões pelas quais Kant e Rawls repudiam a concepção de justiça de Aristóteles é, segundo eles, o fato de ela não dar margem à liberdade. A Constituição que tente cultivar o bom caráter ou afirmar uma concepção particular da vida boa corre o risco de impor a alguns indivíduos os valores de outros. Ela não respeita as pessoas como seres livres e independentes, capazes de escolher sozinhos os próprios objetivos.

Se Kant e Rawls estiverem certos ao conceber a liberdade dessa maneira, também estarão certos a respeito da justiça. Se somos seres independentes, que escolhem livremente, sem quaisquer amarras morais precedentes à nossa escolha, precisamos então de uma estrutura de direitos que mantenha a neutralidade no que se refere às finalidades. Se o "eu" precede suas finalidades, o certo também deve preceder o bom.

Se, no entanto, prevalecer a concepção narrativa da ação moral, ou seja, a de que o indivíduo se define como tal a partir da história na qual se vê inserido, talvez valha a pena reconsiderar a noção de justiça de Aristóteles. Se deliberar sobre o que é bom para mim envolve refletir sobre o que é bom para as comunidades às quais minha identidade está ligada, talvez a ideia de neutralidade seja equivocada. Pode não ser possível, nem mesmo desejável, deliberar sobre justiça sem deliberar sobre a vida boa.

A perspectiva de trazer as concepções da vida boa para o discurso público sobre justiça e direitos pode não soar muito atraente — pode parecer até mesmo assustadora. Afinal, os indivíduos em sociedades pluralistas como a nossa têm concepções diferentes sobre a melhor maneira de viver. A teoria política liberal nasceu de uma tentativa de poupar a política e a lei de se emaranharem em controvérsias morais e religiosas. As filosofias de Kant e Rawls são a expressão mais completa e clara dessa pretensão.

Essa pretensão, no entanto, não pode ser bem-sucedida. Muitas das questões mais ardentemente contestadas de justiça e direitos não podem ser discutidas sem que sejam consideradas controversas questões morais e religiosas. Ao decidir sobre como definir os direitos e deveres dos cidadãos, nem sempre podemos deixar de lado as concepções divergentes sobre o que seja a vida boa. E, mesmo quando isso é possível, talvez não seja desejável.

Pedir aos cidadãos democráticos que abandonem suas convicções morais e religiosas ao entrar na esfera pública pode parecer uma forma de garantir a tolerância e o respeito mútuo. Na prática, entretanto, pode acontecer justamente o contrário. Decidir sobre importantes questões públicas fingindo uma neutralidade que não pode ser alcançada é uma receita para o retrocesso e o ressentimento. Uma política sem um comprometimento moral substancial resulta em uma vida cívica pobre. É também um convite aberto a moralismos limitados e intolerantes. Os fundamentalistas ocupam rapidamente os espaços que os liberais têm receio de explorar.

Se nossas discussões sobre justiça invariavelmente nos enredam em questões morais substanciais, resta-nos perguntar como esses debates podem continuar. É possível discutir publicamente sobre o bem sem resvalar para disputas religiosas? Como seria um discurso público mais comprometido com a moral e como ele se diferenciaria do tipo de argumento político ao qual estamos habituados? Essas não são questões meramente filosóficas. Elas estão no centro de qualquer tentativa de revigorar o discurso político e de renovar nossa vida cívica.

## Notas

1. Elazar Barkan, *The Guilt of Nations* (Nova York, W. W. Norton, 2000) mostra uma boa visão geral das indenizações e pedidos de desculpas pós-Segunda Guerra Mundial. Para indenizações da Alemanha a Israel e aos judeus, ver pp. 3-29. Ver também Howard M. Sachar, *A History of Israel* (Londres, Basil Blackwell, 1976), pp. 464-70.
2. Citação do discurso de Konrad Adenauer ao Parlamento em "History of the Claims Conference", no website oficial da conferência sobre as reivindicações materiais dos judeus contra a Alemanha, www.claimscon.org/?url=history.
3. Johannes Rau citado em Karin Laub, "Germany Asks Israel's Forgiveness over Holocaust", Associated Press, *The Independent*, 16 de fevereiro de 2000.
4. Barkan, *The Guilt of Nations*, pp. 46-64. Hiroko Tabuchi, "Historians Find New Proof on Sex Slaves", Associated Press, 17 de abril de 2007.
5. Barkan, *The Guilt of Nations.*
6. Norimitsu Onishi, "Call by US House for Sex Slavery Apology Angers Japan's Leader", *New York Times*, 1º de agosto de 2007.
7. Barkan, *The Guilt of Nations*, pp. 245-48; "Australia Apologizes 'Without Qualification'", entrevista com a professora Patty O'Brien, Centro de Estudos da Austrália e Nova Zelândia, Georgetown University, National Public Radio, 14 de fevereiro de 2008.
8. Barkan, *The Guilt of Nations.*

9. Tim Johnston, "Australia Says 'Sorry' to Aborigines for Mistreatment", *New York Times*, 13 de fevereiro de 2008; Misha Schubert e Sarah Smiles, "Australia Says Sorry", *The Age* (Melbourne, Austrália), 13 de fevereiro de 2008.
10. Barkan, *The Guilt of Nations*, pp. 30-45.
11. Ibidem, pp. 216-31.
12. Ibidem, pp. 283-93; Tamar Lewin, "Calls for Slavery Restitution Getting Louder", *New York Times*, 4 de junho de 2001.
13. Sobre a lei de indenizações do republicano John Conyers, ver www.conyers.house.gov/index.cfm?FuseAction=Issues.Home&Issue_id=06007167-19b9-b4b1-125c-df3de5ec97f8.
14. Walter Olson, "So Long, Slavery Reparations", *Los Angeles Times*, 31 de outubro de 2008, p. A19.
15. Pesquisa de opinião de Michael Dawson, publicada em Harbour Fraser Hodder, "The Price of Slavery", *Harvard Magazine*, maio-junho de 2003, pp. 12-13; ver também Alfred L. Brophy, "The Cultural War over Reparations for Slavery", *DePaul Law Review* 53 (primavera de 2004): 1201-11.
16. Wendy Koch, "Virginia First State to Express 'Regret' over Slavery", *USA Today*, 26 de fevereiro de 2007, p. 5A. Para população de escravos da Virgínia e outros estados, ver Christine Vestal, "States Lead Slavery Apology Movement", Steteline.org, 4 de abril de 2008, em www.stateline.org/live/details/story?contentld-298236.
17. Vestal, "States Lead Slavery Apology Movement". Ver também "Apologies for Slavery", *State Legislatures*, junho de 2008, p. 6.
18. Darryl Fears, "House Issues an Apology for Slavery", *Washington Post*, 30 de julho de 2008, p. A3; House Resolution 194: "Apologizing for the Enslavement and Racial Segregation of African-Americans", *Congressional Record House* 154, nº 127 (29 de julho de 2008): 7224-27.
19. Para uma análise mais profunda desse assunto, ver David Miller, *National Responsibility and Global Justice* (Nova York, Oxford University Press, 2008), pp. 135-62.
20. Gay Alcorn, "The Business of Saying Sorry", *Sydney Morning Herald*, 20 de junho de 2001, p. 17.
21. Henry Hyde citado em Kevin Merida, "Did Freedom Alone Pay a Nation's Debt?", *Washington Post*, 23 de novembro de 1999.
22. Williams citado em Lewin, "Calls for Slavery Restitution Getting Louder".
23. Tom Hester, Jr., "New Jersey Weighs Apology for Slavery", *Boston Globe*, 2 de janeiro de 2008.
24. Darryl Fears, "Slavery Apology: A Sincere Step or Mere Politics?", *Washington Post*, 2 de agosto de 2008.

25. John Locke, *Second Treatise of Government* (1690), seção 95, em John Locke, *Two Treatises of Government*, ed. Peter Laslett (Cambridge, Cambridge University Press, 3ª ed., 1988).
26. Aristóteles, *The Politics*, livro VII, 1323a, tradução para o inglês de Ernest Barker (Nova York, Oxford University Press, 1946).
27. Immanuel Kant, *Critique of Practical Reason* (1788), tradução para o inglês de Lewis White Beck (Indianápolis, Library of Liberal Arts, 1956), pp. 66-67.
28. John Rawls, *A Theory of Justice* (Cambridge, Harvard University Press, 1971), seção 33, p. 211.
29. Ibidem, seção 84, p. 560.
30. Ibidem, seção 85, p. 561.
31. Ibidem, seção 84, p. 560.
32. Para a elaboração desse ponto, ver Michael J. Sandel, *Democracy's Discontent* (Cambridge, Harvard University Press, 1996), pp. 280-84; ver também James Holt, "The New Deal and the American Anti-Statist Tradition", em John Braeman, Robert H. Bremner e David Brody, eds., *The New Deal: The National Level* (Columbus, Ohio State University Press, 1975), pp. 27-49.
33. Franklin D. Roosevelt, "Message to Congress on the State of the Union", 11 de janeiro de 1944, em *Public Papers and Addresses*, vol. 13, pp. 40-42.
34. Robert Nozick, *Anarchy, State and Utopia* (Nova York, Basic Books, 1974), p. 33.
35. Barry Goldwater, *The Conscience of a Conservative* (1960; Washington, Regenery, Gateway Edition, 1990), pp. 52-53, 66-68.
36. Alasdair MacIntyre, *After Virtue* (Notre Dame, University of Notre Dame Press, 1981), p. 201.
37. Ibidem.
38. Ibidem, p. 204.
39. Ibidem, p. 204-205.
40. Ibidem, p. 205.
41. Ibidem.
42. Ibidem.
43. John Rawls, *A Theory of Justice*, pp. 108-117.
44. Ibidem, p. 114.
45. "Airlift to Israel Is Reported Taking Thousands of Jews from Ethiopia", *New York Times*, 11 de dezembro de 1984; Hunter R. Clark, "Israel an Airlift to the Promised Land", *Time*, 14 de janeiro de 1985.
46. Peres citado em Anastasia Toufexis, "Israel Stormy Skies for a Refugee Airlift", *Time*, 21 de janeiro de 1985.

47. Stephen Spector, *Operation Solomon: The Daring Rescue of the Ethiopian Jews* (Nova York, Oxford University Press, 2005). Ver também o website da Associação Israelense para os Judeus Etíopes: www.iaej.org.il./pages/history.htm.
48. Jean-Jacques Rousseau, "Discourse on Political Economy" (1755), traduzido para o inglês por Donald A. Cress (Cambridge, Hackett Publishing), p. 173.
49. Ibidem, p. 174.
50. John Burnett, "A New Way to Patrol the Texas Border: Virtually", *All Things Considered*, National Public Radio, 23 de fevereiro de 2009. Ver www.npr.org/templates/story/story.php?storyld=101050132.
51. Michael Walzer, *Spheres of Justice* (Nova York, Basic Books, 1983), p. 62.
52. Para um argumento criterioso a favor da abertura das fronteiras, ver Joseph H. Carens, "Aliens and Citizens: The Case for Open Borders", *The Review of Politics* 49 (primavera de 1987).
53. Ibidem, pp. 37-38.
54. Byron Dorgan, "Spend Money on US Goods", *USA Today*, 2 de fevereiro de 2009, p. 14A.
55. Douglas A. Irwin, "If We Buy American, No One Else Will", *New York Times*, 1º de fevereiro de 2009; Anthony Faiola, "Buy American' Rider Sparks Trade Debate", *Washington Post*, 29 de janeiro de 2009.
56. Michael Mandel, "Can Obama Keep New Jobs at Home?", *Business Week*, 25 de novembro de 2008.
57. Lee citado em Douglas Southall Freeman, *R. E. Lee* (Nova York, Charles Scribner's Sons, 1934), pp. 443, 421. Ver também Morton Grodzins, *The Loyal and the Disloyal* (Chicago, University of Chicago Press, 1965), pp. 142-143.
58. Nesse parágrafo e no parágrafo seguinte, refiro-me a Sandel, *Democracy's Discontent*, pp. 15-16.
59. Dick Lehr, "Bulger Brothers Find Their Worlds Colliding", *Boston Globe*, 4 de dezembro de 2002, p. B1. Eileen McNamara, "Disloyalty to the Dead", *Boston Globe*, 4 de dezembro de 2002; www.fbi.gov/wanted/topten/fugitives/bulger.htm.
60. Scot Lehigh, "Bulger Chose the Code of the Street", *Boston Globe*, 4 de dezembro de 2002, p. A19.
61. Nicolas Zamiska, "In South Boston, Belief and Sympathy", *Boston Globe*, 20 de junho de 2003, p. A22.
62. Lehigh, "Bulger Chose the Code of the Street".
63. Shelley Murphy, "No US Charges Against Bulger", *Boston Globe*, 4 de abril de 2007, p. A1.
64. David Johnston e Janny Scott, "Prisoner of Rage: The Tortured Genius os Theodore Kaczynski", *New York Times*, 26 de maio de 1996.
65. Ibidem.

66. David Johnston, “Judge Sentences Confessed Bomber to Four Life Terms”, *New York Times*, 5 de maio de 1998.
67. William Glaberson, “In Book, Unabomber Pleads His Case”, *New York Times*, 1º de março de 1999.
68. William Glaberson, “The Death Penalty as a Personal Thing”, *New York Times*, 18 de outubro de 2004.
69. Matthew Purdy, “Crime, Punishment and the Brothers K.”, *New York Times*, 5 de agosto de 2001.
70. Johnston e Scott, “Prisoner of Rage”.

# CAPÍTULO 10 A justiça e o bem comum

No dia 12 de setembro de 1960, John Kennedy, candidato democrata à presidência dos Estados Unidos, fez um discurso em Houston, Texas, sobre o papel da religião na política. A "questão religiosa" o perseguia em sua campanha. Kennedy era católico e jamais um católico havia sido eleito presidente dos Estados Unidos. Alguns eleitores tinham um certo preconceito não declarado; outros expressavam o medo de que Kennedy se submetesse ao Vaticano no desempenho de seu cargo ou que impusesse a doutrina católica nas diretrizes públicas.[1] Na tentativa de aplacar esses temores, Kennedy resolveu falar para um grupo de ministros protestantes sobre o papel que sua religião teria na presidência caso ele fosse eleito. Sua resposta foi simples: nenhum. Sua crença religiosa era assunto particular e não teria nenhuma influência sobre suas responsabilidades públicas.

"Eu acredito que a posição religiosa de um presidente seja um assunto particular", afirmou Kennedy.

> Quaisquer que sejam as questões que se apresentem a mim como presidente — controle de natalidade, divórcio, censura, jogo ou qualquer outro —, minha decisão será tomada (...) de acordo com o que minha consciência disser que é do interesse da nação, desconsiderando pressões ou determinações religiosas externas.[2]

Kennedy não disse se, ou até que ponto, sua consciência havia sido moldada por suas convicções religiosas. Mas ele parecia sugerir que suas concepções sobre o interesse nacional tinham pouco ou nada a ver com religião, que ele associou a "pressões externas" e "determinações". Ele tentou tranquilizar os ministros protestantes e o povo americano de que não lhes imporia sua crença religiosa — qualquer que fosse ela.

O discurso foi considerado um grande sucesso político, e Kennedy foi eleito. Theodore H. White, o grande cronista das campanhas presidenciais, elogiou o discurso por ter deixado clara "a doutrina pessoal de um católico moderno em uma sociedade democrática".[3]

Em 28 de junho de 2006, 46 anos mais tarde, Barack Obama, prestes a ser indicado por seu partido candidato à presidência dos Estados Unidos, fez um discurso muito diferente sobre o papel da religião na política. Começou lembrando como havia abordado a questão religiosa em sua campanha para o Senado dos Estados Unidos, dois anos antes. O adversário de Obama, um religioso conservador um tanto ou quanto inflamado, havia atacado o apoio de Obama aos direitos dos homossexuais e ao aborto alegando que ele não era um bom cristão, e que Jesus Cristo não votaria nele.

"Eu respondi, naquela ocasião, com o que se tornou a resposta tipicamente liberal nesses debates", disse Obama, relembrando o fato. "Disse que vivemos em uma sociedade pluralista, que não posso impor minha crença religiosa aos demais cidadãos e que estava concorrendo a uma vaga no Senado dos Estados Unidos pelo estado de Illinois, e não a uma vaga de ministro da Igreja em Illinois."[4]

Embora Obama tenha chegado ao Senado com facilidade, como candidato à presidência, ele achava que sua resposta tinha sido inadequada e "que ela não havia expressado devidamente o papel que minha fé representa na formação de meus valores e de minhas crenças".[5]

Ele prosseguiu em seu discurso falando sobre sua crença cristã pessoal e defendendo a importância da religião no debate político. Fora um erro dos progressistas, ele achava, haverem "abandonado o terreno do discurso religioso" na política. "O desconforto demonstrado por alguns progressistas diante de qualquer menção a religião muitas vezes nos impediu de abordar assuntos realmente importantes em termos morais." Se os liberais tivessem um discurso político sem conteúdo religioso, estariam "se privando da imagem e da terminologia por meio das quais milhões de americanos compreendem tanto o próprio comportamento moral quanto a justiça social".[6]

A religião não era apenas fonte de inflamada retórica política. A solução para certos problemas sociais exigia uma transformação moral. "O medo de cairmos em um 'sermão moral' pode (...) levar-nos a minimizar o papel que os valores e a cultura desempenham em alguns de nossos mais prementes problemas sociais", disse Obama. Abordar problemas tais como "pobreza e racismo, falta de assistência médica e desemprego" exigiria "mudanças no coração e na consciência".[7] Portanto, era um erro insistir na ideia de que convicções morais e religiosas não desempenham nenhuma função na política ou na lei.

> Os secularistas estão errados quando pedem aos crentes que deixem sua religião para trás antes de entrar na vida pública. Frederick Douglass, Abraham Lincoln, William Jennings Bryan, Dorothy Day, Martin Luther King — na verdade, a maioria dos grandes reformistas da história dos Estados Unidos — não somente eram movidos pela fé como frequentemente usavam a linguagem da religião para defender suas causas. Assim, dizer que homens e mulheres não deveriam levar sua "moral pessoal" para os debates sobre políticas públicas é um absurdo. Nossa lei é, por definição, uma codificação da moralidade, grande parte dela fundamentada na tradição judaico-cristã.[8]

Muitas pessoas viram semelhanças entre John Kennedy e Barack Obama. Ambos eram figuras políticas jovens, eloquentes, inspiradoras, cujas eleições marcaram a inflexão para a liderança de uma nova geração. E ambos lutaram para conduzir os americanos a uma nova era de comprometimento cívico. No entanto, suas concepções sobre o papel da religião na política não poderiam ser mais diferentes.

## ASPIRAÇÃO À NEUTRALIDADE

A visão de Kennedy da religião como uma questão privada, e não pública, demonstrava mais do que a necessidade de desarmar o preconceito contra o catolicismo. Ela refletia uma filosofia pública que atingiria sua plena expressão nas décadas de 1960 e 1970 — uma filosofia segundo a qual o governo deveria manter-se neutro quanto a questões morais e religiosas para que todos os indivíduos pudessem escolher livremente suas concepções da vida boa.

Os dois maiores partidos políticos defendiam a ideia da neutralidade, porém de maneiras diferentes. De modo geral, os republicanos apelavam à neutralidade na política econômica, enquanto os democratas a aplicavam a assuntos de cunho social e cultural.[9] Os republicanos argumentavam contra a intervenção do governo no livre mercado com base no fato de que os indivíduos deveriam fazer livremente as próprias escolhas econômicas e gastar seu dinheiro como bem quisessem; se o governo usasse o dinheiro dos contribuintes ou regulasse a atividade econômica com propósitos públicos, estaria impondo uma visão do bem comum sancionada pelo Estado, visão essa que nem todos compartilhavam. Seria preferível cortar impostos a decidir como gastar o dinheiro, porque isso deixaria os indivíduos livres para escolher por conta própria os objetivos que deveriam perseguir e como gostariam de gastar o próprio dinheiro.

Os democratas repudiavam a ideia de que o livre mercado fosse neutro e defendiam maior grau de intervenção do governo na economia. Mas, no que se referia a assuntos de cunho social e cultural, também adotavam o discurso da neutralidade. O governo não deveria "legislar sobre moralidade" nas áreas de comportamento sexual ou decidir sobre a reprodução humana, afirmavam, porque estaria impondo a alguns as convicções morais e religiosas de outros. Em vez de proibir o aborto ou as relações homossexuais, o governo deveria manter-se neutro em relação a essas questões de âmbito moral e deixar que os indivíduos fizessem as próprias escolhas.

Em 1971, *Uma teoria de justiça,* de John Rawls, fez uma defesa filosófica da concepção liberal de neutralidade expressa no discurso de Kennedy.[10] Na década de 1980, críticos da neutralidade liberal questionaram a noção do indivíduo livre para decidir sobre sua vida e livre de ônus que parecia sustentar a teoria de Rawls. Eles defendiam não apenas noções mais fortes de comunidade e solidariedade, mas também um comprometimento público mais forte com as questões morais e religiosas.[11]

Em 1993, Rawls publicou um livro, *Liberalismo político*, no qual reviu sua teoria em alguns aspectos. Ele reconheceu que as pessoas, em sua vida privada, frequentemente têm "afetos, devoções e lealdades dos quais elas acreditam que não poderiam, ou na verdade não deveriam, afastar-se (...) As pessoas podem achar simplesmente inimaginável viver sem determinadas convicções religiosas, filosóficas e morais ou sem determinados apegos e lealdades duradouros".[12] Nesse ponto, Rawls aceitava a possibilidade de um "eu" fortemente constituído e moralmente comprometido. Mas ele insistia em que tais lealdades e apegos não deveriam ser a base de nossa identidade como cidadãos. Na discussão sobre justiça e direitos, devemos deixar de lado nossas convicções morais e religiosas e discutir a partir de uma "concepção política do indivíduo", independente de quaisquer lealdades, apegos ou concepções particulares da vida boa.[13]

Por que não devemos levar nossas convicções morais e religiosas para sustentar o discurso público sobre justiça e direitos? Por que deveríamos separar nossa identidade de cidadãos de nossa identidade de pessoas morais mais amplamente concebidas? Rawls diz que devemos agir assim a fim de respeitar "o pluralismo sensato" sobre a vida boa que prevalece no mundo moderno. Os indivíduos das sociedades democráticas modernas discordam sobre questões morais e religiosas; além disso, essas discordâncias são justificáveis. "Não se pode esperar que pessoas cônscias e com plenos poderes de raciocínio, mesmo depois de um debate livre, cheguem à mesma conclusão."[14]

De acordo com esse argumento, a questão da neutralidade liberal nasce da necessidade de haver tolerância no que se refere às diferentes concepções morais e religiosas. "Depois de todas as considerações, definir quais julgamentos morais são verdadeiros não é uma questão de liberalismo político", escreve Rawls. Para manter a imparcialidade entre doutrinas morais e religiosas divergentes, o liberalismo político não "aborda os tópicos morais que são pontos de divergência nessas doutrinas".[15]

A necessidade de separar nossa identidade de cidadãos de nossas convicções morais e religiosas significa que devemos nos ater aos limites da razão pública liberal nos discursos públicos sobre justiça e direitos. Não apenas o governo não pode endossar uma concepção particular do bem; os cidadãos também não podem introduzir suas convicções morais e religiosas no debate público sobre justiça e direitos.[16] Porque, se o fizerem, e se seus argumentos prevalecerem, eles estarão na verdade impondo a seus compatriotas uma lei fundamentada em uma determinada doutrina moral ou religiosa.

Como podemos saber se nossos argumentos políticos atendem aos requisitos da razão pública, devidamente despojados de qualquer fundamentação em conceitos morais ou religiosos? Rawls propõe um teste: "Para saber se estamos seguindo a razão pública, devemos perguntar: Como veríamos nosso argumento se ele nos fosse apresentado como uma opinião da Suprema Corte?"[17] Como explica Rawls, essa é uma forma de garantir a neutralidade de nossos argumentos como requer o raciocínio público liberal:

> Os juízes não podem, evidentemente, invocar as próprias noções pessoais de moralidade, tampouco os ideais e virtudes da moralidade em geral. Estes devem ser considerados irrelevantes. Eles não podem, da mesma forma, invocar visões religiosas ou filosóficas, deles próprios ou de outras pessoas.[18]

Quando participamos de debates públicos na condição de cidadãos, devemos obedecer às mesmas limitações. Como os juízes da Suprema Corte, devemos deixar de lado nossas convicções morais e religiosas e nos ater aos argumentos que se espera razoavelmente que todos os cidadãos devam aceitar.

Esse é o ideal da neutralidade liberal que John Kennedy adotou e Barack Obama repudiou. Entre as décadas de 1960 e 1980, os democratas penderam para o ideal de neutralidade, banindo as discussões morais e religiosas de seus discursos políticos. Houve algumas exceções notáveis. Martin Luther King invocou argumentos morais e religiosos na defesa dos direitos civis; o movimento contra a Guerra do Vietnã foi impulsionado pelo discurso moral e religioso; e Robert F. Kennedy, tentando uma indicação para concorrer à presidência pelo Partido Democrata em 1968, apelou à nação por ideais morais e cívicos mais consistentes. No entanto, na década de 1970, os liberais adotaram a linguagem da neutralidade e da escolha individual, deixando o discurso moral e religioso para a emergente direita cristã.

Com a eleição de Ronald Reagan em 1980, os conservadores cristãos tornaram-se uma voz proeminente na política republicana. A Maioria

Moral de Jerry Falwell e a Coalizão Cristã de Pat Robertson tentaram vestir a "praça pública desnuda"[19] e combater aquilo que consideravam permissividade moral na vida americana. Eles defendiam a oração nas escolas, demonstrações religiosas em praça pública e restrições legais à pornografia, ao aborto e à homossexualidade. Por sua vez, os liberais opuseram-se a essas diretrizes não desafiando os casos morais um a um, mas argumentando que juízos morais e religiosos não têm lugar na política.

Esse tipo de discurso republicano favoreceu os conservadores cristãos e prejudicou a reputação do liberalismo. Na década de 1990 e no início da de 2000, os liberais alegaram, em parte para se defender, que também eles respeitavam os "valores", que normalmente eram os de tolerância, justiça e liberdade de escolha. (Em uma desajeitada tentativa de afirmar seu apego a valores, John Kerry, indicado para concorrer à presidência pelo Partido Democrata em 2004, usou as palavras *valor* ou *valores* 32 vezes em seu discurso durante a convenção do partido.) Mas os valores aos quais ele se referia estavam associados à neutralidade liberal e às limitações do raciocínio liberal. Eles não se conectavam aos anseios morais e espirituais da nação em geral, tampouco a aspirações de uma vida pública mais plena.[20]

Diferentemente de outros democratas, Barack Obama compreendeu esse anseio e lhe deu voz política. Isso distinguiu sua política do liberalismo de sua época. A chave de sua eloquência não era simplesmente a intimidade com as palavras. Era também sua linguagem política imbuída de uma dimensão moral e espiritual que ia além da neutralidade liberal.

> Todos os dias, me parece, milhares de americanos cumprem suas tarefas diárias — deixam as crianças na escola, dirigem até o trabalho, pegam um voo para uma reunião de negócios, fazem compras no shopping center, tentam manter a dieta —, mas percebem que está faltando alguma coisa. Eles chegam à conclusão de que seu emprego, seus bens, sua diversão, seu pequeno negócio não bastam. Eles querem um objetivo, uma linha narrativa para sua vida (...) Se realmente quisermos atingir as pessoas — comunicar nossas expectativas e nossos valores de forma que lhes seja relevante —, como progressistas, não podemos fugir do discurso religioso.[21]

A pretensão de Obama de que os progressistas adotassem um tipo de raciocínio público mais abrangente e mais aberto à fé revela seu sólido instinto político. É também uma boa filosofia política. A tentativa de dissociar os argumentos de justiça e direitos dos argumentos da vida boa é equivocada por duas razões: primeiro porque nem sempre é possível decidir questões sobre justiça e direitos sem resolver importantes questões morais; segundo porque, mesmo quando isso é possível, pode não ser desejável.

## DISCUSSÕES SOBRE ABORTO E CÉLULAS-TRONCO

Analisemos duas conhecidas questões políticas que não podem ser resolvidas sem que se aborde a controvérsia moral e religiosa implícita — o aborto e as pesquisas com células-tronco embrionárias. Algumas pessoas acreditam que o aborto deveria ser proibido porque tira a vida de um ser humano inocente. Outras discordam, alegando que a lei não deveria tomar partido na controvérsia moral e teológica sobre o início da vida humana; como o status existencial do feto em desenvolvimento é uma questão de grande carga moral e religiosa, dizem, o governo deveria manter-se neutro e permitir que as mulheres decidissem por conta própria se devem ou não fazer um aborto.

A segunda opinião reflete o conhecido argumento liberal que defende o direito ao aborto. Ele afirma que a questão do aborto deve ser resolvida com base na neutralidade do Estado e na liberdade de escolha, sem entrar na controvérsia moral ou religiosa. No entanto, esse argumento não se mostra convincente, porque, se for verdade que o feto em desenvolvimento é moralmente equivalente a uma criança, o aborto é moralmente equivalente ao infanticídio. E poucas pessoas concordariam com o governo se ele permitisse que os pais decidissem por conta própria se deveriam ou não matar seus filhos. Portanto, o argumento "pró-escolha" no caso do aborto não é realmente neutro quanto à questão moral e teológica implícita; ele assume implicitamente que os ensinamentos da Igreja Católica sobre o status moral do feto — que ele é um indivíduo desde o momento da concepção — são falsos.

Reconhecer essa premissa não significa defender a proibição do aborto. É simplesmente reconhecer que a neutralidade e a liberdade de escolha não são suficientes para que se defenda o direito ao aborto. Aqueles que defendem o direito da mulher de decidir por conta própria se deve pôr fim a uma gravidez devem enfrentar o argumento de que o feto em desenvolvimento é equivalente a uma pessoa e tentar mostrar por que ele está errado. Não basta dizer que a lei deve ser neutra quanto às questões morais e religiosas. O argumento para permitir o aborto não é mais neutro do que o argumento para proibi-lo. Ambos os posicionamentos pressupõem uma resposta à controvérsia moral e religiosa implícita.

O mesmo se pode dizer da discussão sobre as pesquisas com células-tronco embrionárias. Os que desejam vê-las proibidas argumentam que, quaisquer que sejam os avanços da medicina delas resultantes, a destruição de embriões humanos não pode ser moralmente aceitável. Muitos adeptos dessa opinião acreditam que a vida começa no momento da concepção e que destruir um embrião, ainda que em estágio inicial, equivale moralmente a matar uma criança.

Os defensores das pesquisas respondem citando os benefícios médicos que podem trazer, incluindo a possibilidade de tratamento e cura para o diabetes, o mal de Parkinson e lesões da coluna. E alegam que a ciência não pode ser prejudicada por interferências religiosas ou ideológicas; as pessoas com objeções religiosas não deveriam poder impor suas convicções por meio de leis que proibissem pesquisas científicas promissoras.

Tal como acontece no debate sobre o aborto, no entanto, a questão da permissão para pesquisas com células-tronco embrionárias exige que se analisem as controvérsias morais e religiosas sobre o momento em que o indivíduo passa a existir. Se o embrião em estágio inicial for moralmente equivalente a um indivíduo, as pessoas que repudiam as pesquisas têm razão; nem mesmo as mais promissoras pesquisas científicas justificariam o aniquilamento de um ser humano. Poucos aceitariam que a lei permitisse a retirada dos órgãos de uma criança de 5 anos para possibilitar pesquisas que pudessem salvar vidas. Assim, o argumento que permite as pesquisas com células-tronco embrionárias não se mantém neutro quanto à controvérsia moral e religiosa sobre o momento em que tem início a vida humana. Ele pressupõe uma resposta a essa controvérsia: que o embrião anterior à implantação destruído durante as pesquisas ainda não é um ser humano.[22]

No que se refere ao aborto e às pesquisas com células-tronco embrionárias, não é possível resolver a questão legal sem considerar a questão moral e religiosa implícita. Em ambos os casos, é impossível manter a neutralidade, porque se trata de saber se a prática em questão envolve tirar a vida de um ser humano. Evidentemente, a maioria das controvérsias morais e políticas não envolve questões de vida ou morte. Portanto, os defensores da neutralidade liberal podem alegar que os casos de aborto e células-tronco são especiais. A não ser quando o que está em pauta é a definição de ser humano, podemos resolver as discussões sobre justiça e direitos sem tomar partido nas controvérsias morais e religiosas.

## CASAMENTO ENTRE PESSOAS DO MESMO SEXO

Mas isso também não é verdade. Analisemos o debate sobre casamento entre pessoas do mesmo sexo. É possível decidir se o Estado deve reconhecer o casamento entre pessoas do mesmo sexo sem abordar as controvérsias morais e religiosas sobre o propósito do casamento e o status moral da homossexualidade? Alguns dizem que sim e defendem esse tipo de união fundamentando-se em argumentos liberais e eximindo-se de julgamentos: quer se aprove quer se desaprove o relacionamento gay ou lésbico, os indivíduos devem ser livres para escolher os parceiros conjugais. Permitir que casais heterossexuais se casem e não dar o mesmo direito aos homossexuais é uma discriminação contra gays e lésbicas, negando-lhes a igualdade perante a lei.

Se esse argumento for um fundamento suficiente para o reconhecimento legal do casamento entre pessoas do mesmo sexo, o assunto pode ser resolvido no âmbito do raciocínio público liberal, sem que se recorra a concepções controversas do propósito do casamento e daquilo que ele representa. Mas a questão do casamento entre pessoas do mesmo sexo não pode basear-se em argumentos não críticos. Ela depende de uma determinada concepção do *télos* do casamento — de seu propósito ou objetivo. E, como nos lembra Aristóteles, discutir sobre o propósito de uma instituição social é discutir sobre as virtudes que ela respeita e recompensa. O debate sobre o casamento entre pessoas do mesmo sexo é fundamentalmente um debate sobre o valor das uniões gays e lésbicas, sobre se elas merecem o mesmo respeito e o mesmo reconhecimento que nossa sociedade outorga ao casamento sancionado pelo Estado. Desse modo, a questão moral implícita é inevitável.

Para vermos como isso acontece, é importante termos em mente que um Estado tem diante de si três possíveis posições a respeito do casamento, e não apenas duas. Ele pode adotar a posição tradicional e reconhecer apenas o casamento entre um homem e uma mulher; ou pode fazer o que já fizeram vários estados americanos: reconhecer o casamento entre pessoas do mesmo sexo da mesma forma que reconhece o casamento entre um homem e uma mulher; ou pode ainda eximir-se de reconhecer qualquer tipo de casamento, deixando que as associações privadas assumam esse papel.

Essas três diretrizes políticas podem ser resumidas da seguinte maneira:

1. Reconhecer apenas os casamentos entre um homem e uma mulher.
2. Reconhecer igualmente os casamentos entre pessoas do mesmo sexo e de sexos opostos.
3. Não reconhecer nenhum tipo de casamento e deixar esse papel para as associações privadas.

Além das leis do casamento, os estados podem adotar leis de união civil ou de parceria doméstica que garantam a proteção do governo, os direitos de herança e de visitação hospitalar e a custódia dos filhos aos casais não casados que vivam juntos e façam um acordo legal. Vários estados americanos já estenderam esses acordos a casais de gays e lésbicas. Em 2003, por decreto da Suprema Corte, Massachusetts tornou-se o primeiro estado a reconhecer legalmente o casamento entre pessoas do mesmo sexo (diretriz 2). Em 2008, a Suprema Corte da Califórnia também votou a favor do direito ao casamento homossexual, mas alguns meses mais tarde a maioria do eleitorado derrubou a decisão em um plebiscito estadual. Em 2009, Vermont foi o primeiro estado a legalizar o casamento gay por meio da lei, e não por decreto judicial.[23]

A diretriz 3 é puramente hipotética, pelo menos nos Estados Unidos; nenhum estado, até agora, deixou de reconhecer o casamento como uma função do governo. Entretanto vale a pena examiná-la, visto que esclarece os argumentos pró e contra o casamento entre pessoas do mesmo sexo.

A diretriz 3 é a solução libertária ideal para o debate sobre o casamento. Ela não abole o casamento, mas ele deixa de ser uma instituição sancionada pelo Estado, e pode ser mais bem definida como desestatização do casamento.[24] Da mesma forma que a desestatização da religião significa a eliminação da Igreja oficial do Estado (permitindo que as igrejas continuem a existir de forma independente), a desestatização do casamento significaria a eliminação do casamento como uma função oficial do Estado.

O analista político Michael Kinsley defende essa diretriz como a saída para o que ele considera um conflito sem perspectiva de solução. Os partidários do casamento gay queixam-se de que restringir o casamento aos heterossexuais é um tipo de discriminação. Já os opositores argumentam que se o Estado sancionar o casamento gay estará deixando de simplesmente tolerar a homossexualidade para endossá-la e dar-lhe "um selo governamental de aprovação". A solução, segundo Kinsley, é "eliminar a instituição do casamento sancionado pelo governo" e "privatizar o casamento".[25] Ele propõe deixar que as pessoas formalizem seus casamentos como quiserem, sem sanção ou interferência do Estado.

> Deixemos que a Igreja e outras instituições religiosas continuem a realizar cerimônias de casamento. Deixemos que as lojas de departamento e os cassinos entrem em ação como quiserem (...) Deixemos os casais celebrarem suas uniões como bem entenderem e se considerarem casados quando quiserem (...) E, ainda, se três pessoas quiserem se casar, ou se uma pessoa quiser se casar consigo mesma, e outra pessoa estiver disposta a realizar a cerimônia e declará-las casadas, que o façam.[26]

"Se o casamento fosse uma questão apenas privada", explica Kinsley, "todas as discussões sobre o casamento gay seriam irrelevantes. O casamento gay não teria a sanção oficial do governo, tampouco a teria o casamento heterossexual." Kinsley sugere que as leis da parceria doméstica poderiam se encarregar das questões relativas a finanças, seguros, sustento dos filhos e herança que surgem quando as pessoas coabitam e criam filhos juntos. O que ele propõe, na verdade, é a substituição de todas as uniões sancionadas pelo Estado, gays e heterossexuais, por uniões "desestatizadas".[27]

Do ponto de vista da neutralidade liberal, a proposta de Kinsley tem uma nítida vantagem sobre as duas alternativas usuais (diretrizes 1 e 2): ela não exige que juízes e cidadãos entrem na controvérsia moral e religiosa sobre o propósito do casamento e a moralidade da homossexualidade. Já que o Estado não outorgaria mais a qualquer núcleo familiar o título honorífico de casamento, os cidadãos poderiam se abster dos debates sobre o *télos* do casamento ou sobre se gays e lésbicas se enquadram nele.

Relativamente poucas pessoas dos dois lados do debate sobre o casamento entre pessoas do mesmo sexo apoiaram a proposta da "desestatização". No entanto, ela esclarece o que está em questão na discussão atual e nos ajuda a entender por que tanto os partidários quanto os opositores do casamento entre pessoas do mesmo sexo devem enfrentar a importante controvérsia moral e religiosa sobre o propósito do casamento e do que o define. Nenhum dos dois posicionamentos usuais pode ser defendido no âmbito do raciocínio público liberal.

Evidentemente, aqueles que repudiam o casamento entre pessoas do mesmo sexo alegando que ele sanciona o pecado e desonra o verdadeiro significado do casamento não se furtam a fundamentar suas ideias em valores morais ou religiosos. Mas os que defendem o direito a esse tipo de união muitas vezes tentam mostrar-se neutros e evitam julgamentos sobre o significado moral do casamento. A tentativa de fazer a defesa do casamento entre pessoas do mesmo sexo sem envolver a questão moral da homossexualidade está profundamente lastreada nas ideias de não discriminação e de liberdade de escolha. No entanto, essas ideias não podem, por si só, justificar o direito à união homossexual. Para ver por que, consideremos a criteriosa e sutil opinião de Margaret Marshall, presidente da Suprema Corte de Massachusetts, no julgamento do caso *Goodridge versus*

*Departamento de Saúde Pública* (2003), um caso de casamento entre pessoas do mesmo sexo.[28]

Marshall começa por reconhecer o profundo desacordo moral e religioso que o tema suscita e deixa claro que a corte não tomará partido nessa disputa:

> Muitas pessoas têm sólidas convicções religiosas, morais e éticas de que o casamento deveria limitar-se à união de um homem e uma mulher e de que a conduta homossexual é imoral. Muitas têm convicções religiosas, morais e éticas igualmente sólidas de que pessoas do mesmo sexo têm direito a se casar e de que casais homossexuais deveriam receber o mesmo tratamento dado a casais heterossexuais. Nenhuma dessas opiniões responde à questão que temos diante de nós. Nossa obrigação é definir a liberdade de todos, e não impor nosso próprio código moral.[29]

Como que para evitar a controvérsia moral e religiosa sobre a homossexualidade, Marshall apresenta a questão moral perante a corte em termos liberais — como uma questão de autonomia e liberdade de escolha. Excluir da instituição do casamento os casais homossexuais é incompatível com "o respeito à autonomia e à igualdade dos indivíduos aos olhos da lei", escreveu ela.[30] A liberdade de "escolher se casar e com quem se casar seria vã" se o Estado pudesse "tolher os direitos do indivíduo de escolher livremente a pessoa com quem ela queira compartilhar um compromisso exclusivo".[31] A questão, defende Marshall, não é o valor moral da escolha, mas o direito do indivíduo de fazê-la — ou seja, o direito dos reclamantes "de se casar com o parceiro escolhido".[32]

Entretanto, a autonomia e a liberdade de escolha não bastam para justificar o direito ao casamento entre pessoas do mesmo sexo. Se o governo fosse realmente neutro quanto ao valor moral de todos os relacionamentos íntimos voluntários, o Estado não teria argumentos para restringir o casamento a apenas duas pessoas; a poligamia consensual também teria que ser aceita. De fato, se o Estado realmente quisesse manter-se neutro e respeitar todas as escolhas que os indivíduos quisessem fazer, ele teria de acatar a proposta de Michael Kinsley e se abster de outorgar o reconhecimento a qualquer tipo de casamento.

A verdadeira questão quando se trata do casamento gay não é assegurar a liberdade de escolha, mas definir se as uniões entre pessoas do mesmo sexo são dignas de respeito e reconhecimento por parte da comunidade — se elas cumprem o propósito da instituição social do casamento. Em termos aristotélicos, trata-se da justa distribuição de cargos e honrarias. É uma questão de reconhecimento social.

Não obstante a ênfase dada à liberdade de escolha, a corte de Massachusetts deixou claro que não pretendia liberar uniões poligâmicas. Não entrou no mérito de o governo outorgar reconhecimento social a algumas associações íntimas e não a outras. A corte tampouco pediu a extinção ou o fim da participação do Estado na formalização do casamento.

Ao contrário, a opinião da juíza Marshall faz o elogio do casamento como "uma das instituições mais reconhecidas e apreciadas de nossa comunidade".[33] Ela argumenta que pôr fim à participação do Estado na formalização do casamento "seria desestruturar um princípio vital da organização de nossa sociedade".[34]

Em vez de pôr fim à participação do Estado na formalização do casamento, Marshall defende a expansão de sua definição tradicional de forma a incluir parceiros do mesmo sexo. Ao fazer isso, ela ultrapassa os limites da neutralidade liberal para afirmar o valor moral das uniões entre pessoas do mesmo sexo e propor uma concepção do objetivo do casamento propriamente dito. Mais do que um acordo particular voluntário entre dois adultos, observa ela, o casamento é uma forma de reconhecimento e de aprovação pública. "Na realidade, há três parceiros em cada união civil: dois cônjuges voluntários e um Estado que dá sua aprovação."[35] Essa característica do casamento ressalta seu aspecto honroso: "O casamento civil é, ao mesmo tempo, um profundo comprometimento pessoal com outro ser humano e uma celebração pública dos ideais de reciprocidade, companheirismo, intimidade, fidelidade e família."[36]

Se o casamento é uma instituição honrada, que virtudes ele honra? Fazer essa pergunta é perguntar o propósito, ou *télos*, do casamento como instituição social. Muitos oponentes do casamento entre pessoas do mesmo sexo argumentam que o propósito fundamental do casamento é a procriação. De acordo com esse argumento, visto que casais homossexuais não podem procriar sozinhos, eles não têm o direito de se casar. Falta-lhes, por assim dizer, a virtude relevante.

Essa linha teleológica de raciocínio está no âmago do argumento contra o casamento de pessoas do mesmo sexo, e Marshall a aborda diretamente. Ela não finge ser neutra no que concerne ao propósito do casamento, mas dá a ele uma interpretação diferente. A essência do casamento, sustenta ela, não é a procriação, e sim um comprometimento exclusivo e de amor entre dois parceiros — sejam eles heterossexuais ou gays.

Podemos nos perguntar, então, como é possível decidir entre duas concepções conflitantes sobre o propósito ou a essência do casamento? É possível discutir racionalmente o significado e o propósito de instituições sociais moralmente contestáveis como o casamento? Ou tudo não passa de um choque de opiniões sem fundamento — alguns citam a procriação, outros, o comprometimento amoroso —, e não há como provar que uma opinião seja mais plausível do que a outra?

A opinião de Marshall fornece um bom exemplo de como tais discussões podem ser conduzidas. Primeiramente, ela nega o argumento de que a procriação é o objetivo fundamental do casamento. Ela o faz mostrando que o casamento, como é normalmente praticado e regulamentado pelo Estado, não pressupõe a capacidade de procriação. Não se pergunta aos casais heterossexuais que desejam se casar "se eles podem ou têm intenção de ter filhos por meio do coito. A fertilidade não é uma condição para o casamento, tampouco para o divórcio. Pessoas que nunca consumaram seu casamento, e não pensam em fazê-lo, podem estar e continuar casadas. Pessoas no leito de morte podem se casar". Apesar de "muitos, talvez a maioria dos casais casados, terem filhos juntos (de forma assistida ou não)", conclui Marshall, "é o exclusivo e permanente comprometimento dos parceiros entre si, e não a concepção de filhos, o *sine qua non* do casamento civil".[37]

Portanto, parte do argumento de Marshall consiste em uma interpretação do propósito ou da essência do casamento nos moldes atuais. Ante interpretações conflitantes de uma prática social — casamento para procriação *versus* casamento como um compromisso exclusivo e permanente —, como podemos determinar a mais plausível? Uma das formas é determinar qual delas explica melhor as leis do casamento existentes, de modo geral. Outra é determinar a interpretação do casamento que celebra as virtudes mais merecedoras. O que se pode considerar o propósito do casamento depende, em parte, de quais qualidades achamos que o casamento deva celebrar e afirmar. Nesse caso, a controvérsia moral e religiosa implícita é inevitável: Qual é o status moral dos relacionamentos entre gays e lésbicas?

Marshall não se mostra neutra nessa questão. Ela argumenta que relacionamentos entre pessoas do mesmo sexo merecem tanto respeito quanto relacionamentos heterossexuais. Restringir o casamento aos heterossexuais "confere um selo oficial de aprovação ao estereótipo destrutivo de que os relacionamentos entre pessoas do mesmo sexo são inerentemente instáveis e inferiores às uniões entre sexos opostos e não merecedores de respeito".[38]

Assim, quando nos aprofundamos na questão do casamento entre pessoas do mesmo sexo, concluímos que não podemos nos basear nas ideias da não discriminação e da liberdade de escolha. Para decidir quem pode qualificar-se para o casamento, devemos raciocinar no sentido do propósito do casamento e das virtudes que ele honra. E isso nos conduz ao contestado terreno moral, no qual não podemos permanecer neutros em relação às concepções divergentes da vida boa.

## JUSTIÇA E VIDA BOA

No transcurso desta jornada, exploramos três abordagens da justiça. Uma delas diz que justiça significa maximizar a utilidade ou o bem-estar — a máxima felicidade para o maior número de pessoas. A segunda diz que justiça significa respeitar a liberdade de escolha — tanto as escolhas reais que as pessoas fazem em um livre mercado (visão libertária) quanto as escolhas hipotéticas que as pessoas *deveriam* fazer na posição original de equanimidade (visão igualitária liberal). A terceira diz que justiça envolve o cultivo da virtude e a preocupação com o bem comum. Como já deve ter ficado claro, sou a favor de uma versão da terceira abordagem. Deixem-me explicar por quê.

A abordagem utilitária contém dois defeitos: primeiramente, faz da justiça e dos direitos uma questão de cálculo, e não de princípio. Em segundo lugar, ao tentar traduzir todos os bens humanos em uma única e uniforme medida de valor, ela os nivela e não considera as diferenças qualitativas existentes entre eles.

As teorias baseadas na liberdade resolvem o primeiro problema, mas não o segundo. Elas levam a sério os direitos e insistem no fato de que justiça é mais do que um mero cálculo. Ainda que discordem entre si quanto a *quais* direitos devem ter maior peso do que as considerações utilitárias, elas concordam que certos direitos são fundamentais e devem ser respeitados. Mas, além de destacar determinados direitos como merecedores de respeito, elas aceitam as preferências dos indivíduos, quaisquer que sejam. Não exigem que questionemos ou contestemos as preferências e os desejos que levamos para a vida pública. De acordo com essas teorias, o valor moral dos objetivos que perseguimos, o sentido e o significado da vida que levamos e a qualidade e o caráter da vida comum que compartilhamos situam-se fora do domínio da justiça.

Isso me parece equivocado. Não se pode alcançar uma sociedade justa simplesmente maximizando a utilidade ou garantindo a liberdade de escolha. Para alcançar uma sociedade justa, precisamos raciocinar juntos sobre o significado da vida boa e criar uma cultura pública que aceite as divergências que inevitavelmente ocorrerão.

É tentador procurar um princípio ou procedimento capaz de justificar, de uma vez por todas, qualquer distribuição de renda, poder ou oportunidade dele resultante. Tal princípio, se conseguíssemos encontrá-lo, permitiria que evitássemos os tumultos e as disputas que as discussões sobre a vida boa invariavelmente ocasionam.

No entanto, é impossível evitar essas discussões. A justiça é invariavelmente crítica. Não importa se estamos discutindo *bailouts* ou Corações Púrpuras, barrigas de aluguel ou casamento entre pessoas do mesmo sexo, ação afirmativa ou serviço militar, os salários dos executivos ou o direito ao uso de um carrinho de golfe, questões de justiça são indissociáveis de concepções divergentes de honra e virtude, orgulho e reconhecimento. Justiça não é apenas a forma certa de distribuir as coisas. Ela também diz respeito à forma certa de avaliar as coisas.

## UMA POLÍTICA DO BEM COMUM

Se uma sociedade justa requer um raciocínio conjunto sobre a vida boa, resta perguntar que tipo de discurso político nos conduziria nessa direção. Não tenho uma resposta satisfatória para essa questão, mas posso dar algumas sugestões ilustrativas. Primeiramente, uma observação: hoje, a maioria de nossas discussões políticas gira em torno do bem-estar e da liberdade — desenvolvimento econômico e respeito aos direitos do indivíduo. Para muitos, falar de virtude em política faz lembrar os conservadores religiosos ensinando às pessoas como elas deveriam viver. Mas essa não é a única maneira pela qual as concepções da virtude e do bem comum podem informar a política. O desafio é imaginar uma política que leve a sério as questões morais e espirituais, mas que as aplique a interesses econômicos e cívicos, e não apenas a sexo e aborto.

No meu tempo, a voz mais promissora nesse sentido foi a de Robert F. Kennedy quando tentava, em 1968, ser indicado pelo Partido Democrata à eleição para a presidência. Para ele, a justiça envolvia mais do que o tamanho e a distribuição do produto nacional. Tratava-se também de propósitos morais mais elevados. Em um discurso na Universidade do Kansas, em 18 de março de 1968, Kennedy falou sobre a Guerra do Vietnã, os tumultos em cidades americanas, desigualdade racial e a esmagadora pobreza que testemunhara no Mississippi e nos Apalaches. Então deixou de lado essas questões explícitas de justiça para argumentar que os americanos estavam valorizando as coisas erradas. "Ainda que trabalhemos para erradicar a pobreza material", disse Kennedy, "há outra tarefa de grande importância: enfrentar a pobreza de aspirações (...) que nos aflige a todos." Os cidadãos dos Estados Unidos estavam entregues, a seu ver, "ao mero acúmulo de bens materiais".[39]

> Nosso Produto Interno Bruto agora ultrapassa 800 bilhões de dólares por ano. Mas nesse PIB estão embutidos a poluição do ar, os comerciais de cigarros e as ambulâncias para limpar nossas carnificinas. Ele inclui fechaduras especiais para nossas portas e prisões para as pessoas que as arrombam. Inclui a destruição de nossas sequoias e a perda de nossas maravilhas naturais em acumulações caóticas de lucro. Inclui as bombas napalm e as ogivas nucleares e os veículos blindados da polícia para combater os tumultos em nossas cidades. Inclui (...) os programas de televisão que estimulam a violência com a finalidade de vender brinquedos a nossas crianças. Entretanto, o PIB não garante a saúde de nossas crianças, a qualidade de sua educação ou a alegria de suas brincadeiras. Não inclui a beleza de nossa poesia ou a solidez de nossos casamentos, a inteligência de nossos debates públicos ou a integridade das autoridades de nosso governo. Ele não mensura nosso talento ou nossa coragem, nossa sabedoria ou nosso aprendizado, nossa compaixão ou nossa devoção a nosso país. Ele tem a ver com tudo, em suma, exceto com aquilo que faz com que a vida valha a pena. E ele pode nos dizer tudo sobre os Estados Unidos, exceto o motivo pelo qual temos orgulho de ser americanos.[40]

Ao ouvir Kennedy ou ler esse trecho, você poderia dizer que sua crítica ao hedonismo e às preocupações materiais de seu tempo nada tinha a ver com seu ponto de vista sobre as injustiças da pobreza, da Guerra do Vietnã e da discriminação racial. Mas ele via aí uma ligação. Para reduzir essas injustiças, Kennedy considerava necessário combater o modo de vida complacente que observava a seu redor. Ele nunca hesitou em ser crítico. Ainda assim, ao invocar o orgulho que os americanos sentiam de seu país, apelou também para um sentimento de comunidade.

Kennedy foi assassinado menos de três meses depois. Resta-nos especular se a política moralmente envolvente que pregava teria frutificado se ele não tivesse morrido.

Quatro décadas mais tarde, durante a campanha presidencial de 2008, Barack Obama também apelou aos anseios dos americanos por uma vida pública mais rica em termos morais e articulou uma política de aspirações morais e espirituais. Resta saber se a necessidade de enfrentar uma crise financeira e uma recessão profunda o impedirá de transformar o impulso moral e cívico de sua campanha em uma nova política do bem comum.

Como poderia ser uma nova política do bem comum? Eis algumas possibilidades:

*1. Cidadania, sacrifício e serviço*

Se uma sociedade justa requer um forte sentimento de comunidade, ela precisa encontrar uma forma de incutir nos cidadãos uma preocupação com o todo, uma dedicação ao bem comum. Ela não pode ser indiferente às atitudes e disposições, aos "hábitos do coração" que os cidadãos levam para a vida pública, mas precisa encontrar meios de se afastar das noções da boa vida puramente egoístas e cultivar a virtude cívica.

Tradicionalmente, a escola pública tem sido uma instituição para a formação cívica. Para algumas gerações, o Exército também desempenhou esse papel. Não estou me referindo ao ensino explícito da virtude cívica, mas à educação cívica prática e muitas vezes não planejada que se dá quando jovens de diferentes classes econômicas, antecedentes religiosos e comunidades étnicas se reúnem na mesma instituição.

Em tempos em que muitas escolas públicas estão em situação precária e apenas uma pequena fração da sociedade americana serve ao Exército, torna-se uma séria questão saber como uma sociedade democrática tão vasta e diversificada como a nossa pode ter esperanças de cultivar a solidariedade e o sentimento de responsabilidade mútua que uma sociedade justa requer. Essa questão reapareceu recentemente em nosso discurso político, pelo menos até certo ponto.

Durante a campanha de 2008, Barack Obama observou que os acontecimentos de 11 de setembro de 2001 estimularam nos americanos um sentimento de patriotismo e orgulho e um novo desejo de servir ao país. E criticou o presidente George W. Bush por não ter convocado os americanos para algum tipo de sacrifício comum. "Em vez de ser convocados para servir", disse Obama, "fomos convidados a ir às compras. Em vez de ser convocados para um sacrifício compartilhado, pela primeira vez em nossa história reduzimos os impostos dos americanos mais abastados em tempos de guerra."[41]

Obama propôs estimular o serviço nacional oferecendo aos estudantes crédito para as despesas com o ensino superior em troca de cem horas de serviço público. "Vocês investem nos Estados Unidos e os Estados Unidos investem em vocês", disse aos jovens durante a campanha pelo país. A ideia mostrou-se uma de suas propostas mais populares e, em abril de 2009, ele assinou um decreto para ampliar o programa de serviço público AmeriCorps, arcando com as despesas de faculdade dos alunos que faziam trabalho voluntário em suas comunidades. Apesar da repercussão da convocação de Obama ao serviço nacional, no entanto, propostas mais ambiciosas para o serviço nacional obrigatório não conseguiram chegar à agenda política.

### 2. *Os limites morais dos mercados*

Uma das mais acentuadas tendências da atualidade é a expansão dos mercados e do raciocínio voltado para os mercados nas esferas da vida tradicionalmente governadas por normas não dependentes do mercado. Nos capítulos anteriores, analisamos as questões morais que surgem, por exemplo, quando os países contratam mercenários ou prestadores de serviço privados para o serviço militar e o interrogatório de prisioneiros; ou quando um casal terceiriza a gravidez pagando a pessoas de países em desenvolvimento para gestar seus filhos; ou quando as pessoas compram e vendem rins no mercado aberto. Existem muitos outros exemplos: Os alunos de escolas com baixa média de desempenho deveriam receber pagamento em dinheiro quando se saem bem em testes padronizados? Os professores deveriam receber bônus quando seus alunos apresentam melhores resultados nas provas? Os Estados deveriam contratar empresas privadas para abrigar sua população carcerária? Os Estados Unidos deveriam simplificar sua política de imigração adotando a proposta de um economista da Universidade de Chicago de vender a cidadania americana por 100 mil dólares?[42]

Essas questões não se referem apenas a utilidade e consentimento. Referem-se também às maneiras certas de avaliar as mais importantes práticas sociais — serviço militar, gestação, ensino e aprendizado, punição de crimes, admissão de novos cidadãos e assim por diante. Já que a comercialização das práticas sociais pode corromper ou degradar as normas que as definem, precisamos perguntar quais são as normas não dependentes do mercado que desejamos proteger da interferência do mercado. Essa é uma questão que requer o debate público sobre as divergentes concepções da maneira certa de avaliar os bens não materiais. Os mercados são instrumentos úteis para organizar a atividade produtiva. Mas, a menos que desejemos deixar que o mercado reescreva as normas que governam as instituições sociais, precisamos de um debate público sobre os limites morais dos mercados.

### *3. Desigualdade, solidariedade e virtude cívica*

Nos Estados Unidos, o fosso que separa ricos e pobres aumentou nas últimas décadas, atingindo níveis que não eram vistos desde a década de 1930. Ainda assim, a desigualdade não tomou grandes proporções políticas. Até a modesta proposta de Barack Obama de retornar às alíquotas de impostos da década de 1990 levou seus adversários republicanos, em 2008, a considerá-lo um socialista que queria distribuir a riqueza.

A pouca atenção dada à desigualdade na política contemporânea não reflete o descaso dos filósofos políticos a respeito do tema. A distribuição justa de renda e riqueza tem sido uma constante nas discussões da filosofia política desde a década de 1970 até os dias atuais. Mas a tendência dos filósofos de estruturar a questão em termos de utilidade ou consentimento leva-os a desconsiderar os argumentos contra a desigualdade mais capazes de sensibilizar politicamente a população e mais relevantes para o projeto de renovação moral e cívica.

Alguns filósofos que cobrariam impostos dos ricos para ajudar os pobres argumentam em termos de utilidade; subtrair cem dólares de uma pessoa rica e dá-los a uma pessoa pobre só diminuiria um pouco a felicidade do rico, especulam eles, mas aumentaria muito a felicidade do pobre. John Rawls também defende a redistribuição, porém com base no consentimento hipotético. Ele argumenta que, se elaborássemos um contrato social hipotético partindo de uma posição original de igualdade, todos concordariam com o princípio que fundamentaria alguma forma de redistribuição.

Mas existe um terceiro e mais importante motivo de preocupação com a crescente desigualdade na vida americana: um fosso muito grande entre ricos e pobres enfraquece a solidariedade que a cidadania democrática requer. Eis como: quando a desigualdade cresce, ricos e pobres levam vidas cada vez mais distintas. O abastado manda seus filhos para escolas particulares (ou para escolas públicas em subúrbios ricos), deixando as escolas públicas urbanas para os filhos das famílias que não têm alternativa. Uma tendência similar leva ao afastamento dos privilegiados de outras instituições e de outros serviços públicos.[43] Academias privadas substituem os centros recreativos e as piscinas comunitárias. Os empreendimentos residenciais de alto padrão têm segurança própria e não dependem tanto da proteção da polícia. Um segundo ou terceiro carro acaba com a dependência do transporte público. E assim por diante. Os mais ricos afastam-se dos logradouros e dos serviços públicos, deixando-os para aqueles que não podem usufruir de outro tipo de serviço.

Surgem então dois efeitos negativos, um fiscal e outro cívico. Primeiramente, deterioram-se os serviços públicos, porque aqueles que não mais precisam deles não têm tanto interesse em apoiá-los com seus impostos. Em segundo lugar, instituições públicas como escolas, parques, pátios recreativos e centros comunitários deixam de ser locais onde cidadãos de diferentes classes econômicas se encontram. Instituições que antes reuniam as pessoas e desempenhavam o papel de escolas informais da virtude cívica estão cada vez mais raras e afastadas. O esvaziamento do domínio público dificulta o cultivo do hábito da solidariedade e do senso de comunidade dos quais depende a cidadania democrática.

Portanto, afora suas consequências sobre a utilidade ou o consentimento, a desigualdade corrói a virtude cívica. Os conservadores partidários do mercado e os liberais preocupados com a redistribuição ignoram essa perda.

Se o desgaste do que constitui domínio público é o problema, qual é a solução? Uma política do bem comum teria como um de seus principais objetivos a reconstrução da infraestrutura da vida cívica. Em vez de se voltar para a redistribuição de renda no intuito de ampliar o acesso ao consumo privado, ela cobraria impostos aos mais ricos para reconstruir as instituições e os serviços públicos, para que ricos e pobres pudessem usufruir deles igualmente.

Uma geração anterior à nossa fez um investimento significativo no programa federal de estradas, o que permitiu aos cidadãos americanos uma capacidade individual de locomoção e uma liberdade sem precedentes, mas também contribuiu para a dependência do automóvel particular, incentivou a mudança para os subúrbios, aumentou a degradação ambiental e criou padrões de vida corrosivos para a comunidade. Essa geração poderia ter se comprometido com um investimento que contribuísse da mesma forma para uma infraestrutura de renovação cívica: escolas públicas para as quais ricos e pobres, igualmente, gostariam de mandar seus filhos; sistemas públicos de transporte confiáveis a ponto de atrair os cidadãos mais abastados; e hospitais, áreas de recreação, parques, centros sociais, bibliotecas e museus públicos capazes de fazer, pelo menos idealmente, com que as pessoas deixassem seus condomínios cercados por grades para compartilhar os espaços comuns de uma sociedade democrática.

Se nos voltarmos para as consequências cívicas da desigualdade e para as maneiras de revertê-las, podemos encontrar soluções políticas que as discussões sobre a distribuição de renda não encontram. Isso também ajudaria a enfatizar a relação entre a justiça distributiva e o bem comum.

### 4. *Uma política de comprometimento moral*

Há quem considere o comprometimento público com as questões da vida boa uma transgressão cívica, uma jornada além dos limites do raciocínio público liberal. Política e lei não devem se envolver em disputas morais e religiosas, costumamos pensar, porque esse envolvimento abre caminho para a coerção e a intolerância. Esse é um temor legítimo. Cidadãos de sociedades pluralistas realmente discordam sobre moralidade e religião. Ainda que, como argumentei, não seja possível ao governo permanecer neutro nessas divergências, será possível conduzir nossa política com base no respeito mútuo?

A resposta, creio eu, é sim. Mas precisamos de uma vida cívica mais sadia e engajada do que essa à qual estamos habituados. Nas últimas décadas, passamos a achar que respeitar as convicções morais e religiosas de nossos compatriotas significa ignorá-las (pelo menos para propósitos políticos), não os perturbar e conduzir nossa vida pública — tanto quanto possível — sem fazer nenhuma referência a elas. Mas essa evasiva revela um respeito espúrio. Com frequência, significa suprimir as divergências morais em vez de evitá-las. E isso pode provocar retrocessos e ressentimentos. Pode também produzir um discurso público empobrecido, que se reproduz intermitentemente, preocupado apenas com o que é escandaloso, sensacionalista e trivial.

Um comprometimento público maior com nossas divergências morais proporcionaria uma base para o respeito mútuo mais forte, e não mais fraca. Em vez de evitar as convicções morais e religiosas que nossos concidadãos levam para a vida pública, deveríamos nos dedicar a elas mais diretamente — às vezes desafiando-as e contestando-as, às vezes ouvindo-as e aprendendo com elas. Não há garantias de que a deliberação pública sobre questões morais complexas possa levar, em qualquer situação, a um acordo — ou mesmo à apreciação das concepções morais e religiosas dos demais indivíduos. É sempre possível que aprender mais sobre uma doutrina moral ou religiosa nos leve a gostar menos dela. Mas não saberemos enquanto não tentarmos.

Uma política de engajamento moral não é apenas um ideal mais inspirador do que uma política de esquiva do debate. Ela é também uma base mais promissora para uma sociedade justa.

## Notas

1. Theodore H. White, *The Making of the President 1960* (Nova York, Atheneum Publishers, 1961), pp. 295-98.
2. Discurso do senador John F. Kennedy para a Greater Houston Ministerial Association, Houston, Texas, 12 de setembro de 1960, em www.jfklibrary.org/

Historical+Resources/Archives/Reference+Desk/Speeches/JFK/JFK+PrePres/1960/Address+of+Senator+John+F.+Kennedy+to+the+Greater+Houston+Ministerial+Association.htm.

3. White, *The Making of the President 1960*, p. 298.
4. Barack Obama, "Call to Renewal Keynote Address", Washington, 28 de junho de 2006, em www.barackobama.com/2006/06/28/call_to_renewal_keynote_address.php.
5. Ibidem.
6. Ibidem.
7. Ibidem.
8. Ibidem.
9. Para mais informações sobre esse assunto, ver Michael J. Sandel, *Democracy's Discontent: America in Search of a Public Philosophy* (Cambridge, Harvard University Press, 1996), pp. 278-85.
10. John Rawls, *A Theory of Justice* (Cambridge, Harvard University Press, 1971).
11. Alasdair MacIntyre, *After Virtue* (Notre Dame, University of Notre Dame Press, 1981); Michael J. Sandel, *Liberalism and the Limits of Justice* (Cambridge, Cambridge University Press, 1982); Michael Walzer, *Spheres of Justice* (Nova York, Basic Books, 1983); Charles Taylor, "The Nature and Scope of Distributive Justice", em Charles Taylor, *Philosophy and the Human Sciences, Philosophical Papers*, vol. 2 (Cambridge, Cambridge University Press), p. 289.
12. John Rawls, *Political Liberalism* (Nova York, Columbia University Press, 1993), p. 31.
13. Ibidem, pp. 29-31.
14. Ibidem, p. 58.
15. Ibidem, pp. xx, xxviii.
16. Ibidem, p. 215.
17. Ibidem, p. 254.
18. Ibidem, p. 236.
19. A frase é de Richard John Neuhaus, *The Naked Public Square* (Grand Rapids, William B. Eerdmans, 1984).
20. Ver Michael J. Sandel, *Public Philosophy: Essays on Morality in Politics* (Cambridge, Harvard University Press, 2005), pp. 2-3.
21. Obama, "Call to Renewal Keynote Address".
22. Baseei a questão do status moral do embrião em Michael J. Sandel, *The Case Against Perfection* (Cambridge, Harvard University Press, 2007), pp. 102-28.
23. Connecticut (2008) e Iowa (2009) legalizaram o casamento entre pessoas do mesmo sexo por meio de leis das supremas cortes dos estados.

24. Ver Tamara Metz, "Why We Should Disestablish Marriage", em Mary Lyndon Shanley, *Just Marriage* (Nova York, Oxford University Press, 2004), pp. 99-108.
25. Michael Kinsley, "Abolish Marriage", *Washington Post*, 3 de julho de 2003, p. A23.
26. Ibidem.
27. Ibidem.
28. *Hillary Goodridge vs. Department of Public Health*, Suprema Corte de Justiça de Massachusetts, 440 Mass. 309 (2003).
29. Ibidem, p. 312. A sentença citada na opinião da corte ("Nossa obrigação é definir a liberdade de todos e não impor nosso código moral") é de *Lawrence v. Texas*, 539 US 558 (2003), decisão da Suprema Corte dos Estados Unidos que anulou uma lei do Texas banindo práticas homossexuais. A opinião em *Lawrence*, por sua vez, citou essa frase de *Planned Parenthood v. Casey*, 505 US 833 (1992), uma decisão da Suprema Corte dos Estados Unidos em relação aos direitos ao aborto.
30. Ibidem.
31. Ibidem, p. 329.
32. Ibidem, p. 320.
33. Ibidem, p. 313.
34. Ibidem, p. 342.
35. Ibidem, p. 321.
36. Ibidem, p. 322.
37. Ibidem, p. 331.
38. Ibidem, p. 333.
39. Robert F. Kennedy, "Remarks at the University of Kansas", 18 de março de 1968, em www.jfklibrary.org/Historical+Resources/Archives/Reference+Desk/Speeches/RFK/RFKSpeech68Mar18UKansas.htm.
40. Ibidem.
41. Barack Obama, "A New Era of Service", University of Colorado, Colorado Springs, 2 de julho de 2008, em *Rocky Mountain News*, 2 de julho de 2008.
42. Gary Becker, "Sell the Right to Immigrate", The Becker-Posner Blog, 21 de fevereiro de 2005, em www.becker-posner-blog.com/archives/2005/02/sell_the_right.html.
43. Ver Robert B. Reich, *The Work of Nations* (Nova York, Alfred A. Knopf, 1991), pp. 249-315.

## Agradecimentos

Este livro começou como um curso. Por quase três décadas, tive o privilégio de ensinar filosofia política a universitários de Harvard e durante vários desses anos dei aulas sobre uma matéria chamada "Justiça". O curso expõe os alunos a algumas das maiores obras filosóficas escritas sobre justiça e também aborda controvérsias legais e políticas contemporâneas que levantam questões filosóficas.

A filosofia política é um assunto argumentativo, e parte do prazer proporcionado pelo curso de Justiça é a intervenção dos alunos na discussão — com os filósofos, entre si e comigo. Portanto, gostaria primeiramente de registrar meus agradecimentos aos milhares de universitários que me acompanharam nessa jornada ao longo dos anos. Seu animado engajamento nas questões de justiça reflete-se, assim espero, no espírito deste livro. Agradeço também às centenas de graduados e alunos da faculdade de direito que me ajudaram a ministrar o curso. Seus questionamentos em nossas reuniões semanais não apenas me mantiveram atualizado, mas também permitiram que eu me aprofundasse na compreensão dos assuntos filosóficos que apresentávamos a nossos alunos.

Escrever um livro é muito diferente de dar aulas, ainda que o assunto seja similar. Por esse motivo, de certa forma, comecei do zero. Pelo apoio recebido durante essa empreitada, agradeço à oficina de pesquisas de verão da Faculdade de Direito de Harvard. Devo muito também ao Carnegie Scholars Program da Carnegie Corporation de Nova York, que deu apoio a meu trabalho sobre os limites morais do mercado. Sou especialmente grato a Vartan Gregorian, Patricia Rosenfield e Heather McKay pela gentileza, pela paciência e pelo apoio. As seções deste livro que abordam mercado e moral são o início de um projeto que ainda devo a eles.

Fui o beneficiário da maravilhosa equipe da editora Farrar, Straus and Giroux. Foi um prazer trabalhar com Jonathan Galassi, Paul Elie, Jeff Seroy e Laurel Cook, do início ao fim, como o foi trabalhar com minha agente literária, Esther Newberg. Seu amor pelos livros e por sua elaboração reflete-se em tudo que fazem e torna mais fácil a vida de um autor. Sou profundamente grato por sua ajuda.

Meus filhos, Adam e Aaron, vêm sendo submetidos a discussões sobre justiça em torno da mesa de jantar desde que se tornaram capazes de segurar uma colher. Sua seriedade moral, seu brilhantismo e sua paixão são desafiadores, enriquecedores, e é um prazer contemplá-los. Quando surge uma dúvida, todos nós recorremos a Kiku, nossa pedra de toque moral e espiritual, minha companheira. A ela dedico este livro, com amor.

## Conversa entre o ministro do STF Luís Roberto Barroso e o filósofo da Universidade de Harvard Michael J. Sandel (gravada via Zoom em 23 de abril de 2021)

BARROSO: Oi, Michael, que bom revê-lo. Você está bem de saúde?

SANDEL: Sim, obrigado por perguntar. Luís Roberto, é ótimo revê-lo. Como você está?

BARROSO: Estou bem, também. É um prazer esse encontro. A situação aqui anda terrível por causa da pandemia, como você sabe. Mas estou bem, e foi um ano pesado porque tivemos as eleições aqui [2020]. Eu sou ministro do Supremo, mas também sou presidente do Tribunal Superior Eleitoral. Por isso, estive à frente da organização das eleições no meio da pandemia. Vocês também tiveram eleições nos Estados Unidos. Mas, enfim, tudo correu bem, graças a Deus. Estamos sobrevivendo.

SANDEL: Que bom!

BARROSO: E você tem dado aulas normalmente ou por vídeo? Como está fazendo?

SANDEL: Bem, em Harvard todo o ano acadêmico aconteceu de forma remota. Alguns alunos puderam voltar para o campus, mas todos os cursos foram ministrados à distância. Todos tivemos que nos adaptar a isso.

BARROSO: Sim, por aqui a situação é parecida. Infelizmente, em algumas partes do Brasil, a qualidade da internet não era boa. Então, por certo período, as crianças não podiam ter aulas por conta da internet ruim. E, se tem uma coisa boa que podemos extrair, Michael, dessa crise humanitária, é que agora nós conseguimos ter um foco de luz sobre as desigualdades no Brasil e as deficiências em infraestrutura, saneamento, moradia. Acho que a pandemia deixou bem evidente a necessidade de combatermos a pobreza com mais intensidade e com maior comprometimento. E eu espero que isso seja um resultado, digamos, positivo dessa tragédia.

SANDEL: Entendo o que você diz. Acho que, em todo lugar, a pandemia vem apontando as desigualdades que já existiam antes, mas que podemos ver com mais clareza agora. Você mencionou infraestrutura e acesso à internet. Chama minha atenção como a pandemia ressaltou a divisão entre aqueles de nós que podem se dar ao luxo de trabalhar de casa, fazendo reuniões no Zoom, e aqueles que perderam o emprego ou que, para fazer seu trabalho, têm que enfrentar riscos dos quais muitos de nós conseguem manter certa distância. E espero que isso deixe evidente para todos nós o quanto dependemos profundamente do trabalho das pessoas a que, em geral, não damos a devida importância. Não só dos profissionais da saúde, mas os entregadores, os que trabalham em depósitos, os atendentes de supermercados, os cuidadores de idosos e crianças. E esses não são os trabalhadores mais bem pagos e mais valorizados em nossa sociedade. No entanto, agora estamos chamando esses trabalhadores de essenciais. Espero que este seja o início de um debate mais amplo sobre como alinhar melhor o pagamento e reconhecimento dessas pessoas com a importância do trabalho que elas fazem. E isso é algo bom, que traz esperança no meio da pandemia.

BARROSO: Ótimo insight. Queria mencionar que esta nossa conversa é para comemorar os dez anos de publicação do seu livro aqui no Brasil. Tenho uma edição em inglês, que comprei em Cambridge, em 2011. E, claro, tenho a edição em português com o seu autógrafo. Isto o torna um bem infungível, o que é muito bom.

SANDEL: Certo. Que ótimo!

BARROSO: Estou muito feliz de estar aqui com você comemorando o décimo aniversário de lançamento no Brasil. Seu livro, Michael, ajudou a democratizar a filosofia política. Eu acho que uma das principais características da maneira como você escreve é a capacidade de converter ideias sofisticadas e complexas em palavras simples, objetivas. Isso permitiu alcançar pessoas que, de outra forma, não estariam lendo filosofia. Elas puderam se familiarizar com ideias que são muito importantes e que ajudam a não somente melhorar seu conhecimento, mas viver uma vida melhor. A primeira coisa que eu quero fazer, mais uma vez, é parabenizá-lo por este livro. Eu tenho os outros: *O que o dinheiro não compra* e o mais recente, *A tirania do mérito*. Mas hoje vamos falar sobre o *Justiça*. E uma coisa que quero perguntar é: este é um livro no qual você oferece muita informação, mas não busca dar muitas respostas; você tenta fazer com que o leitor e a leitora descubram suas próprias respostas. Essa é uma análise correta?

SANDEL: Sim. E quero acrescentar, Luís Roberto, provocado pelo que você disse agora há pouco. Primeiro, eu me sinto honrado e privilegiado de conversar com você sobre o aniversário da publicação brasileira de *Justiça*. Significa muito para mim. E gostei muito do que você disse sobre democratizar a filosofia, porque isso vai direto ao ponto do que eu vejo como o papel da filosofia política em informar sobre nossa vida. É comum que as pessoas ouçam sobre filosofia e achem que deve ser uma atividade intimidadora, distante, abstrata. Pensam que a filosofia reside no céu, nas nuvens, muito longe do mundo em que vivemos. Mas eu sempre achei que a filosofia não tem lugar nos céus, mas na cidade, onde os cidadãos se reúnem e onde batalhamos para resolver os dilemas que encontramos na política e em nossa vida cotidiana. E isso, de certa forma, remonta às origens da filosofia na tradição ocidental. Sócrates não deu nenhuma palestra. Não escreveu nenhum livro. Ele andava pelas ruas de Atenas e encontrava pessoas e fazia perguntas a elas. Algumas eram pessoas famosas e influentes. Outras eram cidadãos comuns e trabalhadores. E a ideia de que a filosofia tem a ver com diálogo e encontro a torna acessível, ou deveria torná-la acessível a todo mundo, porque todo mundo está preocupado em pensar como viver uma vida justa, como viver uma vida boa.

BARROSO: Sim, e eu acho que todo mundo tem essa necessidade interna de buscar por justiça. O problema é que cada um de nós entende isso de maneira diferente...

SANDEL: Sim.

BARROSO: ...porque o mundo é diverso. Uma coisa interessante é que você apresenta as tendências mais importantes da filosofia que atravessaram a humanidade desde os gregos. Você fala de dois dos meus filósofos preferidos. Eu mesmo não sou filósofo, mas gosto de lê-los. Gosto muito de Aristóteles. E também de Immanuel Kant. O livro tem capítulos sobre eles. É fascinante a maneira como você explica o utilitarismo para leigos; o exemplo do bonde desgovernado atravessou o mundo e pessoas estão buscando a resposta correta. Você explora de uma maneira muito interessante o libertarismo, a ética kantiana, fundamentada na dignidade e motivação humana e na autonomia individual. Achei que você foi um pouco crítico quanto ao liberalismo igualitário. Podemos falar um pouco sobre isso, sobre a ideia de justiça de Rawls? Gostaria de ouvi-lo elaborar um pouco mais sobre isso.

SANDEL: Sim, claro. John Rawls talvez tenha sido o filósofo político mais importante no mundo anglófono do século XX. Seu famoso livro *Uma teoria da justiça* (1971) criticava a forma dominante, utilitária, de pensar sobre justiça. A abordagem utilitária da justiça diz: descobrir quais direitos nós temos depende simplesmente de descobrir o que maximizará o nível geral de felicidade, o que criará o maior equilíbrio de prazer sobre a dor entre os seres humanos. Eu discordo dessa filosofia. Suspeito que você também discorde. E o John Rawls também discorda.

John Rawls ofereceu uma crítica poderosa do utilitarismo. Ele dizia que a justiça não pode significar simplesmente maximizar a felicidade e o bem-estar coletivos.

Suponhamos que houvesse uma religião pequena da qual muitos desgostassem. No cálculo utilitarista, se um número considerável de pessoas se mostrasse insatisfeito com essa fé religiosa, e ficasse infeliz ao saber que existem praticantes dessa religião, criaríamos uma abertura para a opinião de que a coisa certa a fazer seria banir aquela fé religiosa, mesmo que isso viole a liberdade religiosa daqueles que acreditam nela. Os utilitaristas tentam encontrar caminhos em torno de conclusões como essa. Então se houvesse, por exemplo, um número considerável de romanos no Coliseu que fossem entusiastas do espetáculo sangrento das competições de gladiadores, de lançar cristãos aos leões, embora as vítimas sofressem uma grande dor, a alegria coletiva dos torcedores romanos lotando o Coliseu diria: a resposta utilitarista é deixar os jogos seguirem. John Rawls diz que essa é a maneira errada de pensar a justiça. Os direitos assegurados pela justiça não estão sujeitos às negociações feitas entre políticos ou aos interesses da sociedade civil. É assim que o livro dele começa. E eu acho que ele está certo. Ele diz que, em vez disso, uma sociedade justa respeita os direitos fundamentais, o direito à liberdade de expressão, a liberdade religiosa etc. E isso permitiria somente aquelas desigualdades sociais e econômicas que funcionem a favor dos membros da sociedade menos privilegiados. Então, ele é contra o utilitarismo e é contra uma maneira puramente *laissez-faire* do livre-mercado de distribuir renda e riqueza.

Então, em ambos os pontos, eu concordo com John Rawls. Mas você quer saber onde eu discordo, é esse o desafio? Luís Roberto, o ponto em que discordo é: Rawls diz que a maneira como devemos chegar aos princípios de justiça que especificam nossos direitos é deixar de lado nossas concepções particulares de vida boa, nossa moral e convicções espirituais, porque, afinal, em sociedades pluralistas as pessoas discordam sobre a virtude, sobre a melhor maneira de viver. Discordamos sobre questões morais e espirituais. Se devemos chegar aos princípios de justiça que todo mundo pode afirmar, temos que tentar tornar esses princípios neutros em relação a nossas convicções morais e espirituais mais profundas. É nesse ponto que discordo. Acho que é um erro pensar que é possível derivar e defender princípios de direito e de justiça que não pressuponham certa concepção do bem, da melhor forma de viver. Acho que a tentativa de ser neutro pode ter um efeito prejudicial. Pode esvaziar o discurso público do debate extenso sobre as convicções morais dos cidadãos com as quais eles se preocupam profundamente. Quanto mais esvaziamos o discurso político sobre questões fundamentais de conteúdo moral, mais criamos uma espécie de vácuo de significado que não pode durar muito tempo, porque em algum momento isso será preenchido – eu temo – pelo moralismo estreito, intolerante, em geral na forma de fundamentalismo religioso ou na forma de nacionalismo estridente. A meu ver, isso é o que temos visto em muitos países nas últimas décadas, a tal ponto que esvaziamos a esfera pública e fingimos que é possível ficarmos neutros em questões fundamentais sobre a vida boa. E isso, para mim, é uma fraqueza da versão de liberalismo para a qual a teoria de John Rawls, por quem tenho grande admiração, abre caminho. É nisso que discordo. E o que você pensa sobre isso?

BARROSO: Essa explicação foi muito clara. E concordo com você que precisamos de alguns valores substanciais para seguir. Mas eu acho que em certas questões, em especial as que dividem muito a sociedade, a abordagem liberal pode nos servir. E eu vou pegar a questão mais polêmica dos nossos tempos, ou uma das mais polêmicas, que é o aborto. Como você sabe, o aborto ainda é crime no Brasil. E eu, como qualquer pessoa comum, sou contra o aborto, no sentido que eu não acho que seja uma coisa boa. Mas acho que a criminalização é uma política pública ruim. A maneira como eu argumento e como eu voto a esse respeito é a seguinte. Esta é uma matéria em que existe uma discordância moral razoável. Quando você tem uma discordância moral razoável, o papel do Estado não é escolher um lado, mas, sim, garantir que cada pessoa vivencie sua própria crença. Se você criminalizar, você não aceita que alguém seja diferente e pense diferente. A abordagem liberal seria: se você não concorda, você não faz, pode pregar contra, pode convencer as pessoas a não fazerem, mas não deve criminalizar o ato. E, se você achar que está em uma posição em que precisa fazer um aborto, você tem o direito de abortar. Essa seria uma posição mais ou menos neutra que eu penso ser apropriada diante de uma questão moralmente controversa. É nesse ponto que eu gosto da abordagem liberal. Agora quero ouvir de você.

SANDEL: Ok. Eu concordo com a posição que você descreveu e também discordo. Concordo que o aborto não deve ser um crime. Concordo que deve haver o direito de a mulher tomar a decisão por si mesma. Agora, eu discordo que seja possível chegar a essa conclusão, a conclusão que você e eu compartilhamos sobre qual deve ser a política em relação ao aborto. Discordo que essa posição seja realmente neutra sobre a questão moral e teológica subjacente do status moral do feto em desenvolvimento, porque se a posição teológica da Igreja Católica estiver certa – se um ser humano existe a partir do momento da concepção e à medida que o feto se desenvolve –, então o que se segue é que é um aborto voluntário. Não considerando os abortos que sejam para salvar a vida da mãe, podemos tratar destes separadamente. Enfim, se a doutrina católica for verdadeira, então o aborto voluntário de fato está ligado à retirada da vida de uma pessoa humana a fim de responder ao desejo da pessoa que quer o aborto, e, de maneira geral, nós não permitimos que as pessoas, mesmo se tiverem bons motivos para isso, matem uma pessoa humana inocente. Nós não permitimos. Agora, o que isso quer dizer se você e eu concordamos que o aborto deve ser permitido? Acho que o que isso diz é que implicitamente estamos concluindo, nós dois, que a posição teológica católica não pode estar certa, porque se fôssemos persuadidos de que ela está, seria muito difícil para mim ou para você defender o direito ao aborto.

Meu argumento é: quando voltamos para a neutralidade, nós concordamos, você e eu, que o aborto não deve ser um crime. Mas eu reafirmo que isso não me compromete a uma posição neutra no debate teológico. Isso me compromete, pelo menos implicitamente, a rejeitar – e talvez eu possa fornecer argumentos para isso – a visão teológica católica doutrinária sobre o status moral do feto. É nesse sentido que minha posição não é neutra, mesmo que ela seja a mesma que a sua. O que você diz quanto a isso?

BARROSO: Bem, eu diria que o momento preciso em que a vida começa é uma questão de fé ou de uma concepção filosófica.

SANDEL: Certo.

BARROSO: Não exatamente uma questão de ciência.

SANDEL: Certo.

BARROSO: Eu não acho que existe uma resposta certa. Posso aceitar a visão da Igreja Católica e posso aceitar a visão de alguém que ache que a vida começa em um estágio posterior, como quando o sistema nervoso começa a se formar ou a que tem a ver com consciência ou qualquer outro critério. Já que não existe uma resposta para essa pergunta e você tem duas posições diferentes razoáveis, volto ao meu argumento liberal: o Estado deve ser neutro porque existem duas visões razoáveis que podem ser consideradas e você não deve impor uma, você deve deixar as pessoas escolherem qual visão elas preferem. É por isso que eu acho que uma visão liberal neutra funcionaria. Mas, Michael, eu escolhi provavelmente o caso mais difícil porque envolve o sentimento religioso das pessoas. E, como você sabe, como filósofo, quando se está debatendo sobre argumentos filosóficos, você precisa ter uma mente aberta até mesmo para mudar suas concepções. Mas quando se está conversando sobre religião, estamos falando de dogmas. Estamos falando sobre premissas que você não pode mudar. Então é um debate inútil. A única coisa que se tem a fazer, e eu faço, é respeitar as visões religiosas. Mas você não pode tentar convencer um católico de que a vida não começa na concepção, porque, se ele concordar, estará falhando em sua fé e sua doutrina. Então eu aceito, diferente de Dworkin, por exemplo, que também admiro muito. Mas acho que, para certas questões, não existe somente uma resposta correta. Em algumas questões, é preciso fazer concessões e entender que pessoas diferentes têm posições razoáveis diferentes. E tudo o que se pode tentar é fazer com que elas vivam em harmonia, sem entrar em conflito.

SANDEL: Certo. Eu diria que essa é uma questão filosófica muito difícil. É uma coisa que eu diria para reconhecer que existem visões razoáveis e incompatíveis sendo debatidas sobre o estado moral do feto. Mas eu não necessariamente concluiria a partir disso que não exista uma única resposta correta para essa questão. Ou a posição católica sobre o estado moral do feto é verdadeira, ou não é. E, se for o caso, então há uma resposta correta, embora seja muito difícil encontrá-la ou uma parte convencer a outra a mudar sua visão a respeito.

Eu faria uma distinção na sua observação, com a qual concordo, sobre o fato de que pessoas razoáveis podem discordar, mas não concluiria a partir disso que, como resultado, não há uma resposta correta para a questão. Uma controvérsia relacionada a isso que talvez possamos discutir, se você quiser, é o debate sobre o casamento entre pessoas do mesmo sexo, porque muitos liberais dizem, como você disse ao discutir o caso do aborto, que o motivo pelo qual devemos permitir o casamento entre pessoas do mesmo sexo é que devemos ser neutros sobre a questão moral subjacente acerca de qual é, de fato, o propósito do casamento, e qual é o estado moral das intimidades entre pessoas do mesmo sexo. Eu defendo o direito ao casamento entre pessoas do mesmo sexo, mas não reivindicaria que minha defesa seja moralmente neutra. Pelo contrário, acho que o principal argumento em relação ao casamento entre pessoas do mesmo sexo é que o propósito do casamento não é somente a procriação, porque, se fosse, então não permitiríamos que casais heterossexuais se casassem caso não atestassem que teriam filhos ou que, de fato, eles fossem capazes de ter filhos. Assim, eu acho que seja possível. Muito do debate sobre o casamento entre pessoas do mesmo sexo gira em torno de um debate sobre concepções que competem sobre qual é o propósito do casamento. Mas, embora haja quem defenda que o propósito do casamento é a procriação, eu não acho que essa visão seja invulnerável à argumentação ou impassível de questionamentos. Acho que, quando o assunto é o casamento entre pessoas do mesmo sexo, é preciso confrontar essa visão, essa concepção moral subjacente sobre o propósito do casamento, e tentar persuadir aqueles que rejeitam o casamento entre pessoas do mesmo sexo a ampliar sua concepção acerca do propósito do casamento de modo a incluir uma relação amorosa de uma vida inteira, quer resulte em procriação ou não. Esse debate pode ser difícil, e as pessoas podem discordar sobre tal propósito. E certamente discordarão. Mas não acho que seja possível defender o casamento entre pessoas do mesmo sexo, do jeito que eu quero fazer, e ao mesmo tempo ser neutro em relação a essa questão moral, às vezes religiosa, subjacente. O que você acha?

BARROSO: Acho essa uma questão muito mais fácil. Não sei se você sabe, mas, uns anos atrás, fui o advogado que defendeu o caso da união civil entre pessoas do mesmo sexo perante o Supremo, o que pavimentou o caminho para o casamento entre pessoas do mesmo sexo no Brasil. Estive, por isso, muito envolvido na discussão. Acho que é muito mais fácil que a do aborto, porque não envolve uma terceira pessoa, como a discussão do aborto envolve, se você considerar o feto como dotado de vida. Então, quando falamos sobre casamento entre pessoas do mesmo sexo, estamos falando de dois adultos que concordam com escolhas que estão fazendo para suas vidas. Não existem terceiros envolvidos. Claro que existem valores morais de terceiros envolvidos, mas não um interesse direto, como a vida de um feto. Acho que essa é uma questão moralmente mais fácil que o aborto. Tenho uma experiência interessante para contar a você. Quando eu trabalhava como advogado, havia no meu escritório uma mulher maravilhosa que trabalhava muito próxima a mim; ela era batista, evangélica e muito devota. Certa vez me disse: "Não quero trabalhar nesse caso com você." E eu disse a ela: "Você não acha que é muito mais cristão ajudar essas pessoas que sofrem tanto preconceito e discriminação? Uma vez que estamos do lado deles e facilitamos a vida deles, estamos fazendo a coisa certa" – como você gosta de dizer – "qual é a coisa certa a se fazer?". E ela: "Eu entendo o que você está dizendo, mas a Bíblia proíbe literalmente a homossexualidade." Uma vez que ela me disse isso, parei de argumentar, porque aquilo era um dogma. Ela acha que a Bíblia é a palavra de Deus e ela não pode se colocar contra isso. De novo, chegamos a um ponto, conforme eu vejo, em que a única coisa que podemos fazer é respeitar a visão da outra pessoa e defender que ela respeite outras que pensem de maneira diferente; mas eu concordo com você que, ao modo aristotélico, se tentarmos identificar o propósito das coisas, penso claramente, como você declarou, que o propósito do casamento é compartilhar uma vida em comum. A procriação é uma possibilidade, mas não uma necessidade. É muito claro para mim. Porque, caso contrário, pessoas mais velhas, que não sejam mais férteis, não poderiam se casar. E nós não achamos isso.

Além disso, Michael, certa vez li – e aqui concluo meu raciocínio – um argumento conservador a favor do casamento entre pessoas do mesmo sexo, que dizia: "Nós achamos que o casamento é uma boa coisa. Achamos que é uma boa coisa porque constrói relações mais calorosas, que reduzem a promiscuidade e coisas desse tipo. Se pensamos que é uma coisa boa, por que excluir pessoas somente por sua orientação sexual ser diferente?" Não me sinto muito imparcial, porque fui o advogado nesse caso. Mas parece relativamente óbvio para mim que a crença religiosa de uma pessoa não pode impedir a felicidade de outra pessoa. Penso que é uma atitude mais piedosa aceitar, mesmo que você não concorde. O que você acha?

SANDEL: Sobre o primeiro argumento que você deu para sua colega batista que não queria trabalhar ao seu lado no caso, você disse que a coisa mais cristã a se fazer é apreciar, promover e respeitar o desejo de um casal homoafetivo de viver a vida juntos? Acho que esse seu impulso passou um pouco da linha, na tentativa de passar por cima das convicções dela ou de questões religiosas. De uma forma bonita, você estava tentando apelar para as crenças religiosas dela, para o contexto de onde ela vinha e tentando, assim, convencê-la. Deste modo, seu argumento vai ao encontro do meu, Luís Roberto. Você estava usando a retórica dela sobre o bem e sobre qual a melhor interpretação, segundo sua visão, do que a fé cristã dela realmente permitia ou até exigia que ela fizesse. Acontece que vocês não chegaram a um acordo. Ela não enxergou isso da mesma maneira que você. Ela tinha uma interpretação diferente da sua sobre o que a fé cristã exigia em relação ao casamento entre pessoas do mesmo sexo. Mas esse parece ter sido o primeiro passo em direção ao meu argumento, que é deixar de lado a pretensão de neutralidade e tentar persuadir, tentar ponderar racionalmente sem insistir que questões de propósito ou fé ou o bem-viver não podem estar abertos à argumentação. Eu discordo disso. É aí que eu e você nos aproximamos. Acho que foi um bom impulso, no entanto, não um impulso que observa estritamente os preceitos da neutralidade liberal. Este é o ponto principal em que quero te fazer uma provocação. Mas aqui está minha discordância mais fundamental. Sim, uniões civis são uniões entre adultos que sabem o que estão fazendo, e, a partir do momento em que uniões civis são feitas de maneira independente e voluntária, é verdade que não existem terceiros, mas com o casamento entre pessoas do mesmo sexo, esse não é o caso, estritamente falando. Existe um terceiro e é o Estado, representando a comunidade política, porque o que separa o casamento entre pessoas do mesmo sexo de um arranjo estritamente privado entre adultos que desejam viver juntos é precisamente o imprimátur do Estado, o endosso e a honra do Estado representando a comunidade política dizendo: nós vamos abençoar essa união, por assim dizer, embora seja uma bênção civil. Vamos respeitar essa relação não somente como um contrato, mas como um casamento. Quando o Estado faz isso, ele é um terceiro muito importante. Isso explica a paixão no debate sobre o casamento entre pessoas do mesmo sexo. Alguns sugeriram, no início desses debates, que a melhor maneira de concordar em discordar seria simplesmente permitir que casais do mesmo sexo celebrassem contratos, que declarassem sua relação e sua intenção de viver juntos. E, se somente envolvesse isso, não haveria necessidade de casamento entre pessoas do mesmo sexo. Mas os proponentes do casamento entre pessoas do mesmo sexo entenderam, acredito que de maneira acertada, que contratos puramente privados e voluntários para viver junto não carregam a aprovação e o respeito que o Estado confere quando ele finalmente diz: sim, casais do mesmo sexo agora serão incluídos na instituição social do casamento. É por isso que o debate foi tão intenso. É por isso que acordos puramente privados não eram suficientes, porque o que estava em jogo era o reconhecimento, o respeito, o que eu acho que não é uma questão que possa ser decidida com neutralidade.

BARROSO: Acho que vamos deixar assim, porque da forma que eu vejo isso, se o Estado não reconhecesse e concedesse direitos a casais do mesmo sexo, estaria dizendo que esse afeto e esse amor valem menos que o de pessoas heterossexuais.

SANDEL: Certo.

BARROSO: E acho que isso seria muito injusto. Isso seria discriminação. Então, acho que o Estado deve ter um papel neutro, no sentido de que você não é obrigado a fazer tal coisa, mas, se quiser fazer, eu vou aceitar. Mas, Michael, talvez precisemos voltar a esse assunto em outro momento e eu vou fazer meu dever de casa. Precisamos melhorar nossas ideias de neutralidade, porque podemos estar tendo uma pequena desavença quanto ao que eu considero neutro, porque acho que o Estado precisa ser neutro. E você acabou de dizer que, se o Estado se envolve, não é mais neutro, porque lidamos com essa espécie de aprovação pública. Você me permite passar para um assunto diferente, igualmente difícil? Eu sei que o estado de Massachussetts, onde você vive, descriminalizou a maconha. Você tem uma visão sobre aplicar seus princípios de justiça e sua visão sobre o bem comum? Como você encaixaria a questão das drogas na sua filosofia geral?

SANDEL: Em geral, não sou contra a descriminalização da maconha, principalmente por um fundamento prático. Não acho que a polícia deva dedicar forças de aplicação da lei para tentar reprimir pessoas que estejam usando a maconha para fim recreativo. Acho que isso leva a outros perigos. Mas não acho que um bem público primordial seja impulsionado ao incentivar pessoas a fumar maconha de maneira recreativa. Também não acho que isso deva ser criminalizado. Vejo isso mais como uma questão prática que uma questão de justiça fundamental.

BARROSO: Ok, concordamos nisso também, o que me deixa muito feliz. Também penso que drogas ilícitas sejam uma coisa ruim, e, claro, o papel do Estado deve ser desincentivar pessoas a consumir drogas ilícitas. Mas a maneira como vejo, e esse é um problema muito maior onde eu vivo, a guerra contra as drogas, Michael, já fracassou. Depois de centenas de milhares de mortes e prisões, somente continua a crescer. O poder de traficantes de drogas em comunidades pobres é vergonhoso em países como o Brasil e outros da América Latina. É uma guerra perdida, basicamente. Ao longo do tempo, o foco mudou de proteger a saúde pública para uma perseguição criminal. No Brasil, cerca de 30% das pessoas encarceradas estão ali por causa de drogas, tráfico ou crimes relacionados, e geralmente se prendem pessoas jovens e você simplesmente destrói a vida delas ao colocá-las na prisão. E o que é pior: o negócio das drogas vai substituir aquele jovem imediatamente. Então você destrói vidas e não causa nenhum impacto no tráfico de drogas. Concordo com você, é ruim e a criminalização não fez nada de bom. Eu pensaria em tratar o tema como vimos acontecer com o consumo de cigarro. No Brasil, você não pode comprar cigarro se for menor de idade. Não se pode fazer propaganda, há uma tributação relativamente alta e campanhas para conscientizar as pessoas sobre os riscos. Mas ainda é algo legalizado e, provavelmente nos Estados Unidos também, o consumo de cigarro sofreu uma importante diminuição. Acho que lutar contra uma coisa sob a luz do dia seria uma opção melhor do que criminalizá-la. Não tenho total certeza, no entanto. Acho que deveríamos monitorar e ver como as coisas se desenvolvem para ter certeza que estamos fazendo a coisa certa aqui também. Eu concordo com você; o quadro não é nada bom, mas criminalizar é ainda pior.

SANDEL: Para mim, o ponto mais decisivo que você levanta é a maneira como criamos um sistema de encarceramento em massa em grande parte devido à prisão de pessoas pelo uso de drogas. Acho que precisamos, fundamentalmente, repensar o sistema de prisões e de encarceramento em massa. E uma boa parte desse processo consistirá em reconsiderar a lei e a repressão em relação às drogas.

BARROSO: Ok, acho que estamos debatendo todas as questões difíceis que encontramos tanto no Brasil como nos EUA, então vou avançar para outra de que você trata no seu livro, que é a ação afirmativa. No Brasil, diferentemente dos Estados Unidos, nós temos cotas em universidades públicas e em serviços civis públicos. E eu apoiei – e ainda apoio – isso, porque acho que é importante para nós. O Brasil é um país muito mais miscigenado do que os Estados Unidos; aqui, a cor da pele ainda pode fazer uma grande diferença no seu acesso ao mercado e a posições mais elevadas. Vou dar meus motivos e depois vou ouvir você. Eu apoio a ação afirmativa e apoio as cotas porque acho que temos um débito moral com a comunidade afro-brasileira devido à escravidão. Nós temos o que chamamos de racismo estrutural, porque, quando essas pessoas foram libertadas em 1888, não foram integradas à sociedade. Elas viveram uma vida marginalizada. Foi imposta à comunidade afro-brasileira uma condição muito subalterna. Também sou a favor da ação afirmativa porque acho que precisamos de símbolos afro-brasileiros de sucesso. Precisamos ter essas pessoas em posições mais altas no setor público, no setor privado, de forma que afro-brasileiros mais jovens possam se espelhar neles como um exemplo, possam admirá-los e tentar ser como eles. Esses são meus três argumentos que embasaram meu voto a favor da ação afirmativa. E mesmo no Tribunal Superior Eleitoral, onde estou agora, nós tomamos a mesma decisão acerca do financiamento público de candidatos durante as campanhas – aqui nós temos algum financiamento público –; você precisa ter uma parcela desse financiamento público correspondente à proporção de candidatos negros. Se você tiver 40% de candidatos negros, 40% dos fundos devem ir para eles. Foi polêmico, mas acho que foi muito importante o Tribunal ter decidido dessa maneira. Agora quero ouvir um pouco você falar sobre a ação afirmativa e como isso se encaixa em seu sistema de pensamento.

SANDEL: Concordo com todos os motivos que você acabou de oferecer para a ação afirmativa em vagas na universidade.

Não sabia sobre o regulamento para financiamento de campanha, que eu acho muito interessante e encorajador. Concordo com as justificativas que você deu em defesa da ação afirmativa. E acrescentaria somente que, por mais importante que seja promover a ação afirmativa para membros das comunidades negras, tanto brasileiras quanto estadunidenses, acho que deveríamos também estender a ação afirmativa nas admissões em universidades de modo a considerar um histórico de classe, contemplando aqueles que sofreram desvantagens em razão de sua classe. Mas concordo com todos os argumentos que você apontou, Luís Roberto.

BARROSO: Antes de concluirmos, gostaria que você fizesse uma avaliação do seu livro sobre a motivação para escrevê-lo e sobre o impacto que você acha que ele trouxe para o mundo, para a comunidade intelectual e para os leitores de modo geral. É interessante que, quando escrevemos um livro e depois outro e depois mais um, às vezes, haja um que se torne tão importante e bem-sucedido que as pessoas acabam pedindo o tempo todo para voltarmos nele. Acho que eu e o público, como leitores, ficaremos felizes em ouvir você falar a respeito dez, doze anos depois de ter escrito o livro. Como você se sentiu ao escrevê-lo, o impacto, e principalmente se você faria alguma coisa diferente se fosse escrevê-lo hoje.

SANDEL: Bem, muito obrigado, Luís Roberto, por esses comentários generosos sobre o livro *Justiça*. Ele surgiu a partir de um curso que lecionei por muitos anos. O livro, como o curso, tenta relacionar grandes questões da filosofia com os dilemas que enfrentamos em nossa vida cotidiana. Acho que a recepção do livro e sua vida continuada refletem certa fome e ânsia que eu encontro em todo lugar para onde viajo, especialmente entre pessoas jovens, mas não somente. Uma fome e uma ânsia de raciocinar juntos sobre grandes questões que importam, inclusive questões de valores e ética. O que contribui para uma sociedade justa? O que devemos uns aos outros como cidadãos? O que significa buscar o bem comum? Em um nível, essas são questões filosóficas abstratas que foram debatidas por filósofos por muito tempo. Mas o que eu tentei ensinar meus alunos e o que tento transmitir no livro é que o que esses famosos filósofos escrevem não são simplesmente artefatos na história das ideias. São episódios e argumentos nos quais ainda estamos engajados todos os dias, e acho que é uma característica da vida pública de sociedades democráticas como a nossa, Luís Roberto, que nossa vida cívica não esteja indo muito bem. É quase como se tivéssemos perdido a capacidade de raciocinar juntos sobre questões difíceis. Até mesmo de ouvir uns aos outros. E de nos engajar em um diálogo respeitoso sobre nossa vida cívica com a devida frequência. O que é tido como discurso político nos dias de hoje consiste ou em conversas estreitas, tecnocráticas, administrativas, que não inspiram ninguém, ou é um espaço para paixões, competições de quem grita mais alto em que partidários e ideólogos gritam um para o outro sem escutar de verdade, sem se dirigir uns aos outros. Isso resulta em uma vida cívica empobrecida, então eu acho que, quando escrevi o livro, e quando foi publicado no Brasil uma década atrás, naquela época, como agora, existia uma grande fome de alguma coisa melhor, um tipo de discurso político mais elevado do que o tipo ao qual ficamos acostumados. E é assim que eu justifico o grau de interesse que o livro atraiu, a fome de filosofia, o desejo de descobrir grandes questões de sentido e de raciocinar juntos. Isso leva a um caminho muito longo. Acho que é uma fome universal, talvez até mesmo uma necessidade humana fundamental de descobrir o que é certo e o que é errado e como viver nossa vida de formas que nos orgulhem e extrair disso um sentido. Se puder, eu gostaria de terminar com uma experiência que tive durante uma visita alguns anos atrás ao Brasil; eu estava no Rio de Janeiro na ocasião e tive a oportunidade de visitar uma favela e me encontrar com um grupo de ativistas da comunidade. Nós estávamos sentados em um espaço da comunidade e discutíamos questões de justiça e injustiça, igualdade e desigualdade, questões de violência, questões sobre cidadania e voz. Uma das pessoas que eu conheci durante aquela visita, alguém que ajudava a liderar o debate comigo, era um homem chamado Reginaldo. Acho que ele tinha uns cinquenta e poucos anos e me contou sua história. Ele cresceu na favela. Não sabia ler até os 25 anos de idade, não foi para a escola. Ele era catador. Ganhava a vida catando lixo, itens descartados nas latas de lixo das pessoas. E um dia ele encontrou em uma delas um livro rasgado, se desfazendo, pegou e tentou se entender com aquilo. O dono da casa viu que ele estava ali, saiu e perguntou o que ele estava fazendo. E o livro, o livro caindo aos pedaços que Reginaldo havia encontrado, afinal, era sobre o julgamento de Sócrates. Era um dos diálogos de Platão. E a pessoa que havia descartado aquele livro era um professor aposentado. O professor ensinou Reginaldo a ler através dos diálogos de Platão; ensinou-lhe a ler, e Reginaldo ficou fascinado com Platão e com a filosofia, e começou a ler mais e mais. Começou a relacionar aquela filosofia com a vida que ele vivia na favela. Assim se deu o encontro que eu tive com um grupo de ativistas da comunidade, sendo que muitos haviam sido alunos de Reginaldo. O que me chamou atenção – e isso me remete de volta ao que eu estava dizendo sobre Sócrates quando iniciamos nossa discussão – foi sua abordagem da filosofia. De muitas maneiras, Reginaldo e eu estamos engajados na mesma empreitada, no mesmo projeto de ler e aprender sobre o que filósofos famosos do passado escreveram e tentando conectar suas questões com o mundo em que vivemos. Isso, para mim, parece filosofia, filosofia política na sua melhor forma. Com a devida modéstia, Luís Roberto, esta é minha aspiração para meu livro *Justiça*.

BARROSO: Michael, muito obrigado. Como você sabe, você tornou a filosofia política mais acessível para muitas pessoas e, claro, as ajuda a viverem uma vida melhor. Acho que você tem o sucesso que merece, porque você é brilhante – é um pensador, uma pessoa gentil, que se preocupa. Antes de concluir, gostaria de citar uma frase de Nelson Mandela, e acho que ela combina muito bem com você: "Uma boa cabeça e um bom coração formam uma combinação formidável." Foi um prazer estar com você aqui. É um prazer pegar uma carona na comemoração do aniversário de dez anos de publicação de seu livro tão bem-sucedido no Brasil. Desejo a você tudo de bom sempre e que possa continuar iluminando a mente dos jovens. Para mim, é um prazer e uma honra poder me encontrar com você. De vez em quando, conseguimos conversar aqui no Brasil ou nos Estados Unidos, e espero que a pandemia vá embora logo para que possamos tomar uma taça de vinho juntos em algum momento, certo?

SANDEL: Não vejo a hora, Luís Roberto. Fico muito agradecido por esta conversa, por suas palavras generosas. Aguardo ansiosamente a chance de podermos nos encontrar pessoalmente de novo. Muito obrigado.

BARROSO: Até logo!

# Índice

*O texto deste livro foi composto em Sabon, desenho tipográfico de Jan Tschichold de 1964 baseado nos estudos de Claude Garamond e Jacques Sabon no século XVI, em corpo 11/15. Para títulos e destaques, foi utilizada a tipografia Frutiger, desenhada por Adrian Frutiger em 1975.*

*A impressão se deu sobre papel off-white 80g/m² na Gráfica Geográfica.*